Thomas Söding

Die Trias Glaube, Hoffnung, Liebe bei Paulus

Stuttgarter Bibelstudien
150

Herausgegeben von
Helmut Merklein und Erich Zenger

Thomas Söding

Die Trias Glaube, Hoffnung, Liebe bei Paulus

Eine exegetische Studie

Verlag Katholisches Bibelwerk GmbH
Stuttgart

Für
Christoph,
Markus
und
Stephan

Die Deutsche Bibliothek – CIP-Einheitsaufnahme

Söding, Thomas:
Die Trias Glaube, Hoffnung, Liebe bei Paulus:
eine exegetische Studie / Thomas Söding. –
Stuttgart: Verl. Kath. Bibelwerk, 1992
(Stuttgarter Bibelstudien; 150)
ISBN 3-460-04501-9
NE: GT

Gesamtherstellung: Druckerei Pustet, Regensburg

Inhaltsverzeichnis

Vorwort

Die Bibelstudie ist aus meiner Habilitationsschrift über das Liebesgebot bei Paulus hervorgegangen. Wegen des besonderen Gewichts, das der Trias nicht erst in der Frömmigkeits- und Theologiegeschichte, sondern schon beim Apostel selbst zukommt, schien es richtig, die einschlägigen Analysen und Interpretationen aus der Untersuchung herauszunehmen und, für den neuen Zweck umgearbeitet, einer kleinen Monographie zugrundezulegen.
Mit begrenzten Mitteln will sie in die exegetische Auseinandersetzung mit Texten einführen, die einen Brennpunkt der paulinischen Theologie und Ethik bilden. Für Paulus ist die Trias eine Kurzformel des Christseins, geeignet, ebenso knapp wie präzise zu benennen, worin authentisches Leben „in Christus" besteht. Darin liegt ihre Relevanz. Wenn die Arbeit dazu dienen könnte, die Diskussion über die Kennzeichen des Christlichen zu fördern, hätte sie mehr erreicht, als zu erhoffen ist.

Prof. Dr. Helmut Merklein sei für die freundliche Aufnahme der Arbeit in die Reihe der Stuttgarter Bibel-Studien gedankt, für zuverlässige Arbeit bei der Literatursuche und den Korrekturen Frau Dipl.-Theol. Beatrix Karthaus sowie den studentischen Hilfskräften Martin Diek und Christian Münch.

Ich widme dieses Buch, gemeinsam mit meiner Frau, unseren Kindern.

Giesen, im August 1992 Thomas Söding

Abkürzungen

Die Abkürzungen antiker Autoren und Texte richten sich (in dieser Reihenfolge) nach den Listen im EWNT I 3–12, im ThWNT X 53–85 und im Bauer-Aland, Wb XI–XX.

Zeitschriften und Wissenschaftliche Reihen werden abgekürzt nach *S. Schwertner*, Internationales Abkürzungsverzeichnis für Theologie und Grenzgebiete (IATG), Berlin–New York 1974; ergänzt als Sonderband der Theologischen Realenzyklopädie (TRE), ebd. 1976.

Darüber hinaus werden folgende Abkürzungen verwendet:

ANRW	Aufstieg und Niedergang der römischen Welt, hg. v. H. Temporini u. W. Haase, Berlin
DH	H. Denzinger, Enchiridion symbolorum definitionum et declarationum de rebus fidei et morum. Lateinisch–deutsch, hg. v. P. Hünermann, Freiburg u. a. [37]1991
DThA	Die Deutsche Thomas-Ausgabe. Vollständige, ungekürzte deutsch-lateinische Ausgabe der Summa Theologica, 1933ff
EWNT	Exegetisches Wörterbuch zum Neuen Testament, I–III, hg. v. H. Balz und G. Schneider, Stuttgart 1980–1983
HFTh	W. Kern – H. J. Pottmeyer – M. Seckler (Hg.), Handbuch der Fundamentaltheologie. 4 Bde., Freiburg u. a. 1985–1988
JSHRZ	Jüdische Schriften aus hellenistisch-römischer Zeit, hg. v. W. G. Kümmel, Gütersloh
NHThG	Neues Handbuch Theologischer Grundbegriffe, 4 Bde., hg. v. P. Eicher, München 1984f
NLCM	Neues Lexikon der christlicher Moral, hg. v. H. Rotter und G. Virt, Innsbruck–Wien 1990
SBAB	Stuttgarter Biblische Aufsatzbände 1ff, hg. v. G. Dautzenberg und N. Lohfink, Stuttgart 1988ff
ZGB	Zürcher Grundrisse zur Bibel, hg. v. H. H. Schmid und S. Schulz, Zürich 1986ff

Zur Zitationsweise

Spezialuntersuchungen, die nur einmal zitiert sind, werden nicht in das Literaturverzeichnis aufgenommen. Kommentare werden grundsätzlich nur mit der Abkürzung der ausgelegten biblischen Schrift zitiert und im Literaturverzeichnis gleichfalls nicht aufgeführt. Andere Arbeiten werden im Text der Arbeit grundsätzlich nur mit einem Kurztitel angegeben; die ausführlichen bibliographischen Angaben finden sich im Literaturverzeichnis.

I. Das Thema

Für Paulus spiegelt sich die Mitte christlichen Lebens in der spannungsvollen Einheit von Glaube, Hoffnung und Liebe. Jeder einzelne dieser Begriffe kennzeichnet an entscheidenden Stellen der paulinischen Briefe die authentische Antwort von Menschen auf das Heilshandeln Gottes, das im gekreuzigten und auferweckten Jesus Christus Gestalt angenommen hat. Von besonderer Prägnanz sind jene Sätze des Apostels, die alle drei Haupt-Wörter zu einer Trias verknüpfen.

In den anerkannt echten Paulus-Briefen[1] findet sie sich dreimal: in 1Thess 1,3 und 5,8 sowie in 1Kor 13,13. Überdies gibt es eine Anzahl weiterer Verse, in denen sie anzuklingen scheint oder doch erkennbar vorausgesetzt wird (1Kor 13,7; Gal 5,5f; auch 1Thess 3,6; Phlm 5; ferner Röm 5,1–11). Die Trias Glaube – Hoffnung – Liebe (Pistis – Elpis – Agape) ist für den Apostel eine Kurzformel des Christseins. Sie bringt das Wesen christlicher Existenz prägnant auf den Begriff. Sie dient nicht der Reduktion des Christlichen, sondern der Konzentration auf das Evangelium. Sie blickt auf das Gottesverhältnis (Pistis, Elpis) ebenso wie auf die Beziehungen zu den anderen Menschen (Agape). Sie spricht nicht nur vom Bekenntnis, sondern auch von der Praxis der Getauften. Sie lokalisiert christliche Identität weder im Innenraum der Seele noch in Utopia, sondern in der realen Geschichte, die durch Gottes Selbstmitteilung in Jesus Christus zugleich ermöglicht und begrenzt wird. Darin ist die außerordentliche Qualität der Trias begründet. Theologische Reflexion, spirituelle Konzentration und paraklетische Intention gehen in ihr eine untrennbare Verbindung ein. Mit der Trias will Paulus seinen Gemeinden das authentisch Christliche vor Augen stellen, um sie gemäß dem Evangelium zum Glauben, zur Hoffnung und zur Liebe zu bewegen.

Der Stellenwert des Themas, das Paulus mit seiner Trias vorgibt, zeichnet sich in drei Problemkreisen ab: Die Trias spielt seit je eine erhebliche Rolle in der Diskussion über das authentisch Christliche; sie steht im Blickpunkt der exegetischen Paulus-Forschung; und sie bildet einen Brennpunkt kontroverstheologischer Debatten über Gnade und Rechtfertigung.

[1] Röm; 1/2Kor; Gal; Phil; 1Thess; Phlm; vgl. zur Unterscheidung authentischer und pseudepigrapher Briefe etwa *E. Lohse*, Entstehung 34–65.

1. Die Trias in der Diskussion über das authentisch Christliche

Für Paulus sind Glaube, Hoffnung und Liebe die entscheidenden Grundvollzüge des Christseins. Darüber herrscht unter den verschiedenen kirchlichen Konfessionen grundsätzliche Einigkeit. Christlicher Lebensvollzug ist personal und ekklesial dadurch gekennzeichnet, daß die Hinordnung zu Gott auf das engste mit der Hinwendung zum Nächsten verbunden ist, beides vermittelt durch Jesus Christus und beides ausgerichtet auf die transhistorische Zukunft der Heilsvollendung; die Gottes- und Christusbeziehung läßt sich am präzisesten auf den Begriff des Glaubens, das Verhältnis zum Nächsten auf den der Liebe bringen; angesichts des Eschatons verweisen Glaube und Liebe auf die Hoffnung als Erwartung der endgültigen Heilsvollendung in einer Zukunft jenseits der gegenwärtigen Geschichte.

Die hohe Wertschätzung der Trias spiegelt sich in einigen neueren kirchenamtlichen Dokumenten. Die Kirchenkonstitution des Zweiten Vatikanischen Konzils versteht die Ekklesia an zentraler Stelle als „die Gemeinschaft des Glaubens, der Hoffnung und der Liebe" (*Lumen Gentium I,8*).[2] Im Konvergenzdokument „Wege der Einheit", 1980 von einer gemeinsamen römisch-katholischen und evangelisch-lutherischen Kommission beschlossen[3], werden sowohl das Ziel der Einheit als auch die Wege zu ihr im Anschluß an die paulinische Trias beschrieben (24–31.73–85). In Katechismen katholischer wie evangelischer Konfession erscheinen Glaube, Hoffnung und Liebe regelmäßig als entscheidende Kennzeichen christlichen Lebens.[4]

Auch in der systematischen und praktischen Theologie kommt der Trias

---

[2] Diese Kennzeichnung leitet den Passus ein, der die Sichtbarkeit mit der Unsichtbarkeit der Kirche vermitteln soll. Der Rekurs auf die paulinische Trias verschafft den Konzilsvätern die Möglichkeit, die Sichtbarkeit der Kirche nicht allein institutionell, sondern auch personal zu fassen und ihre Unsichtbarkeit nicht allein als christologisches Geheimnis zu postulieren, sondern auch in den existentiellen Vollzügen der Glaubenden zu orten; vgl. *A. Grillmeier*, Kommentar zur Dogmatischen Konstitution über die Kirche „Lumen Gentium": LThK.E 12 (1966) 170. Freilich wird dieser Gedanke in weiteren Konzilstexten kaum aufgenommen und entfaltet; er spielt auch in der Rezeption von Lumen Gentium nur eine untergeordnete Rolle.

[3] Dokumente wachsender Übereinstimmung 1931–1982, hg. v. H. Meyer – H. J. Urban – L. Vischer, Paderborn–Frankfurt/M. 1983, 296–322.

[4] Glaubensverkündigung für Erwachsene. Deutsche Ausgabe des Holländischen Katechismus, Nijmwegen 1968, 326–342; Neues Glaubensbuch. Der gemeinsame christliche Glaube, hg. v. J. Feiner – L. Vischer, Freiburg 1973, 313ff.445–457; Katholischer Erwachsenen-Katechismus: Das Glaubensbekenntnis der Kirche, hg. v. der Deutschen Bischofskonferenz, Bonn 1984, 250ff.

ein hoher Rang zu. In der vorkonziliaren katholischen Moraltheologie haben Glaube, Hoffnung und Liebe als „theologische Tugenden" einen festen Platz bei der Grundlegung der allgemeinen Moral bzw. der Einführung in die spezielle Ethik.[5] Der Rekurs auf die Trias erfolgt gemäß scholastisch-neuscholastischer Tradition; er geschieht in doppelter Absicht: *zum einen* soll die Gottes- und Christusbeziehung als Wurzelgrund des zwischenmenschlichen Verhaltens zur Geltung kommen; *zum anderen* soll auch anthropologisch, im Hinblick auf die Einstellungen und Haltungen des Menschen, die Verankerung der Ethik in der Soteriologie und die Ermöglichung des sittlich Guten durch Gottes Gnade gewahrt werden. Beides blieb freilich recht formal. Hier setzt die Kritik von Autoren wie *Fritz Tillmann*[6] und *Bernd Häring*[7] an, die um eine Erneuerung der katholischen Moraltheologie aus biblischen Quellen bemüht sind. Sie versuchen nicht nur, das Gewicht der „theologischen Tugenden" im System der Moraltheologie zu vergrößern; sie bemühen sich auch, die Begriffe des Glaubens, der Hoffnung und der Liebe durch das Zeugnis der alt- und neutestamentlichen Texte zu füllen. Dadurch haben sie viel zu einer Personalisierung der Ethik beigetragen[8], gleichzeitig zur Überwindung kontroverstheologischer Engführungen, die in der Neuscholastik unverkennbar gewesen sind. Nachdem sich die Moraltheologie zwischenzeitlich vorwiegend mit Problemen normativer Ethik auseinandergesetzt hat, finden die Tugenden im allgemeinen und Glaube, Hoffnung und Liebe im besonderen jüngst wieder verstärktes Interesse.[9] Auch in der evangeli-

---

[5] Vgl. z. B. *J. Mausbach*, Katholische Moraltheologie I: Die allgemeine Moral. Die Lehre von den allgemeinen sittlichen Pflichten der Nachfolge Christi zur Gleichgestaltung mit Christus und zur Verherrlichung Gottes in der Auferbauung seines Reiches in der Kirche. 8. Aufl. neu bearb. v. *G. Ermecke*, Münster 1954, 297–303; *J. Stelzenberger*, Lehrbuch der Moraltheologie. Die Sittlichkeitslehre der Königsherrschaft Gottes, Paderborn 1953, 121–142.

[6] Die katholische Sittenlehre. Die Verwirklichung der Nachfolge Christi. Die Pflichten gegen Gott (Handbuch der katholischen Sittenlehre IV/1), Düsseldorf 1935, 58–183.

[7] Das Gesetz Christi. Moraltheologie. Dargestellt für Priester und Laien, Freiburg i.Br. 1954, 559–628; Das Gesetz Christi[8], Bd. II, Freiburg i.Br. 1967, 37–124.

[8] Der große Inspirator aus dem 19. Jh. ist *J. B. v. Hirscher*, Die christliche Moral als Lehre von der Verwirklichung des göttlichen Reiches in der Menschheit, 3 Bde., Tübingen 1836. Nachdr. Frankfurt 1970, bes. Bd. II. Einige Anstöße gibt aber auch *J. Scheeben*, Handbuch der katholischen Dogmatik, Freiburg 1878, II 328–340; *ders.*, Natur und Gnade. Gesammelte Schriften I, Freiburg 1949, 132–172.

[9] Vgl. *A. Auer*, Grundkräfte der christlichen Existenz, in: H. Kuhn u. a. (Hg.), Interpretation der Welt. FS R. Guardini, Würzburg 1965, 172–189; *ders.*, Glaube, Hoffnung und Liebe; *D. Mieth*, Die neuen Tugenden 170–189; weiter *H. R. Niebuhr*, Reflection on Faith, Hope and Love: JRE 2 (1975) 151–156; *Ph. Schmitz*, Tugend – der alte und neue Weg zur inhaltlichen Bestimmung des sittlichen

schen Ethik der Gegenwart sind Stimmen zu hören, die der paulinischen Trias einen wichtigen Ort innerhalb der Moraltheologie sichern wollen.[10]

Doch nicht nur in der Moraltheologie, auch in der Dogmatik, besonders in der theologischen Anthropologie spielt die Trias eine große Rolle. Repräsentative Gesamtentwürfe heutiger Dogmatik konzentrieren sich auf einen der drei von Paulus verbundenen Begriffe (ohne die Relevanz der anderen zu leugnen): Bei *Gerhard Ebeling* ist es der Glaube[11], bei *Jürgen Moltmann*[12] und ähnlich bei *Helmut Gollwitzer*[13] die Hoffnung, bei *Romano Guardini*[14] und bei *Hans Urs von Balthasar*[15] die theologische Tugend der Agape, bei *Karl Rahner* die Einheit von Nächsten- und Gottesliebe[16]. Die

---

Verhaltens: ThPh 54 (1979) 161–192; *F. Furger*, Einführung in die Moraltheologie, Darmstadt 1988, 67; *E. Schockenhoff*, Art. Tugenden und Laster, in: NLCM 798–805; *J.-P. Wils – D. Mieth*, Tugend, in: dies. (Hg.), Grundbegriffe der christlichen Ethik (UTB 1648), Paderborn 1992, 182–198: 192ff.

[10] Vgl. *Ch. Frey*, Theologische Ethik, Neukirchen 1990, 218–221; aber auch schon *P. Althaus*, Grundriß der Ethik (GETh 2), Gütersloh ²1953 (1931), 70f; *W. Trillhaas*, Ethik, Berlin ³1970, 164f.

[11] Das Wesen des christlichen Glaubens, Tübingen 1959; Dogmatik des christlichen Glaubens I 79–157. II 553–539. III 191–248.

[12] Theologie der Hoffnung. Untersuchungen zur Begründung und zu den Konsequenzen einer christlichen Eschatologie (BevTh 38), München 1964.

[13] Krummes Holz – Aufrechter Gang. Zur Frage nach dem Sinn des Lebens, München 1970, bes. S. 314–344.

[14] Welt und Person. Versuche zur christlichen Lehre vom Menschen (1939), Mainz – Paderborn ⁶1988, 162–169.

[15] Einen ersten Eindruck verschafft die kleine Programmschrift: Glaubhaft ist nur Liebe, Einsiedeln 1963. Allerdings sieht Balthasar die Liebe immer in ihrem Zusammenhang mit dem Glauben und der Hoffnung; vgl.: Glaube, Hoffnung, Liebe aus Gott. Genauerhin sind Glaube, Hoffnung und Liebe nur verschiedene Aspekte *einer* Bewegung, die Gott als Gott gelten läßt und ihrerseits in jeder Hinsicht durch Gott getragen wird. Vgl. dazu *W. Schreer*, Der Begriff des Glaubens 605–608.

[16] Zusammenfassend: Über die Einheit von Nächsten- und Gottesliebe (1965), in: Schriften zur Theologie VI, Zürich u. a. 1965, 277–298. Andernorts kann Rahner den Glauben oder die Hoffnung oder auch die Trias (etwa: Glaube, Hoffnung, Liebe und das Kreuz Christi [1974], in: Herausforderung des Christen. Meditationen – Reflexionen, Freiburg u. a. 1975, 36–41) als *essentials* des Christlichen begreifen; vgl. *W. Schreer*, Der Begriff des Glaubens 410–413 (mit weiteren Texten). Wenn Rahner die Trias gleichwohl nicht ins Zentrum seines anthropologischen Denkens stellt, dürfte dies mit zweierlei zusammenhängen: Zum einen hat er ein hohes hermeneutischen Problembewußtsein hinsichtlich der Notwendigkeit einer neuen Sprache in neuen geschichtlichen Situationen (vgl. Der epochale Wandel christlicher Schlüsselbegriffe, in: Chancen des Glaubens. Fragmente einer modernen Spiritualität, Freiburg 1970, 101–106). Zum anderen und mehr noch läßt er sich von seiner anthropologischen und theologischen Grundüberzeugung leiten, man könne, weil es nur zwei intertrinitarische Bewegungen gebe, nur von

Trias selbst wird von *Erich Przywara* thematisiert[17]; er versteht in seiner Ausdeutung der ignatianischen Exerzitien die menschlichen Grundhaltungen des Lobes, der Ehrfurcht und des Dienens je als (trinitarisch begründete) Wirkweisen des Glaubens, der Hoffnung und der Liebe. *Wolfhart Pannenberg*[18] stellt, ohne jedoch die Trias zu zitieren, das Glauben, das Hoffen und das Lieben als die essentiellen Weisen authentischen menschlichen Lebens dar, das seiner Transzendenz ebenso inne ist wie seiner Sozialität und seiner Verwiesenheit in Gottes Zukunft.[19] Auf seiten der philosophischen Theologie ist vor allem die Trilogie von *Josef Pieper* zu nennen, der sich durch *Thomas von Aquin* inspirieren läßt[20], auf seiten der Religionsphilosophie die Phänomenologie der Liebe von *Bernhard Welte*.[21]

Gleichwohl ist keineswegs mehr selbstverständlich, daß sich die Identität des Christseins in der Trias Glaube – Hoffnung – Liebe ausdrücken und überzeugend vermitteln läßt. In zahlreichen neueren Versuchen, das Wesen des Christlichen zu beschreiben, stehen andere Begriffe und Themen im Vordergrund.[22] Für *Dietrich Bonhoeffer* ist es die Nachfolge des Gekreuzigten[23], für *Hans Küng* sind es Humanität, Gesellschaftlichkeit und Religiosität in der Nachfolge Jesu[24], für *Johann Baptist Metz* solidarische Hoffnung und politisch engagierte Nachfolge[25], für *Edward Schillebeeckx*

---

zwei Grundvollzügen des Menschen reden (Erkenntnis und Freiheit), denen Glaube und Liebe (resp. Gottesliebe und Nächstenliebe) sich zuordnen (ebd. 102).

[17] Deus semper maior I 89f.96 (im Rahmen der anthropologischen Grund-Legung). Vgl. *ders.*, Demut, Geduld, Liebe. Die drei christlichen Tugenden, Düsseldorf 1960.

[18] Anthropologie 507–517; vgl. bereits *ders.*, Was ist der Mensch? Die Anthropologie der Gegenwart im Lichte der Theologie, Göttingen ²1964 (¹1962), bes. 22–40.67–76.

[19] Vgl. auch *H. Bars,* Die göttlichen Tugenden; überdies den schönen Aufsatz von *I. Willig,* Glaube, Hoffnung und Liebe als Antwort auf die Offenbarkeit Gottes in Jesus Christus, in: O. Semmelroth (Hg.), Martyria – Leiturgia – Diakonia. FS H. Volk, Mainz 1968, 92–115; ferner *J. Alfaro,* Fides, spes, caritas, Rom 1968. Eine gute Einführung gibt *P. Schladoth,* Glauben – Hoffen – Lieben (Theologie im Fernkurs. Aufbaukurs Lehrbrief 1), Würzburg 1990.

[20] Über die Hoffnung; Über den Glauben; Über die Liebe. Vgl. *ders.*, Über das christliche Menschenbild, Leipzig 1940, 55ff.

[21] Zur Dialektik der Liebe 56–63.

[22] Das schließt in keinem Fall substantielle Beiträge zum Verständnis des Glaubens, der Liebe und der Hoffnung aus.

[23] Nachfolge (1937), hg. v. M. Kuske u. I. Tödt (Dietrich Bonhoeffer Werke 4), München 1989. Auch die Darstellung des paulinischen Befundes steht im Zeichen des synoptischen Nachfolge-Motivs.

[24] Christ sein, München 1974.

[25] Glaube in Geschichte und Gesellschaft. Studien zu einer praktischen Fundamentaltheologie, Mainz 1977.

ist es jene Mitmenschlichkeit, die Jesus von Nazaret im Glauben an Gott vorgelebt und Gott durch die Auferstehung Jesu bestätigt hat[26], für *Jörg Splett*[27], *Otto Hermann Pesch*[28] und *Thomas Pröpper*[29] ist es in jeweils anderer Weise die Freiheit, für *Gisbert Greshake* die *communio*, in der sich die Freiheit verwirklicht[30]. In der Diskussion über „Kurzformeln des Glaubens", die in der evangelischen Kirche entstanden ist[31] und nach dem II. Vaticanum in der katholischen Kirche hohe Wellen geschlagen hat[32], spielt die paulinische Trias nur eine geringe Rolle.[33]

Der Paradigmenwechsel, der sich in Teilen der gegenwärtigen Theologie ankündigt, wenn sie auf die Frage nach den *essentials* christlicher Existenz antwortet, kommt nicht von ungefähr. Aufgrund ihrer Offenheit steht die paulinische Trias in der Gefahr, zu einer Leerformel zu werden. Diese Gefahr hat es immer gegeben. In der Gegenwart ist sie besonders akut. Zwar gelten auf der einen Seite Glaube, Hoffnung und Liebe nach wie vor weit über die Kirchen hinaus als hervorragende Werte und positive Haltun-

---

[26] Jesus. Die Geschichte von einem Lebenden, Freiburg u. a. 1975 (1974); Christus und die Christen. Die Geschichte einer neuen Lebenspraxis, Freiburg u. a. 1977.

[27] Konturen der Freiheit.

[28] Frei sein aus Gnade (Kritische Auseinandersetzungen mit kontroverstheologisch besetzten Verhältnisbestimmungen von Glaube und Liebe finden sich S. 219–249; Reflexionen zur Hoffnung auf S. 403–415); vgl. *ders.*, Tugend.

[29] Erlösungsglaube und Freiheitsgeschichte. Eine Skizze zur Soteriologie, München ²1988.

[30] Freiheit²; vgl. allerdings in der Zusammenfassung die anthropologische Rückbindung der Freiheit und Gemeinschaft an die Grundvollzüge des Glaubens, Hoffens und Liebens.

[31] Vgl. *G. Ruhbach u. a. (Hg.),* Bekenntnis in Bewegung, Göttingen 1969.

[32] Die Diskussion hat *K. Rahner* angestoßen: Die Forderung nach einer „Kurzformel" des christlichen Glaubens (1965/67), in: ders., Schriften zur Theologie VIII, Einsiedeln u. a. 1967, 153–164; vgl. *ders.*, Reflexionen zur Problematik einer Kurzformel des Glaubens (1970), in: ders., Schriften zur Theologie IX, Einsiedeln u. a. 242–257; *ders.*, Grundkurs des Glaubens. Einführung in den Begriff des Christentums, Freiburg u. a. 1976 u. ö., 430–440. Starke Vorbehalte wegen der Gefahr einer Reduktion des christlichen Glaubensbekenntnisses macht *J. Ratzinger* geltend: Theologische Prinzipienlehre. Bausteine zur Fundamentaltheologie, München 1982, 127–136 (zuerst 1973). Ausgezeichnete Diskussionsüberblicke verschaffen *W. Beinert,* Kurzformeln des Glaubens – Reduktion oder Konzentration? ThPQ 122 (1974) 105–117; *L. Karrer,* Der Glaube in Kurzformeln, Mainz 1978, 1f.20–38. Umfangreiche Sammlungen präsentieren *J. Schulte (Hg.),* Glaube elementar. Versuche einer Kurzformel des Christlichen, Würzburg 1971; *R. Bleistein,* Kurzformeln des Glaubens. Prinzip einer modernen Religionspädagogik, 2 Bde., Würzburg 1971, Bd. II: Texte.

[33] Das einzige mir bekannte Beispiele steht bei *R. Bleistein (Hg.),* a.a.O. II 54 (vom Arbeitskreis „Politisches Nachtgebet" in Rheinhausen). Anklänge finden sich bei *K. Rahner* (Reflexionen zur Problematik einer Kurzformel des Glaubens, a.a.O. 242ff; vgl. *R. Bleistein,* a.a.O. 86–94) und *L. Karrer,* a.a.O. 289.

gen. Aber auf der anderen Seite ist nicht nur einer Banalisierung, sondern auch einem kalkulierten Mißbrauch der Begriffe Tür und Tor geöffnet.[34] Die Folge ist, daß die Trias Glaube – Hoffnung – Liebe hohl zu klingen droht.
Um so wichtiger ist die Rückbesinnung auf ihren ursprünglichen Sinn. Wie Paulus die Trias verwendet, hat sie ein scharfes semantisches und pragmatisches Profil. Unbeschadet ihrer Offenheit, die vom Apostel beabsichtigt ist, beschreibt sie präzise (und im Ersten Korintherbrief wie im Galaterbrief auch polemisch), was die personale und ekklesiale Existenz der Christen ausmacht.

2. Die Trias in der Diskussion über die paulinische Theologie

Die Trias ist für die Theologie des Apostels in mehrfacher Hinsicht aufschlußreich. Als zusammenfassende Beschreibung christlicher Existenz gehört sie in das Zentrum der Ethik. Agape ist für Paulus der Inbegriff des rechten Verhaltens zum Nächsten innerhalb und dann auch außerhalb der Ekklesia. Das Kennzeichen der Trias besteht jedoch darin, daß die Liebe auf das engste mit dem Glauben und der Hoffnung verbunden wird. Pistis aber ist der zentrale soteriologische Begriff des Apostels; nach allen Paulus-Briefen ist es allein der Glaube, der als Antwort auf das Evangelium die Anteilhabe am eschatologischen Heil zu vermitteln vermag; und Elpis ist diesem Glauben auf das engste zugeordnet.
Die charakteristische Verbindung von Glaube, Hoffnung und Liebe bestimmt den Ort der Trias innerhalb der paulinischen Theologie. Die Trias signalisiert *zum einen*, daß für Paulus die Beziehungen der Christen zu anderen Menschen immer nur als Ausdruck eines expliziten Gottes- und Christusverhältnisses dem Evangelium entsprechen können – wie sich umgekehrt die Authentizität des Glaubens und der Hoffnung an der Qualität und Praxis der Liebe messen läßt. Deshalb führt eine exegetische Interpretation der Trias mitten hinein in die Diskussion über das Proprium der christlichen Ethik[35] und über die Kriterien christlicher Spiritualität[36].

---

[34] Die Diskrepanz zwischen beidem thematisiert eindrucksvoll *Ödon von Horváth* in seinem 1936 uraufgeführten Drama „Glaube Liebe Hoffnung. Ein kleiner Totentanz“ (in: Stücke, hg. v. T. Krischke, Reinbek 1961).

[35] Die Frage wird kontrovers diskutiert. Zumeist wird ein materiales Proprium bestritten, während aber im Gedanken der Agape selbst unterscheidend Christliches zum Ausdruck komme; vgl. *R. Bultmann*, Ethik 138.

[36] Die Diskussion wird in der Paulus-Exegese freilich kaum geführt. Umgekehrt sind Beiträge zur christlichen Spiritualität, soweit sie überhaupt paulinisch orientiert werden, selten exegetisch fundiert.

Zum anderen zeigt die Trias, daß Paulus Soteriologie und Ethik eng miteinander verknüpft. Glaube und Hoffnung bilden nach 1Thess 1,3; 5,8 und 1Kor 13,13 sowie Gal 5,5f *zusammen* mit der Liebe die authentische Antwort der Hörer auf das Wort des Evangeliums. Deshalb wirft die Trias die Frage auf, welchen Stellenwert die Ethik im Ganzen der paulinischen Theologie einnimmt: ob sie nur als (unverzichtbarer) Anhang[37] oder (notwendige) Konsequenz[38] oder ob sie als integraler Bestandteil der Heilsverkündigung[39] zu verstehen ist. Gleichzeitig stellt sie die Frage, wie der Apostel die Soteriologie denkt: Weshalb gründet das Heil, von seiten der Menschen betrachtet, auf dem Glauben? Weshalb betrachtet Paulus aber den Glauben in den triassischen Formulierungen dezidiert im Zusammenhang nicht nur mit der Hoffnung, sondern auch mit der Liebe?[40]
Die beiden Probleme, weshalb Paulus einerseits die Nächstenliebe mit der Gottes- und Christusbeziehung und andererseits die Ethik mit der Soteriologie verknüpft, lassen sich nur diskutieren, wenn man sie auf die Grundfragen sowohl der Anthropologie[41] und als auch der Christologie und der Theo-logie des Apostels bezieht. Nur in diesem Horizont kann deutlich werden, weshalb die Nächstenliebe für Paulus auf den Glauben und die Hoffnung angewiesen ist und umgekehrt der Glaube zusammen mit der Hoffnung auf die Agape.
Trotz der großen Bedeutung, die der Trias bei Paulus zukommt, sind eingehende exegetische Auseinandersetzungen mit ihr keineswegs sehr häufig. Zwar gibt es zahlreiche Untersuchungen, die sich speziell mit einem der drei Leitbegriffe befassen. Die Zahl der Studien zum Glaubensbegriff des Apostels ist Legion.[42] Auch sein Verständnis der Hoffnung ist, nicht

---

[37] Darauf läuft die Position von *R. Bultmann* (Ethik) hinaus.

[38] So *W. Nauck*, Das οὖν-*paraeneticum*: ZNW 49 (1958) 134f.

[39] So grundlegend *H. Schlier*, Die Eigenart der christlichen Mahnung nach dem Apostel Paulus (1963) in: ders., Besinnung 340–357.

[40] Die Auseinandersetzung spitzt sich kontroverstheologisch im Streit um die Legitimität der katholischen Formel *fides caritate formata* zu; vgl. *O. H. Pesch*, Art. Liebe: NHThG 3 (1985) 7–26: 8.

[41] Vgl. *U. Schnelle*, Anthropologie; auch *K. Berger*, Historische Psychologie des Neuen Testaments (SBS 146/147), Stuttgart ²1991. Beide Autoren gehen indes auf die Trias nicht näher ein.

[42] Vgl. neben den Lexikonartikeln sowie den einschlägigen Abschnitten in Kommentaren und Theologien des Neuen Testaments *A. Schlatter*, Glaube 323–418.611–614; *E. Wißmann*, ΠΙΣΤΙΣ; *E. Lohmeyer*, Grundlagen paulinischer Theologie (BHTh 1), Tübingen 1929, 62–156; *W. Mundle*, Der Glaubensbegriff des Paulus. Eine Untersuchung zur Dogmengeschichte des ältesten Christentums, Leipzig 1932. Neudruck hg. v. O. Merk, Darmstadt 1977; *W. G. Kümmel*, Der Glaube im Neuen Testament, seine katholische und reformatorische Deutung (1936), in: ders., Heilsgeschehen 67–80; *R. Gyllenberg*, Glaube bei Paulus: ZSTh 13 (1936) 613–630; *M.-E. Boismard*, Foi; *O. Kuß*, Der Glaube nach den paulini-

zuletzt im Blick auf seine Eschatologie, ein bevorzugter Gegenstand der Forschung.[43] Seine Sicht der Liebe schließlich findet sowohl in christologischer und theo-logischer als auch in ethischer Hinsicht größtes Interesse.[44]

---

schen Hauptbriefen (1956), in: ders., Auslegung und Verkündigung I, Regensburg 1963, 187–212; *ders.*, Röm 131–154; *U. Neuenschwander,* Glaube. Eine Besinnung über Wesen und Begriff des Glaubens, Bern 1957, 34–44; *F. Neugebauer*, In Christus 150–174; *H. Ljungmann,* Pistis. A Study of its Presuppositions and its Meaning in Pauline Use, Lund 1964; *J. Pfammatter,* Glaube nach der Heiligen Schrift: MySal 1 (1965) 796–816: 807–810; *E. Käsemann*, Der Glaube Abrahams, in: ders., Paulinische Perspektiven, Tübingen ²1972, 140–177; *P. Stuhlmacher,* Gerechtigkeit Gottes 81ff; *K. Kertelge,* „Rechtfertigung" 162–182; *H. Binder*, Der Glaube bei Paulus, Berlin 1968; *G. Bornkamm*, Paulus 151–155; *G. Eichholz*, Die Theologie des Paulus im Umriß, Neukirchen-Vluyn ²1977 (¹1972), 232–236; *C. Noyen,* Foi; *W. Schenk*, Die Gerechtigkeit Gottes und der Glaube Christi: ThLZ 97 (1972) 161–174; *D. Lührmann*, Glaube 46–59; *J.-M. Faux*, La Foi selon le Nouveau Testament, Bruxelles 1977, 43–86; *E. Lohse*, Glauben 102–117; *G. Friedrich*, Glaube; *W. Klaiber*, Rechtfertigung 174–182; *H. Merklein,* Bedeutung 42–48; *A. v. Dobbeler*, Glaube; *E. Brandenburger*, Pistis 186ff; *O. Hofius,* Wort; *D. B. Garlington*, Obedience; *U. Schnelle,* Anthropologie 59–66.

[43] Vgl. über die Lexikonartikel, Theologien des Neuen Testaments und Kommentare hinaus *W. Hadorn*, Zukunft und Hoffnung. Grundzüge einer Lehre von der christlichen Hoffnung (BFChTh 18/1), Gütersloh 1914; *A. Pott,* Das Hoffen im Neuen Testament 115–165; *R. Bultmann,* Die christliche Hoffnung und das Problem der Entmythologisierung (1954), in: ders., GuV III 81–90; *M. Goguel,* L'espérance chrétienne d'après l'Apôtre Paul: FV 50 (1952) 289–326; *C. F. D. Moule*, The Meaning of Hope. A Biblical Exposition with Concordance, London 1953; *W. Grossouw,* L'espérance; *H. Schlier,* Über die Hoffnung (1960), in: ders., Besinnung 135–145; *E. Fuchs,* Die Zukunft des Glaubens nach 1Thess 5,1–11 (1963), in: ders., Glaube und Erfahrung. Gesammelte Aufsätze III, Tübingen 1965, 334–363; *C. H. Giblin,* In Hope of God's Glory. Pauline Theological Perspectives, New York 1970; *A. Vögtle,* Das Neue Testament und die Zukunft des Kosmos (KBANT), Düsseldorf 1970; *H. R. Balz,* Heilsvertrauen und Welterfahrung. Strukturen der paulinischen Eschatologie nach Röm 8,18–39 (BevTh 59), München 1971; *W. Harnisch,* Eschatologische Existenz; *C. Noyen,* Foi; *P. Pokorny,* Die Hoffnung und das ewige Leben im Spätjudentum und im Urchristentum (AVTRW 70), Berlin 1978; *D. Zeller,* Leben aus der Kraft Gottes. Paulus als Gestalt christlicher Hoffnung: BiKi 33 (1978) 83–87; *K. M. Woschitz,* Elpis 429–571; *D. R. Denton,* Hope and Perseverance: SJTh 34 (1981) 313–320; *G. Nebe,* Hoffnung.

[44] Vgl. neben den Lexikonartikeln, den Theologien und Ethiken des Neuen Testaments sowie den Kommentaren und den Untersuchungen zur paulinischen Ethik *W. Lütgert,* Liebe 186–236; *H. Preisker,* Die Liebe im Urchristentum und in der alten Kirche: ThStKr 94 (1924) 272–294; *J. Moffatt,* Love in the New Testament, London 1929; *R. Bultmann,* Gebot; *V. Warnach,* Agape; *C. H. Ratschow,* Agape. Nächstenliebe und Bruderliebe: ZSTh 21 (1950–1952) 160–182; *C. Spicq,* Agapè II; *ders.,* Notes I 15–30; *O. Kuß,* Die Liebe im Neuen Testament, in: ders., Auslegung und Verkündigung II, Regensburg 1967, 196–234; *G. Friedrich,* Was heißt das: Liebe? (CwH 121), Stuttgart 1972; *C. Noyen,* Foi; *V. P. Furnish,* The Love Command in the New Testament, Nashville – New York 1972, 91–131;

Doch die Trias interessiert zumeist nur am Rande. Von den jüngeren Arbeiten zur neutestamentlichen und paulinischen Ethik wird sie recht stiefmütterlich behandelt.[45] Einige monographische Untersuchungen entsprechen nicht mehr dem Stand der Forschung (was nicht ausschließt, daß sie gleichwohl wichtige Einsichten enthalten).[46] Eine vorzügliche exegetische Studie liegt freilich aus der Feder von *Heinrich Schlier* vor.[47] Ein großer Teil der einschlägigen Einzeluntersuchungen befaßt sich mit literarkritischen und traditionsgeschichtlichen Fragen[48]: Ist die Trias eine Bildung des Apostels oder eine urchristliche Formel? Verdankt sie sich der Auseinandersetzung mit der Gnosis? Welches Verhältnis besteht zu frühjüdischen Vergleichstexten? Freilich findet immer wieder auch der theologische Gehalt der Formel Beachtung.[49] Insbesondere wird untersucht, wie Glaube, Hoffnung und Liebe innerlich so zusammenhängen, daß Paulus sie in einer Trias zu verbinden vermag. In der gegenwärtigen Exegese herrscht ein Rekurs auf die Eschatologie vor: Der Glaube richte sich auf die

---

A. Penna, Amore nelle Bibbia (Teologia bibl. 1), Brescia 1972, 63–73; *S. Légasse,* L'étendue de l'amour interhumain d'après le Nouveau Testament: limites et promesses: RTL 8 (1977) 137–159.293–304; *S. Pedersen,* Agape; *H. Weder,* Kreuz 198–201; *J. Becker,* Feindesliebe; *L. Morris,* The Testaments of Love. A Study of Love in the Bible, Grand Rapids 1981; *G. Lohfink,* Gemeinde 124–134; *E. Quinten,* Liebe; *O. Wischmeyer,* Untersuchung; *dies.,* Gebot; *J. Sauer,* Traditionsgeschichtliche Erwägungen zu den paulinischen Aussagen über Feindesliebe und Wiedervergeltungsverzicht: ZNW 76 (1985) 1–28; *W. Stegemann,* Nächstenliebe oder Barmherzigkeit. Überlegungen zum ethischen und soziologischen Ort der Nächstenliebe, in: H. Wagner (Hg.), Spiritualität, Stuttgart 1987, 59–82; *G. Strekker,* Gottes- und Menschenliebe im Neuen Testament, in: Tradition and Interpretation. FS E. E. Ellis, Tübingen 1987, 53–67; *K. Kertelge,* Freiheitsbotschaft; *H.-W. Kuhn,* Liebesgebot; *Th. Söding,* Liebesgebot. Ältere Lit. erschließt *H. Riesenfeld,* Étude bibliographique sur la notion biblique d'ΑΓΑΠΗ (CNeot 5), Uppsala 1941.

[45] Sie wird auch in grundlegenden Werken nicht eigens thematisiert; vgl. *C. Spicq,* Théologie morale du Nouveau Testament, 2 Bde., Paris 1965; *H. D. Wendland,* Ethik des Neuen Testaments; *V. P. Furnish,* Theology and Ethics in Paul, Nashville 1968; *O. Merk,* Handeln; *J. T. Sanders,* Ethics in the New Testament. Change and Development, Philadelphia 1975; *W. Schrage,* Ethik; *S. Schulz,* Ethik; *R. Schnackenburg,* Botschaft; *E. Lohse,* Ethik; *W. Marxsen,* Ethik.

[46] Trotz unbestrittener Qualitäten gilt dies für *Th. Soiron,* Glaube, Hoffnung und Liebe; *E. Walter,* Glaube, Hoffnung und Liebe; *E. Bars,* Die göttlichen Tugenden.

[47] Drei.

[48] Vgl. *R. Reitzenstein,* Formel; *ders.,* Historia Monachorum 242–255; *A. v. Harnack,* Ursprung; *A. Brieger,* Trias; *C. Spicq,* Agapè II 365–378; *C. Noyen,* Foi; *O. Wischmeyer,* Weg 147–153; *dies.,* Untersuchung; auch die meisten Kommentare.

[49] Herausragend: *H. Schlier,* Drei. Vgl. aber auch *F. Chr. Baur,* Paulus II 249–255; *A. Brieger,* Trias; *H. Jonas,* Gnosis II/1 47f; *W. Harnisch,* Existenz 134–142; *O. Wischmeyer,* Weg 155–162.

Vergangenheit, die Liebe auf die Gegenwart, die Hoffnung auf die Zukunft.[50] Demgegenüber wird in der Dogmatik einerseits eine trinitarische Herleitung und andererseits eine anthropologische Rückbindung versucht: Glaube, Hoffnung und Liebe gelten als Wirkungen Gottes, insofern er seine Liebe in Jesus Christus durch den Heiligen Geist geschichtlich äußert, vorbereitet in der Geschichte Israels, aufgipfelnd in Jesus Christus, vollendet im künftigen Reich Gottes.[51] Das traditionelle Argument für eine anthropologische Rückbindung formuliert z. B. *Bernhard von Clairvaux*, inspiriert durch *Augustinus:* Er bindet die Trias an die drei Seelenkräfte des Menschen zurück, *ratio (intellectus), memoria* und *voluntas*, die ihrerseits den drei Seinsattributen des trinitarischen Gottes entsprechen, *virtus* (Vater), *sapientia* (Sohn) und *bonitas* (Geist).[52] Eine neue Variante der anthropologischen Trias-Deutung könnte dort entstehen, wo gesagt wird, im Glauben zeitige sich die Religiosität, in der Liebe die Sozialität und in der Hoffnung die Geschichtlichkeit menschlicher Existenz.[53]

3. Die Trias in der Diskussion über Gnade und Rechtfertigung

Seit der Reformationszeit bildet die Trias einen Brennpunkt der kontroverstheologischen Diskussion über Gnade und Rechtfertigung. Zwei Fragen stehen im Mittelpunkt. *Erstens:* Wie lassen sich Glaube, Hoffnung und Liebe ganz als Wirkungen der Gnade Gottes und zugleich ganz als freie, verantwortliche und unvertretbare Lebensvollzüge der Menschen verstehen? *Zweitens:* Wird das *sola fide* durch die Trias relativiert? Kann an der soteriologischen Suffizienz des Glaubens festgehalten werden, wenn nach 1Kor 13,13 die *Liebe* am größten ist und nach Gal 5,6 der Glaube seine Wirksamkeit durch die Agape erweist (und erweisen muß)?
Die Debatte beeinflußt bis heute die Interpretation der Trias, sowohl in der systematischen als auch in der exegetischen Theologie. Die Probleme der Gnadenlehre und der Rechtfertigungstheologie, an denen im 16. Jh. die

[50] So *F. Ch. Baur*, Paulus II 249ff; *V. Warnach*, Agape 107; *G. Bornkamm*, Weg 107; *G. Nebe*, Hoffnung 75.148; kritisch dazu (im Horizont existentialer Interpretation) *H. Conzelmann*, Grundriß 207f. *Augustinus* sagt (Enchiridion 8), der Glaube beziehe sich nicht nur auf die Vergangenheit, sondern ebenso auf Gegenwart und Zukunft.

[51] Vgl. aus jüngster Zeit *H. U. v.Balthasar*, Glaube, Hoffnung, Liebe 280ff. Recht schlicht äußert einen ähnlichen Gedanken *J. A. Bengel* (Gnomon II 206): Der Glaube beziehe sich auf die „Haushaltung“ des Vaters, die Liebe auf die des Sohnes, die Hoffnung auf die des Hl. Geistes.

[52] De div. serm. 45,4. Offener ist die Verbindung bei *Bonaventura:* Brev. 2,9,3; 5,4,4; Serm. sup. reg. frat. min. 1.

[53] *W. Pannenberg*, Anthropologie 507–517.

Einheit der abendländischen Kirche zerbrochen ist, sind nach wie vor nicht gelöst. Zwar haben die letzten Jahrzehnte eine bemerkenswerte Bereitschaft zum interkonfessionellen Dialog und eine deutliche Annäherung der Standpunkte möglich gemacht.[54] Die Sachfragen treten dadurch indes nur um so schärfer hervor.[55] Deshalb sollen in aller Kürze zumindest einige wenige Positionen kurz beschrieben werden. Daß dies nur ausschnittweise und lückenhaft geschehen kann, läßt sich nicht leugnen.[56] Trotzdem könnte auch ein flüchtiger Blick hilfreich sein. Es geht nicht nur darum, den ökumenischen Stellenwert des Themas zu bestimmen; es geht zugleich darum, in einem zentralen Punkt das wirkungsgeschichtliche Problembewußtsein zu schärfen, um so eine bessere Voraussetzung für das Verstehen der paulinischen Trias zu schaffen.[57]

Aus diesem Grunde scheint es angezeigt, die kontroverse Diskussion nicht *en detail* in ihrer Entstehungsgeschichte nachzuzeichnen, sondern von vornherein auf ihre Sachproblematik zu konzentrieren. Freilich können aus der Vielzahl der Fragen nur einige ganz wenige näher untersucht werden. Den wichtigsten Orientierungspunkt bildet die Kontroverse des 16. Jh., die entscheidend durch die Positionen *Martin Luthers*[58] und des Tridentinums bestimmt ist. Sie setzt ihrerseits die Interpretation der Trias in der späten Väterzeit und der Scholastik voraus, namentlich bei *Thomas von Aquin* (S.Th. I–II 62,1–4).[59]

---

[54] Vgl. Justification by Faith (Lutherans and Catholics in Dialogue VII), hg. v. H. G. Anderson u. a., Minneapolis 1985; Lehrverurteilungen – kirchentrennend? Bd. I: Rechtfertigung, Sakramente und Amt im Zeitalter der Reformation und heute, hg. v. K. Lehmann – W. Pannenberg (Dialog der Kirchen 4), Freiburg–Göttingen 1986, 35–75; vgl. auch *H. Meyer – G. Gaßmann* (Hg.), Rechtfertigung im ökumenischen Dialog. Dokumente und Einführung, Frankfurt/M. 1987.

[55] Vgl. nur *O. H. Pesch*, Kleiner „Werkstattbericht" über die Arbeit am Teildokument „Die Rechtfertigung des Sünders", in: K. Lehmann (Hg.), Lehrverurteilungen – kirchentrennend? Bd. II: Materialien zu den Lehrverurteilungen und zur Theologie der Rechtfertigung, Freiburg u. a. – Göttingen 1989, 326–367, bes. 345–354.

[56] Im übrigen darf auch nicht übersehen werden, daß die Kontroversen, die sich an der Trias festmachen, nur einen kleinen Ausschnitt der ökumenischen Problematik erfassen.

[57] *H.-G. Gadamer* erhebt zu Recht die Forderung, die Interpreten eines Textes müßten ein wirkungsgeschichtliches Problembewußtsein entwickeln: Wahrheit und Methode. Grundzüge einer philosophischen Hermeneutik, Tübingen [6]1990 ([1]1960), 305–312. Methodisch verlangt dies eine kritische Darstellung der Rezeptionsgeschichte; vgl. *J. Gnilka,* Die Wirkungsgeschichte als Zugang zum Verständnis der Bibel: MThZ 40 (1989) 51–62.

[58] Die Positionen der anderen Reformatoren können nicht so berücksichtigt werden, wie sie es eigentlich verdienten.

[59] Die folgende Darstellung orientiert sich an *P. Fransen,* Gnadenlehre; *O. H. Pesch*, Rechtfertigung; *ders.,* Frei sein aus Gnade; *O. H. Pesch – A. Peters,* Einführung in die Lehre von Rechtfertigung und Gnade, Darmstadt [2]1989 ([1]1981); *A. Peters,* Rechtfertigung (Handbuch Systematischer Theologie 12), Gütersloh 1984; spe-

a) Gaube, Hoffnung und Liebe als theologische Tugenden?

Daß Glaube, Hoffnung und Liebe einerseits von Gott rein aus Gnade gewirkt werden, andererseits aber (eben deshalb) Grundvollzüge der zur Freiheit befreiten und in die Verantwortung gerufenen Christen sind, steht weder der scholastischen noch der reformatorischen noch der tridentinischen Theologie in Frage. Umstritten ist, *wie* sich beides verbinden läßt und wie die Akzente gesetzt werden müssen.

(1) Thomas von Aquin und das Konzil von Trient

Für *Augustinus* sind Glaube (*fides*), Hoffnung (*spes*) und Liebe (*caritas*) Inbegriff der *religio*, d.h. des Gottesverhältnisses, in dem das gesamte Denken, Wollen und Verhalten des Christen gründet.[60] Aufgrund dessen versteht *Thomas von Aquin* mit der gesamten mittelalterlichen Theologie Glaube, Hoffnung und Liebe – in Analogie zu den traditionellen vier Kardinaltugenden – als die drei „theologischen Tugenden".[61] Sie heißen *Tugenden,* weil sie als *habitus* (DThA: „Gehaben") gesehen werden, d.h. als Fähigkeiten der Christen, das Gute bereitwillig, leicht und gern zu wollen und zu tun (S.Th. I–II 62,3,2); und sie heißen *theologische* Tugenden, weil sie von Gott eingegossen werden (vgl. Röm 5,5ff), sich auf Gott richten und von Gott in der Schrift offenbart worden sind (S.Th. I–II 62,1). Glaube, Hoffnung und Liebe werden allein durch die Gnade Gottes gewirkt. *Gratia* versteht *Thomas* (S.Th. I–II 110) einerseits als Bewegung, insofern sie von Gott stammt und zu ihm führt, anderseits als *qualitas*, insofern Gott aufgrund des Reichtums seiner Güte dem Menschen die Gnade so zueignet, daß er sich „auf sanfte und bereitwillige Art zur Erlangung des ewigen Heiles hinbewegen läßt" (S.Th. I–II 110,2).
Das Konzil von Trient hat in seinem Rechtfertigungsdekret die Tugend-

---

ziell zu *Thomas* auch an *O.H. Pesch,* Thomas von Aquin 108–127.231–245; zu *Luther* an *R.Schwarz*, Fides, Spes und Caritas; zu Trient an *W.Joest*, Die tridentinische Rechtfertigungslehre: KerDog 9 (1963) 41–69; *A.Peters*, Reformatorische Rechtfertigungsbotschaft zwischen tridentinischer Rechtfertigungslehre und gegenwärtigem evangelischen Verständnis der Rechtfertigung: Lutherjahrbuch 31 (1964) 77–128: 110ff. Diese Autoren bieten in großer Breite weitere Literatur, nähere Textbelege, historische Einordnungen und theologische Erklärungen. (Die z.T. beträchtlichen Differenzen zwischen den genannten Arbeiten können im folgenden nicht eigens diskutiert werden.)

[60] Enchiridion ad Laurentium de fide, spe et caritate; vgl. De catechizandis rudibus 4,8; De doctrina christiana 1,41.

[61] Vgl. den historischen Überblick von *Ph. Delhaye*, Art. Theologische Tugenden; überdies die systematische Aufschließung durch *O.H. Pesch,* Tugend; *E.Schokkenhoff,* Bonum hominis 353–372.

lehre des Aquinaten nicht dogmatisiert.[62] Wohl aber bewegt es sich in den Denkbahnen der Scholastik. Es hält den Primat der Gnade vor allem menschlichen Tun, mehr noch: die umfassende Qualifizierung des Gottesverhältnisses durch Gottes Gnade mit allem Nachdruck (wenngleich in offenbar mißverständlicher Terminologie) fest[63] und führt als Begründung an, Rechtfertigung sei immer *iustificatio impii*[64]. Freilich sieht Trient die Wirkung der Gnade Gottes darin, den sündigen Menschen nicht nur von seiner Sündenlast zu befreien, sondern ihn *umfassend* zu heiligen und zu erneuern (weil Gott von seiner Gnade nichts zurückhält).[65] Eben deshalb erhalte der Mensch durch Jesus Christus zusammen mit der Vergebung der Sünden Glaube, Hoffnung und Liebe eingegossen.[66] Um sie muß gebetet werden.[67] Gleichzeitig muß man sich aber auch mühen, sie aktiv zu verwirklichen (und immer mehr zu vervollkommnen).

(2) Martin Luther und die Reformation

Martin Luther kann zwar Glaube, Hoffnung und Liebe durchaus Tugenden nennen.[68] Doch geschieht dies eher nebenbei und gerade nicht im Sinne der Scholastik. Spätestens seit der Zeit seiner Paulus-Exegese (1515–1518) verwirft *Luther* vielmehr die Darstellung von Glaube, Hoffnung und Liebe als theologische Tugenden und die ihr zugrundeliegende Vorstellung der Gnade als *qualitas*. Seine Kritik am traditionellen Verständnis der Trias wird durch deren ockhamistische Interpretation ausgelöst, ist aber so prinzipiell, daß sie weit über diesen Kontext hinausweist und die gesamte Gnaden- und Rechtfertigungstheologie der patristischen wie der scholastischen Theologie betrifft. Seine Gründe werden bis in die Gegenwart hinein von nicht wenigen evangelischen Theologen geteilt[69]: Glaube, Hoffnung und Liebe würden, als *habitus* erklärt, faktisch zum Besitz des Menschen, den er sich wenigstens zum Teil selbst erwerben und gegenüber Gott als Verdienst einklagen könne; damit aber würden sowohl die radikale Sündhaftigkeit des Menschen als auch die schöpferische Macht der Gnade Gottes geschmälert (WA 56, 354/22ff; 395/4ff).
Daß der Vorwurf die ursprüngliche Intention des *Thomas* trifft, darf

---

[62] Vgl. *P. Fransen,* Gnadenlehre 717.
[63] Vgl. im Rechtfertigungsdekret Cap. 7 (DH 1529) und Can. 1–3 (DH 1551ff).
[64] Cap. 4 (DH 1524) mit Verweis auf Röm 8; Cap. 7 (DH 1530).
[65] Cap. 7 (DH 15,28.1530) mit Rekurs auf Röm 5,5; Can. 11 (DH 1561).
[66] Cap. 7 (DH 1530).
[67] Cap. 10 (DH 1535) mit einem Zitat aus dem *Missale Romanum*, der Oration am 13. Sonntag nach Pfingsten.
[68] WA 1, 210/8f (zu Ps 130,6); 1, 471/12.
[69] Vgl. *J. Klein,* Art. Tugend: RGG 6 (1962) 1080–1085: 1084; *H. Thielicke*, Theologische Ethik I, Tübingen [4]1972 ([1]1958), 373–393.

bezweifelt werden[70]. Daß er aber eine Versuchung des scholastischen Interpretationsmodells aufdeckt, der die nominalistische und ockhamistische Theologie der Zeit durchaus erlegen ist, läßt sich kaum in Abrede stellen. Bleibt *Thomas von Aquin* und der Hochscholastik durchweg geläufig, daß *virtus* immer nur insoweit Fähigkeit des Menschen wird, wie sie vorausgehend und umfassend Gnade Gottes ist, so verschiebt sich im Nominalismus der Blickwinkel auf die Ertüchtigung des Menschen und die Einübung der Tugenden als Voraussetzung der Rechtfertigung. Um der Gefahr des Synergismus zu entgehen, radikalisiert *Luther* die Theozentrik des Glaubens, Hoffens und Liebens: Er verabschiedet den aristotelischen *virtus*-Begriff aus der Paulus-Exegese und rückt an seine Stelle den seiner Ansicht nach genuin biblischen, der *virtus* nicht als Vermögen des Menschen, sondern streng als Macht Gottes definiert (und sich so der *iustitia aliena* zuordnen läßt)[71]. Die anthropologische Rückbindung sucht *Luther* weder durch eine Psychologie der Bekehrungserfahrung und des christlichen Lebensvollzuges noch durch eine Spekulation über die natürlichen Anlagen des Menschen, die ihm als Geschöpf Gottes eignen, sondern schon in der 1. Psalmen-Vorlesung (1513–1515) durch die Hamartologie: Die drei Grundsünden des Menschen, die mit 1Joh 2,16 identifiziert werden, das Begehren des Fleisches (*concupiscientia carnis*), das Begehren der Augen (*concupiscientia oculorum*, das Streben nach irdischem Besitz) und die Hoffart (*superbia vitae*), werden durch den Glauben, die Hoffnung und die Liebe überwunden.[72]

(3) Das Problem aus exegetischer Sicht

Die kontroverstheologischen Diskussionen prägen bis heute die Wahrnehmung der Trias. Katholischer Auslegungstradition scheint es zu entsprechen, Glaube, Hoffnung und Liebe als gnadenverdankte Selbstvollzüge der Gerechtfertigten zu thematisieren, die sie zu wirklichen Dialogpartnern Gottes machen. Dadurch wird freilich die Frage provoziert, ob die Sündenverfallenheit der Glaubenden genügend berücksichtigt wird und ob die Rede von Verdiensten nicht einem religiösen Anspruchs- und Leistungsdenken Vorschub leistet. Dem evangelischen Standpunkt scheint es demgegenüber eher zu entsprechen, Glaube, Hoffnung und Liebe als Wirkungen der *iustitia aliena* am Menschen zu begreifen, der auch als Gerechtfertigter

---

[70] Vgl. vor allem *O.H. Pesch*, Thomas von Aquin 231–245.

[71] Hierbei steht *Luther* in Kontinuität mit *Augustinus* (De libero arbitrio 2,19: PL 21,1268) und *Petrus Lombardus* (Sent II d.27,5) – aber auch (von ihm selbst nicht gesehen) mit *Thomas von Aquin* (S.Th. I–II 55,4 obi. 1 und s.c.).

[72] WA 3, 487/1ff (zu Ps 72,19). 3, 536/30ff (zu Ps 76,7). Zur näheren Erklärung und Einordnung vgl. *R. Schwarz*, Fides, Spes und Caritas 98–117, bes. 108ff.

simul iustus et peccator ist. Dadurch wird freilich die Frage aufgeworfen, ob das schöpferische Handeln Gottes am sündigen Menschen radikal genug gedacht ist und ob es nicht der Gnade Gottes entspricht, wirkliche Freiheit und Verantwortlichkeit der Menschen zu konstituieren.
Die Kontroverse zwischen der scholastischen und der reformatorischen Deutung zu erinnern, erhöht das wirkungsgeschichtliche Problembewußtsein. Einerseits können Blickverengungen erkannt werden, die aus konfessionalistischen Vorurteilen resultieren; andererseits können aber auch Interpretationsmöglichkeiten entdeckt werden, die in den Traditionen evangelischer und katholischer Schriftauslegung angelegt sind. Vor allem jedoch schärft sich der Blick für die theologische Sache, um die es in der Trias geht: Wie hat Paulus in der Trias die Christologie und die Pneumatologie mit der Anthropologie verbunden? Welche Rolle spielt dabei die Überwindung der Sünde im Menschen, auf die *Luther* den Akzent setzt, welche die Konformität des Gerechtfertigten mit Gottes Liebe, auf die *Thomas* und auch das Konzil von Trient den Akzent setzen?

b) sola fide – fides caritate formata

Daß Rechtfertigung den Glauben voraussetzt, ist der Scholastik und dem Tridentinum mit Paulus ebenso klar wie der Reformation. Umstritten aber ist, ob bzw. inwiefern es der Glaube *allein* ist, der rechtfertigt, und welches Verhältnis zwischen dem rechtfertigenden Glauben und der Liebe besteht, die nach 1Kor 13,13 „am größten" ist.

(1) Thomas von Aquin und das Konzil von Trient

Für *Thomas von Aquin* steht nicht im mindesten zur Diskussion, daß sich die Rechtfertigung nur der Gnade Gottes verdankt. Das Problem, das er in der Rechtfertigungslehre zu lösen versucht, lautet, wie Gottes Gnade sich im Menschen so auswirkt, daß er aus ganzem Herzen das neue Gottesverhältnis, das ihm eröffnet ist, personal vollzieht. Seine Antwort ist differenziert. Im einschlägigen Passus der Summa Theologica (I–II 113,4) sieht *Thomas* mit Paulus die Rechtfertigung ganz auf die *fides* gegründet[73], die er an dieser Stelle, von Hebr 11,6 bestimmt, als *prima conversio mentis*, d. h. als radikale Bekehrung des ganzen Menschen zu Gott versteht, die durch Gott selbst bewirkt wird.[74] Insofern ist *Thomas* selbst ein Protagonist des *sola fide*.[75]

---

[73] So auch in der Vorlesung zum Röm; vgl. In Rom 1,17: lect. 6 (102); 3,22: lect. 3 (302); 4,3–5: lect. 1 (327–331).

[74] Zur Differenzierung des Glaubensbegriffs bei Thomas vgl. *M. Seckler,* Instinkt und Glaubenswille nach Thomas von Aquin, Mainz 1961; *O. H. Pesch,* Rechtferti-

Freilich: Im Glaubenstraktat (S.Th. II–II 1–16) vertritt *Thomas* einen engeren Begriff der *fides. Diese* Definition hat ein weit stärkeres Echo ausgelöst als die andere, eigentlich fundamentale. Sie spielt auch die entscheidende Rolle bei der Deutung der Trias. Dort werden *fides, spes* und *caritas* als theologische Tugenden ausgelegt. Dann ist *fides* aber nicht eigentlich die vom Vertrauen getragene und am Bekenntnis orientierte ganzheitliche Hinwendung zu Gott, sondern speziell die verstandesgeleitete Bejahung des Wortes Gottes (S.Th. II–II 1,1; 2,1);[76] *spes*[77] ist ein *affectus*, der vom Streben nach Erlangung des ewigen Lebens (als des höchsten Gutes schlechthin) geprägt ist und in der auf Gottes Gnade gegründeten Gewißheit besteht, dieses schlechthin höchste Gut auch tatsächlich zu erlangen (II–II 17–22)[78]; *caritas*[79] schließlich ist die Gottesliebe, die sich in der Nächstenliebe erweist (S.Th. II–II 4,3.5).[80] Mit 1Kor 13,13 steht für *Thomas* fest, daß unter diesen drei theologischen Tugenden die Liebe am größten ist, nicht nur in ethischer, auch in soteriologischer Hinsicht. Als Begründung verweist er (wie *Augustinus*[81] und die Frühscholastik) darauf, daß gerade die *caritas* und nur sie die authentische Weise der Ausrichtung auf Gott ist (S.Th. II–II 23,1.3–6; 24,4–8; 27,1–6), an der das

---

gung 720–735; *ders.*, Thomas von Aquin 108–127; auch *J. Pieper,* Über den Glauben.

[75] In Rom 4,3–5: lect. 1 (330); In 1Tim 1,8: lect. 3 (21).

[76] Die typische Formulierung *cum assensione cogitare* (S.Th. II–II 2,1) übernimmt *Thomas* von *Augustinus* (De praedestinatione sanctorum 2,5).

[77] Vgl. *Ch.-A. Bernard,* Théologie de l'Espérance selon saint Thomas d'Aquin (Bibl.Thom. 34), Paris 1961.

[78] Diese Gewißheit schließt bei *Thomas* keineswegs aus, sondern gerade ein, daß sich der Mensch als (Glaubender und) Hoffender gerade in seiner Endlichkeit und Gebrochenheit vor Gott wiederfindet; vgl. *R. Schenk,* Die Gnade vollendeter Endlichkeit. Zur transzendentalen Auslegung der thomanischen Anthropologie (FThSt 135), Freiburg u. a. 1989, 604f.

[79] Vgl. *A. Ilien,* Wesen und Funktion der Liebe im Denken des Thomas von Aquin, Freiburg i.Br. 1974.

[80] Die Begriffs- und Relationsbestimmungen von Glaube, Hoffnung und Liebe verstehen sich im Horizont mittelalterlicher Theologie. *Thomas* weiß um die Notwendigkeit einer anthropologischen Rückbindung der drei Grundvollzüge gelingenden Christseins, die von 1Kor 13,13 als heilsnotwendig ausgewiesen werden. Im Versuch dieses Rekurses setzt er mit *Aristoteles* voraus, daß der Mensch als sittliche und religiöse Person einerseits durch seinen Verstand (*intellectus*), andererseits durch seinen Willen (*voluntas*) geprägt wird. Dann aber liegt es nahe, Glaube mit Erkenntnis, Hoffnung und Liebe aber mit dem Willen in Beziehung zu setzen.

[81] Z. B. Enchiridion 31, 117.

Heil des Menschen hängt.[82] Die singuläre Größe der Liebe ist ihrerseits darin begründet, daß sich in der *caritas* Gottes Liebe als sie selbst auswirkt. *Der* Glaube indes, der als *actus* das Wort Gottes „mit Zustimmung überdenkt" (S.Th. II–II 2,1) und als *habitus* „den Verstand dem nicht Sichtbaren zustimmen" läßt (S.Th. II–II 4,1), kann dem Aquinaten zufolge (der sich auf Jak 2,19 beruft) allein nicht rechtfertigen. Um zu einer ganzheitlichen Antwort des Vertrauens und der Hingabe werden zu können, muß sich *diese fides* vielmehr (ähnlich wie die *spes*) von der *caritas* formen lassen: weil es für den Aquinaten (und die Scholastik insgesamt) eben die Liebe ist, die, von Gott selbst geschenkt, den Menschen radikal und umfassend auf Gott ausrichtet (S.Th. II–II 4,3).

Diese Interpretationslinie zieht das Tridentinum weiter aus. Es hat zwar die Formel *fides caritate formata* (bewußt?) nicht aufgenommen; aber daß es ähnlich wie sie denkt, ist deutlich. Ausgehend von einem Verständnis, das Glaube als Hören und Für-wahr-Halten sieht[83], die personal entfaltete Gottesbeziehung aber in der *caritas* erblickt, vertreten die Konzilsväter die These, der Glaube könne nicht rechtfertigen, würden nicht Hoffnung und Liebe zu ihm „hinzutreten" (*accedere*).[84] Das *sola fide* des Apostels wird (skotistisch) so gedeutet, daß der Glaube bei der Bekehrung (Cap. 6), aber auch je und je im konkreten Vollzug des Gottesverhältnisses am „Anfang" (*initium*) steht und insofern Grundlage und Wurzel (*fundamentum et radix*) der Rechtfertigung bildet.[85] Den gewählten Ansatz beim Glaubensbegriff vorausgesetzt, wird man der Rechtfertigungslehre des Tridentinums innere Folgerichtigkeit nicht absprechen können. Die Sorge um die theologische Verbindung zwischen Soteriologie und Ethik ist offenkundig. Freilich hängt alles am Glaubensbegriff.

(2) Martin Luther und die Reformation

Martin Luther sieht in der Formel *fides caritate formata* eine „Fiktion", die sich „höchst dummen Träumereien sophistischer Lehre" verdanke.[86] Richtig sei vielmehr gerade das Gegenteil: Der Glaube müsse nicht durch die Liebe, die Liebe müsse durch den Glauben „geformt" werden (WA 39, 318/

[82] Dies hindert den Aquinaten freilich nicht, mit *Augustinus* (Catech. Rud. 8fin) festzustellen, daß im existentiellen Vollzug des Christseins der Glaube und die Hoffnung der Liebe vorangehen (S.Th. I–II 62,4; De spe 3,1); vgl. *J. Pieper*, Über die Hoffnung 32.

[83] Cap. 6 (DH 1526, mit Rekurs auf Röm 10,17; vgl. 1527, mit Rekurs auf Hebr 11,6).

[84] Cap. 7 (DH 1531; Belegstellen sind Jak 2,17.20 und Gal 5,6). Vgl. Cap. 11 (DH 1538); Can 9 (DH 1559).

[85] Cap. 8 (DH 1532).

[86] WA 40 I, 286/12; vgl. 39 I, 265–333; vgl. WA 56, 337/17: *maledictum vocabulum illud ‚formatum'*.

16). In dieser Polemik spricht sich ein theologisches Sachurteil aus, das auf einer Neubestimmung vor allem des Glaubensbegriffs gründet.[87] Glaube[88] ist für *Luther* nicht allein die Zustimmung des Verstandes zum geoffenbarten Wort Gottes, sondern das Zutrauen, daß Gott die Sünden- und Todesverfallenheit des Menschen zu überwinden vermag und ihm, um ihn zu retten, die Gerechtigkeit Jesu Christi zuerkennt. Aus diesem Glauben wächst die Hoffnung als ein festes Vertrauen auf Gott, dessen einziger Grund die Gnade ist.[89] *Caritas* ist für *Luther* vor allem die Liebe zum Nächsten; also ist sie vom Gesetz geboten und insofern ein Werk.[90] Daraus ergibt sich schlüssig: Weil die Rechtfertigung *sola gratia* und *solo Christo* erfolgt, erfolgt sie *sola fide*. Freilich: Ohne Werke der Liebe wäre der Glaube gar nicht Glaube (WA 56, 249/5ff).[91] Doch tritt die Liebe nicht zum Glauben hinzu; vielmehr ist die *caritas* mit der (wahren) *fides* von Gott immer schon mitgegeben (WA 57 I, 153/14ff), so daß eine untrennbare Einheit entsteht (WA 1, 399/19–400/10).
Schwierig bleibt dann freilich die Aussage von 1Kor 13,13[92], daß die Liebe „am größten" ist. Die *Apologie* der *Confessio Augustana* (225–240) argumentiert, Paulus gehe es hier nicht um Soteriologie, sondern um Paraklese; Liebe sei zwar die höchste Tugend, deshalb aber noch nicht das Mittel der Rechtfertigung. Ähnlich, aber differenzierter argumentiert *Johannes Calvin:* Paulus wolle hier sagen, daß die Liebe „mehr Frucht bringt, daß sie weiter reicht, daß sie mehr Menschen dient, daß sie allezeit in kraft bleibt" (Inst III 18,8).

[87] Vgl. *P. Manns, Fides absoluta – fides incarnata.* Zur Rechtfertigungslehre Luthers im Großen Galaterkommentar, in: E. Iserloh – K. Repgen (Hg.), Reformata Reformanda. FS H. Jedin, 2 Bde., Münster 1965, I 265–312.

[88] Vgl. *M. Brecht,* Der rechtfertigende Glaube an das Evangelium von Jesus dem Christus als Mitte von Luthers Theologie: ZKG 89 (1978) 45–77.

[89] WA 56, 159/13; 305/25f.28; 306/5; 402/13f; 465/22f u. ö.

[90] WA 40/I 218/8 (zu Gal 2,16).

[91] Zu Jak 2,18ff: *Recte ergo dictum ‚fide sine operibus est mortua', immo non est fides* (WA 6, 84ff: These 15).

[92] Ein zweites Problem ist Vers 2. *Luther* löst es (wie es dem Konsens der heutigen Exegese entspricht) mit dem Hinweis, Paulus handle gar nicht vom rechtfertigenden Heilsglauben, sondern nur vom wunderwirkenden, der auch ein „toter" sein könne (WA 39 I, 76f; II 190. 235f. 310); vgl. *P. Althaus,* Die Theologie Martin Luthers, Gütersloh 1962 u. ö., 357–371. Ebenso argumentiert auch *Calvin* (Inst III 2,8), während die *Apologie* (218–222) darauf abhebt, Paulus rede von der Notwendigkeit, gute Früchte hervorzubringen, damit man den Hl. Geist nicht verliert.

(3) Das Problem aus exegetischer Sicht

Legt man von katholischer Warte aus immer wieder großen Wert darauf, daß sich der Glaube in der Liebe und damit auch in Werken zeigen müsse, um rechtfertigen zu können, so ist es das dauernde *Memento* protestantischer Autoren, die Werke der Liebe, so wichtig sie seien, könnten zur Rechtfertigung selbst nicht beitragen, weil diese allein in der Gnade Gottes und deshalb allein im Glauben gründe. Soll der Streit, der kontroverstheologisch im Gegeneinander des *sola fide* und des *fides caritate formata* ausgetragen wird, exegetisch (und theologisch) fruchtbar gemacht werden, bedarf es vor allem einer Verständigung über den genuin paulinischen Begriff des Glaubens und der Liebe. Ist der Glaube, so wie Paulus ihn versteht, tatsächlich so geartet, daß die Hoffnung und die Liebe zu ihm „hinzutreten" könnten (und müßten)? Ist umgekehrt die Liebe, so wie Paulus sie versteht, tatsächlich ein Gebot des Gesetzes und somit ein „Werk"? Schließlich: Weder bei *Thomas* noch bei *Luther* noch auch im Tridentinum fällt auf die Hoffnung großes Gewicht. Weshalb ist sie aber bei Paulus mit dem Glauben und der Liebe verbunden? Was ergibt sich für die Soteriologie, wenn man auch die Hoffnung als Grundvollzug des von Gott ermöglichten Christseins würdigt?

II. Textbefund und Fragestellung

Bereits beim ersten Blick auf den Textbefund treten charakteristische Merkmale der paulinischen Formulierungen hervor, die der Fragestellung (wie dem Untersuchungsgang) die Richtung weisen.

1. Die Belegstellen

Die frühesten Belege der Trias finden sich im *Ersten Thessalonicherbrief*, dem ältesten Schreiben des Apostels, das erhalten geblieben ist. Zu Beginn der einleitenden Danksagung (1,2–10) sagt Paulus der Gemeinde:

[2] Wir danken Gott allezeit für euch alle,
indem wir euer in unseren Gebeten eingedenk sind
und unablässig [3] eures Werkes des Glaubens
und eurer Mühe der Liebe
und eurer Geduld der Hoffnung auf unseren Herrn Jesus Christus
vor Gott, unserem Vater, gedenken.

Pistis, Agape und Elpis stehen in Vers 3 nicht für sich, sondern sind in parallel aufgebaute Genitivkonstruktionen eingebunden. Das Possessivpronomen „euer", das im Griechischen der gesamten Phrase vorangestellt ist, kennzeichnet Glaube, Liebe und Hoffnung als unterscheidbare, aber eng aufeinander bezogene und einander wechselseitig bestärkende Aspekte *einer* Grundhaltung, die das Christsein ausmacht. Agape meint die Liebe zum Nächsten (vgl. 1Thess 3,11; 4,9f; 5,13); Glaube und Hoffnung beschreiben das Verhältnis zum Kyrios Jesus Christus und zu Gott. Einen besonderen Akzent trägt die Hoffnung: durch die Schlußstellung und durch die Angabe des „Objektes", auf das sie sich bezieht.[1] Diese Hervorhebung kommt nicht von ungefähr; sie entspricht dem eschatologischen Grundton des gesamten Briefes.
Er klingt auch im parakletischen Teil des Briefes an (4,1–5,24). Dort findet Paulus erneut eine triassische Formulierung. In Fortführung der Mahnung an die Gemeindeglieder, als „Söhne des Lichtes und Söhne des Tages" (5,5) wachsam und nüchtern zu sein (5,6), heißt es dort (5,8):

---

[1] Der Genitiv τοῦ κυρίου ist ein gen. obj.; anders *M. Dibelius,* 1Thess 3. Er bezieht sich direkt auf „Hoffnung" und nur durch dieses Glied vermittelt auf die Trias insgesamt; vgl. *E. Best,* 1Thess 69f; *P. Th. O'Brien,* Introductory Thanksgivings in the Letters of Paul (NT.S 49), Leiden 1977, 147f; *R. F. Collins,* Studies 213; anders *B. Rigaux,* 1Thess 367; *W. Marxsen,* 1Thess 36; *T. Holtz,* 1Thess 43.

Wir aber, die wir dem Tag gehören,
wollen nüchtern sein,
angetan mit dem Panzer (Jes 59,17^LXX; Sap 5,18) des Glaubens und der Liebe und dem *Helm der* Hoffnung auf *Rettung* (Jes 59,17^LXX).

Paulus formuliert in Anlehnung an Jes 59,17^LXX und Sap 5,18. Allerdings finden sich die Stichworte Pistis, Agape und Elpis dort nicht. Auf ihnen liegt aber beim Apostel der Akzent. Erneut steht die Hoffnung betont am Schluß und überdies für sich, während der Glaube und die Liebe als Paar auftreten. Doch auch hier sichert die gemeinsame Abhängigkeit vom voranstehenden Partizip („angetan") die innere Zusammengehörigkeit der drei Glieder.

Ohne die Elpis zu nennen, verknüpft auch 1Thess 3,6 Pistis und Agape. Paulus schreibt, gegen Ende des ersten Hauptteils auf den unmittelbaren Anlaß seines Briefes zu sprechen kommend:

Jetzt aber ist Timotheus gekommen und hat uns die gute Nachricht von eurem Glauben und eurer Liebe gebracht.

Der Apostel ist in großer Sorge um die Gemeinde gewesen, die er erst kurz zuvor gegründet und notgedrungen bald darauf verlassen hat. Er sagt, er selbst sei durch den Bericht seines Mitarbeiters in all seiner Not und Bedrängnis getröstet worden (3,7). Dies erklärt zu einem guten Teil den Ton des Lobes und des an Gott gerichteten Dankes, der für den gesamten Brief charakteristisch ist, auch für die Paraklese. Pistis und Agape sind, wiederum als ein Paar gesehen[2], die herausragenden Merkmale des guten Standes, den die Gemeinde erreicht und bewährt hat.

Die klassisch gewordene Formulierung der Trias begegnet im *Ersten Korintherbrief* (13,13):

Nun aber bleibt (μένει):
Glaube, Hoffnung, Liebe – diese drei;
doch die größte von ihnen ist die Liebe.

Die rhetorische Brillanz des Verses entspricht seiner programmatischen Bedeutung und parakletischen Wirkung. Er bildet den betonten Schlußsatz des sog. „Hohenliedes der Agape" (13,1–13), das seinerseits eine Schlüsselrolle in den Kapiteln 12–14 und darüber hinaus im gesamten Ersten Korintherbrief spielt. Auch in 1Kor 13,13 meint Agape (primär) die Nächstenliebe, während Pistis und Elpis das Gottes- und Christusverhältnis bezeichnen. „Glaube, Hoffnung und Liebe" werden nicht nur als drei Größen nacheinander aufgezählt und nebeneinandergestellt; sie bilden als Trias eine Einheit. Das signalisiert der Singular des Verbs (μένει). Freilich schließt dies nicht aus, daß Paulus innerhalb „dieser drei" der Agape doch

[2] Erneut werden beide Wörter durch das gemeinsame Possessivpronomen zusammengeschlossen.

eine besondere Position einräumt – ein Nachhall von 1Kor 13, aber kaum der Ausdruck eines spontanen Überschwangs, sondern der volltönende Schlußakkord in der wohl überlegten Komposition des „Hohenliedes". Das ergibt sich vor allem aus Vers 7. Dort sagt Paulus als Abschluß einer Kette geradezu hymnischer Prädikationen der Agape (13,4–7):

Alles trägt sie,
alles glaubt sie,
alles hofft sie,
allem hält sie stand.

Die Aussage über die besondere Größe der Agape in Vers 13 ist durch diesen Satz vorbereitet, der seinerseits Glaube, Hoffnung und Liebe, verbunden freilich mit Geduld und Standfestigkeit, eng zusammenschließt.[3]

Ähnlich wie in 1Thess 3,6 werden Agape und Pistis auch im *Philemonbrief* zu einem Aussagepaar verbunden (V. 5). Der Apostel schreibt in Sachen des entlaufenen Sklaven Onesimus an dessen Herrn, den er einst selbst für den christlichen Glauben gewonnen hat:

[4] Ich danke meinem Gott allezeit,
wenn ich deiner in meinen Gebeten gedenke,
[5] da ich von deiner Liebe und deinem Glauben höre,
den du gegenüber dem Herrn Jesus und zu allen Heiligen hast.

Die grammatikalische Konstruktion ist etwas undurchsichtig. Agape meint nicht die Liebe zum Kyrios[4], sondern nach Ausweis der Verse 7 und 9 die Nächstenliebe. Vermutlich liegt auch kein Chiasmus vor, der vom Glauben an den Herrn Jesus Christus und der Liebe zu allen Heiligen sprechen ließe.[5] Der Fortgang des Gedankens in Vers 6 deutet vielmehr darauf hin, daß sich der Relativsatz insgesamt auf den Glauben bezieht und einerseits seinen „Gegenstand" (den Kyrios Jesus Christus), andererseits aber seinen Ort, die ekklesiale Gemeinschaft, benennt.[6] Besonders betont ist also in den Versen 5 und 6 die Pistis. Von Vers 7 an schiebt sich dann aber die Agape in den Vordergrund, auf die Paulus Philemon anspricht, um ihn zu bewegen, Onesimus „als einen geliebten Bruder" (V. 16) aufzunehmen. Im sehr kurzen Schreiben fehlt das Stichwort Elpis. Deshalb ist Phlm 5 nur *en passant* heranzuziehen.

---

[3] Interessant ist auch 2Kor 8,7. Dort bildet Paulus die Reihe „Glaube und Rede und Erkenntnis und ganzer Eifer und Liebe". Gemeint ist die Liebe des Apostels zur Gemeinde. Deshalb ist 2Kor 8,7 nicht in die Untersuchung einzubeziehen – obwohl in Vers 8 die Agape als ethische Haltung und Praxis der Korinther (im Zusammenhang mit dem Kollekten-Projekt des Apostels) angemahnt wird.

[4] So jedoch die Kommentare von *J. P. v. Flatt, H. A. W. Meyer* und *C. Hagenbach* aus dem 19. Jh.

[5] So indes (mit *Theodor von Mopsuestia*) die Kommentare von *E. Lohse, P. Stuhlmacher* und *C. F. D. Moule*.

[6] Etwas anders *J. Gnilka*, Phlm 35f: Der Relativsatz umschreibe den „Raum, in dem sich Glaube und Liebe zu bewähren haben".

Im *Galaterbrief* formuliert Paulus zwar keine reine Trias; wohl aber fügt er in 5,1–12, der *recapitulatio* seiner Rechtfertigungstheologie, Pistis, Agape und Elpis in spezifischer Weise erneut auf das engste zusammen (5,5f).

> 5 Wir aber erwarten durch den Geist
> aus Glauben die Hoffnung auf Gerechtigkeit,
> 6 denn in Christus
> vermag weder die Beschneidung etwas noch die Unbeschnittenheit,
> sondern nur der Glaube, der durch Liebe wirksam wird.

Besonderes Gewicht trägt die Pistis. Das entspricht der Rechtfertigungsthematik (vgl. 2,16). Der Glaube ist einerseits mit der Hoffnung, andererseits mit der Liebe verbunden, und zwar so, daß jeweils er als das grundlegende Element erscheint: Er entfaltet Wirksamkeit durch die Agape; und er begründet die Hoffnung. Allerdings bezeichnet Elpis in Vers 5 nicht das Hoffen selbst, sondern das Erhoffte (das in der Gerechtigkeit besteht); aber „erwarten" (ἀπεκδέχομαι) ist bei Paulus ein Synonym von „hoffen"[7]. Deshalb scheint Gal 5,5f doch die Trias vorauszusetzen (und spezifisch abzuwandeln). Dann aber müssen die Verse in die Untersuchung einbezogen werden.[8]

2. Merkmale des paulinischen Sprachgebrauchs

Der erste Blick auf die Texte läßt einige charakteristische Merkmale der Trias erkennen.

1. Die Trias wird von Paulus an allen Stellen als prägnante und umfassende Charakterisierung authentischen Christseins ausgewiesen.[9]

---

[7] Vgl. 1Kor 1,7; Phil 3,20; Röm 8,19.23.25.

[8] Auch Röm 5,1–11 bezieht Glaube (V. 1), Hoffnung (Vv. 2.4.5) und Liebe (Vv. 5.8) wechselseitig aufeinander und nennt überdies die Geduld (Vv. 4.5) und die Bewährung (V. 4). Doch meint Agape hier die Liebe, die von Gott durch Jesus Christus den Glaubenden zuteil wird; zur Auslegungsgeschichte vgl. *U. Wilckens*, Röm I 300–305. Deshalb ist der Abschnitt kaum ein Beleg für die Trias, wie *H. Conzelmann* (1Kor 271) und *D. Lührmann* (Glaube 54) glauben. Röm 5,1–11 wird im folgenden nicht eigens untersucht.

[9] Das ergibt sich nicht nur aus den Formulierungen, sondern auch aus den Kontexten der Trias. Sie begegnet einerseits in Prooemien (1Thess 1,3; vgl. Phlm 5), da es dem Apostel darum zu tun ist, umfassend den Stand einer Gemeinde zu beschreiben, für den Gott Dank gesagt werden soll (vgl. 1Thess 3,6); und sie begegnet andererseits in Passagen der Paraklese, die nicht auf konkrete Einzelgebote zulaufen, sondern einer grundsätzlichen Orientierung christlicher Spiritualität und Ethik dienen (1Thess 5,8; 1Kor 13,13; auch Gal 5,5f). Die Spitzenaussage trifft aber 1Kor 13,13: Allein die Trias von Glaube, Liebe und Hoffnung ist es, die „bleibt" – im Gegensatz

2. Für Paulus gehen Glaube, Hoffnung und Liebe nicht nur eine enge Verbindung ein; sie bilden eine wirkliche Einheit.

3. Immer wird der Glaube an erster Stelle genannt (auch in Phlm 5 und 1Thess 3,6; Gal 5,5f). Das deutet darauf hin, daß ihm grund-legende Bedeutung zufällt. Im übrigen werden die Akzente aber unterschiedlich gesetzt: im Ersten Thessalonicherbrief auf die Hoffnung, im Ersten Korintherbrief auf die Liebe, im Galaterbrief auf den Glauben.

4. Paulus verwendet die Trias nicht formelhaft, sondern überlegt und gezielt. Die verschiedenen Fassungen weichen recht stark voneinander ab. Sie sind jeweils genau auf den literarischen, situativen und theologischen Kontext der Briefe abgestimmt.

5. Glaube, Liebe und Hoffnung sind für Paulus nicht in erster Linie Forderungen an die Hörer des Wortes, sondern Gegebenheiten des eschatologischen Heils, das Gott durch Jesus Christus bereits gegenwärtig ins Werk setzt, um es zukünftig zu vollenden. Gerade deshalb werden Glaube, Hoffnung und Liebe zur entscheidenden Herausforderungen an die Christen, in ihrem Lebensvollzug sich von der Dynamik der Gnadenmacht bestimmen zu lassen, die Gott in Jesus Christus konstituiert.[10]

6. Die Trias Glaube – Hoffnung – Liebe ist nicht nur ethisch, sondern in erster Linie soteriologisch relevant.[11] Sie erfaßt nicht nur die Grundhaltung, in der Gottes rettender und fordernder Wille überhaupt erst erkannt, anerkannt und (soweit es am Menschen liegt) erfüllt werden kann; sie kennzeichnet zugleich die fundamentale Antwort auf Gottes

---

zu allem anderen, das vergehen muß, selbst Prophetie, Gnosis und Glossolalie (13,8–12).

[10] Schon der 1Thess stellt Glaube, Hoffnung und Liebe einerseits als Anlaß hin, Gott zu danken (1,3; vgl. Phlm 5; auch 1Thess 3,6), andererseits als Aufgabe der Christen (5,8). Nach 1Kor 13,13 wird „den dreien", um die sich die Christen vor allem anderen mühen müssen (vgl. 12,31; 14,1), von Gott das eschatologische „Bleiben" gewährt. Nach Gal 5,5f sind Glaube, Hoffnung und Liebe Phänomene des „Seins in Christus", das von der Gnadenherrschaft des auferweckten Kyrios konstituiert wird; darin ist die Notwendigkeit begründet, daß die (galatischen) Christen tatsächlich in nichts anderem als dem Glauben ihr Heil suchen und durch ihn nicht nur zur Hoffnung finden, sondern auch zur Liebe fähig werden.

[11] Sie beschreibt im 1Thess das Sein und Handeln der Christen „im Angesicht Gottes" (1,3; vgl. 2,19; 3,9.13), der die Christen aus Liebe in seine Ekklesia berufen (1,4) und für die Rettung im Gericht bestimmt hat (1,10; 5,9f); sie ist nach 1Kor 13 jene Größe, die allein im eschatologischen Sinn „bleibt"; und nach Gal 5,5f ist es allein der Glaube, der in seiner Wirksamkeit durch die Agape die Hoffnung auf endgültige Rechtfertigung begründet.

Heilshandeln in Christus, die kraft der Gnade Gottes am eschatologischen Heil Anteil gewinnen läßt.

3. Fragestellung und Untersuchungsgang

Die Leitfrage der Untersuchung lautet: Wie sieht Paulus authentische christliche Existenz? Weshalb sind für ihn gerade Glaube, Hoffnung und Liebe die Kennzeichen des Christlichen? Weshalb besteht für den Apostel gerade in ihnen die angemessene Antwort auf Gottes Heilshandeln durch Jesus Christus? Worin ist die Einheit „dieser drei" begründet? Worin bestehen ihre ethische Prägnanz und ihre soteriologische Relevanz? Welche Gestalt gewinnt die Gottesbeziehung, wenn ihr ethisches Pendant die Agape ist? Und welche Gestalt gewinnt umgekehrt die Nächstenliebe, wenn sie mit dem Glauben und der Hoffnung als Einheit vorgestellt wird?

Um diese Fragen zu beantworten, muß untersucht werden, was Paulus als Glaube, als Hoffnung und als Liebe versteht. Dazu einige Beobachtungen beizusteuern, wird die Hauptaufgabe der Studie sein. Freilich ergeben sich im Zuge der Arbeit weitere Problemstellungen: Wie sind die verschiedenen Fassungen der Trias auf die Adressaten und auf die Thematik der Briefe abgestimmt? Wie vermittelt sich der Trias die eschatologische Dialektik zwischen der noch ausstehenden Vollendung und der gleichwohl bereits erfahrbaren Gegenwart des Heils? Schließlich: Wie ist die Trias entstanden? Ist sie eine Bildung des Apostels? Gehört sie zur Formelsprache des Urchristentums? Oder ist sie überhaupt nicht christlichen, sondern hellenistisch-jüdischen, womöglich gar paganen oder gnostischen Ursprungs?

Aus der Erhebung des Textbefundes ergibt sich nicht nur die Fragestellung, sondern auch der Untersuchungsgang. Vor allem sind zwei Konsequenzen zu ziehen. *Zum einen* können die Fragen nur dann beantwortet werden, wenn zusammen mit dem theologischen Gehalt auch die rhetorische Funktion der Trias beachtet wird: Sie soll die Gemeindeglieder einfach und eindrücklich auf die entscheidenden Kennzeichen ihres neu gewonnenen Lebens ansprechen und für eine von Glaube, Hoffnung und Liebe bestimmte Lebensführung gewinnen – sei es durch Lob und Aufmunterung (1Thess; vgl. Phlm), sei es durch Kritik (1Kor; Gal). Deshalb muß dem situativen und dem literarischen Kontext der triassischen Formulierungen besondere Aufmerksamkeit gelten.

Zum anderen scheint es aufgrund der Variabilität und der kontextuellen Einbindungen der Trias gut, nicht von vornherein anzunehmen, daß sie an allen Stellen, da sie begegnet, im wesentlichen dieselbe Bedeutung trägt.

Gewiß ist schon wegen der ähnlichen Formulierungen und Funktionen eine substantielle Kontinuität nicht zu leugnen. Aber Paulus selbst hat die Trias offenbar bewußt abgewandelt, damit sie die Adressaten möglichst direkt anspricht. Deshalb scheint es angemessen, die Texte jeweils getrennt nach den Briefen und in der (rekonstruierten) Reihenfolge ihrer Entstehung[12] zu besprechen, also zuerst den Ersten Thessalonicherbrief, dann den Ersten Korintherbrief, dann den Galaterbrief.

[12] Vgl. *Th. Söding*, Chronologie.

III. Die Traditionsgeschichte der Trias

Die traditionsgeschichtliche Analyse der Trias muß in zwei Schritten erfolgen. Im ersten ist die literarkritische Hypothese zu prüfen, es handle sich um eine vorpaulinische Formel, die der Apostel aus der urchristlichen Missionsverkündigung übernommen habe. Im zweiten Schritt muß der Rahmen etwas weiter gesteckt und die Trias sowohl hinsichtlich ihrer drei Glieder als auch hinsichtlich ihrer Form und ihrer Aufgabe untersucht werden, stichwortartig christliche Identität zu kennzeichnen: Wo gibt es Vorgaben und Parallelen, die ihre Formulierung beeinflußt und ihre Funktion angebahnt haben?

1. Die Trias als paulinische Bildung

Die Trias wird gemeinhin als eine geprägte Formel beurteilt, die Paulus aus der urchristlichen Tradition übernommen hat. Freilich werden für diese These recht unterschiedliche Argumente angeführt.

a) Polemik gegen Gnosis?

Richard Reitzenstein ging von 1Kor 13,13 aus.[1] Er wollte den paulinischen Satz, daß Glaube, Hoffnung und Liebe „bleiben", als Korrektur einer gnostischen Theologie erklären, die bei den Korinthern nicht ohne Eindruck geblieben sei und ihren signifikanten Ausdruck in der Viererformel Pistis – Wahrheit – Eros – Elpis gefunden habe, wie sie sich bei dem Neuplatoniker *Porphyrios* (232/233–301 n. Chr.) widerspiegele (AdMarc 24). Sowohl bei *Rudolf Bultmann*[2] als auch bei *Hans Jonas*[3] hat diese These Zustimmung gefunden. Dennoch ist sie wenig wahrscheinlich (und deshalb zu Recht weithin abgelehnt worden). Zwar gibt es durchaus gnostische Parallelen.[4] Aber sie liegen deutlich später als die paulinischen Texte und

---

[1] Formel; Historia Monachorum 242–255.

[2] Art. γινώσκω 710 Anm. 78.; Art. ἐλπίς 529.

[3] Gnosis II/1 45 Anm. 1.

[4] Die wichtigsten Belege bei *H. Conzelmann*, 1Kor 271 Anm. 111: OracChald (ed. Kroll) 74,24: Pistis, Wahrheit, Eros; ClemAlex Strom III 69,3: Gnosis, Pistis, Agape; EvPhil 115: Pistis, Elpis, Agape, Gnosis; Unbekanntes altgnostisches Werk (GCS 45) Kap. 10 (S. 348f): Agape, Elpis, Pistis, Gnosis, Friede; vgl. (noch längere Listen mit den drei Gliedern) Kap. 2 (S. 336); Kap. 12 (S. 352f); Kap. 15 (S. 357); ActPauletThecl 17: Elpis, Pistis, Gottesfurcht, Gnosis, Ehrbarkeit, Wahrheitsliebe.

sind (zumindest indirekt) von ihnen abhängig. Überdies ist das Verfahren, von Porphyrios auf die Gnosis zurückzuschließen, fragwürdig und die Annahme, Paulus habe sich im Ersten Korintherbrief schon mit gnostischen Gegnern auseinanderzusetzen, unbegründet. Vor allem aber stehen die ältesten Fassungen der Trias nicht im Ersten Korintherbrief, sondern im Ersten Thessalonicherbrief. Dort muß die traditionsgeschichtliche Diskussion einsetzen.

b) Urchristliche Formel?

Adolf von Harnack wies darauf hin, daß in 1Thess 5,8 die drei Glieder auf lediglich zwei Waffenstücke (Brustpanzer – Helm) verteilt werden; das lasse sich nur erklären, wenn die Trias traditionell sei.[5] Diese Schlußfolgerung hat breite Anerkennung gefunden.[6] Nach *Martin Dibelius* nennt Paulus „oft, wenn er zwei Glieder erwähnt, unwillkürlich auch das dritte".[7] Und *Traugott Holtz* diagnostiziert in 1Thess 5,8 eine „merkwürdige Ungeschicklichkeit" des Apostels, die nur durch eine vorgegebene Tradition erklärt werden könne.[8]
Doch auch an dieser Auffassung müssen Zweifel erlaubt sein. Die Trias begegnet zum ersten Mal nicht in 5,8, sondern in 1,3. Dort aber hat sie eine symmetrische Gestalt. Paulus ist im Ersten Thessalonicherbrief daran gelegen, die Paraklese mit der Danksagung zu verklammern. Deshalb liegt die Erklärung nahe, er habe in 5,8 bewußt auf den Beginn des Briefes zurückgreifen wollen (zumal alle drei Stichwörter von nicht geringer Bedeutung für die Kapitel 4 und 5 sind).
Überdies: Paulus spielt in 5,8 auf Jes 59,17^{LXX} bzw. Sap 5,18ff an. Dort aber ist jeweils von vier Ausrüstungsgegenständen die Rede; in Jes 59,17 werden Panzer, Helm, Gewand und Mantel aufgezählt, in Sap 5,18ff Panzer, Helm, Schild und Schwert. Von einem irgendwie gearteten Zwang, die vorgegebenen drei Wörter auf eine Zweizahl von Waffenstücken zu pressen, kann also keine Rede sein.[9] Vielmehr dürfte die Zusammenstellung von Pistis

---

[5] Ursprung.

[6] Sie umfaßt von *M. Dibelius* (1Thess 3.29f) über *E. Lohse* (Kol 45) und *H. Conzelmann* (1Kor 270f) bis zu *T. Holtz* (1Thess 43f) nahezu alle Ausleger. Vgl. noch *B. Rigaux*, 1Thess 88ff; *C. Spicq*, Agapè II 365–378; *W. Marxsen*, „Bleiben"; *D. Lührmann*, Glaube 54. Recht zurückhaltend urteilt allerdings *E. Best*, 1Thess 67.

[7] 1Thess 3 (mit Hinweis auf 1Thess 5,8; 1Kor 13,13 und Kol 1,4f)..

[8] 1Thess 226.

[9] Paulinische Parallelen wie 2Kor 6,7; 10,3–6; Röm 6,13 und 13,12 (sowie ferner Phlm 2; Phil 1,19–30) können nur die Bedeutung des Bildfeldes für die urchristliche Paraklese (vgl. Mt 10,34^{Q}; Eph 6,11–17; 2Tim 2,3ff) anzeigen; ein Argument für die Traditionalität der Trias liefern sie nicht; anders *T. Holtz*, 1Thess 226; *B. Reicke*

und Agape, die ja auch durch 3,6 bezeugt ist, der Hervorhebung der Elpis dienen, wie sie gleichfalls in 1,3 zu beobachten ist und der Thematik des Abschnitts 4,13–5,11 (bzw. des gesamten Briefes) entspricht.

c) *Die paulinische Verfasserschaft der Trias*

Die Argumente, die für die Traditionalität der Trias vorgetragen werden, sind nicht stichhaltig.[10] Umgekehrt deutet jedoch manches auf paulinische Verfasserschaft.[11] Zum einen sind zwar alle drei Termini traditionell; aber sie erhalten unstreitig in den Briefen des Apostels ein besonderes Gewicht. Zum anderen stehen die anderen neutestamentlichen Belege[12] durchweg in einer direkt oder indirekt durch Paulus beeinflußten Tradition, während sich umgekehrt in den von ihm unabhängigen Schriften keine sichere Parallele findet.[13] Auch in der frühjüdischen und profangriechischen Literatur ist die Trias nicht bezeugt. Deshalb sprechen die besseren Gründe dafür, die Trias als Bildung des Apostels anzusehen.[14]

d) *Die Trias als Bestandteil der mündlichen Evangeliumspredigt*

Paulus formuliert die Trias im Ersten Thessalonicherbrief nicht *ad hoc*. Sie nimmt auch in seiner mündlichen Evangeliumspredigt und bereits in seiner Erstverkündigung einen wichtigen Platz ein. Das ergibt sich gerade aus dem Ersten Thessalonicherbrief. Einerseits ist der Brief (aller Wahrschein-

---

will aus der Parallele Eph 6,11–17 sogar ableiten, es handle sich um eine vorpaulinische Tauftradition: Paulus über den Tag des Herrn. Homiletisch orientierte Auslegung von 1Thess 5,1–11: ThZ 44 (1988) 91–96: 95. Doch ist Eph 6 nur ein Beleg für einen gezielteren Rückgriff auf Jes 59,17 in der deuteropaulinischen Tradition, der im übrigen durch 1Thess 5,8 inspiriert sein dürfte; vgl. *R. Schnakkenburg*, Eph 277f.

[10] Bei den Vertretern vorpaulinischer Herkunft liegt aber die Beweislast.

[11] Vgl. G. Delling, Art. τρεῖς 222/21f; *O. Wischmeyer*, Weg 147–158; *dies.*, Untersuchung 230; im Anschluß an sie auch *A. v. Dobbeler*, Glaube 208f. Als Möglichkeit erwägt dies auch *G. Nebe*, Hoffnung 101.

[12] Kol 1,4f; Eph 4,2–5; 1Petr 1,21f; Hebr 6,10ff und 10,22f sowie Barn 1,4; Pol 2Phil 3,3; vgl. auch Eph 1,15; 6,23; 2Thess 1,3; 1Tim 1,5.14; 2Petr 1,5ff; Ign Eph 14,1f.

[13] Hebr 6,10ff und 10,22f liefern kein Gegenargument; s. u. S. 184–189. In Apk 2,2 findet sich zwar ähnlich wie in 1Thess 1,3 die Reihe „Werke (ἔργα), Mühe (κόπος), Geduld (ὑπομονή)", aber nicht in Verbindung mit der Trias. Und in 2,19 stehen zwar Liebe, Glaube und Geduld, aber als Teile einer Fünferreihe „Werke, Liebe, Glaube, Dienst, Geduld". Das deutet gerade nicht auf eine feste Formel hin.

[14] Im übrigen soll nicht unerwähnt bleiben, daß es triassische Formulierungen aus paulinischer Feder des häufigeren im 1Thess gibt; vgl. 1,2f.5 (8.9f); 2,3.6.10.12.19; (3,6.11.12) 4,11.16; 5,14.16ff.23. Es handelt sich eben um ein probates Mittel der Rhetorik.

lichkeit nach) in Korinth während des dortigen Gründungsaufenthaltes geschrieben worden. Andererseits ist er selbst so etwas wie ein Nachtrag zur (wenige Wochen zurückliegenden) Erstverkündigung, gespickt mit Erinnerungen an die damals verhandelten Themen. Auch die Formulierungen in 1,3 und 5,8 signalisieren, daß Paulus auf Bekanntes zurückgreift. Die Trias wird weder in der Danksagung noch in der Paraklese als solche thematisiert; und sie ist an beiden Stellen durch Aussagen erweitert, die im jeweiligen Kontext einen besonderen Akzent tragen: das intensive und beharrliche Engagement unter schwierigen Begleitumständen in 1,3, die eschatologische Aufrüstung in 5,8. Auch die Einführung der Trias in 1Kor 13,13 und ihre Umformung in Gal 5,5f sprechen dafür, daß Paulus ihre Bekanntheit in den Gemeinden voraussetzt und für seine theologischen Akzentuierungen nutzt.

Es läßt sich also festhalten: Der Apostel hat die Trias in seinen Briefen als Kurzformel des Christseins aufgegriffen, die den Gemeinden aus seiner Erstverkündigung bekannt gewesen ist[15]; er hat sie jeweils nach den besonderen Erfordernissen des situativen, literarischen und theologischen Kontextes unterschiedlich gestaltet, in den Hauptbriefen stärker reflektiert und dann mit seiner „Sprachregelung" Schule gemacht.

Freilich ist mit dem Resultat, daß die Trias von Paulus selbst gebildet sein dürfte, die traditionsgeschichtliche Arbeit noch nicht erledigt. Es muß vielmehr weiter gefragt werden, welche Faktoren ihn bei der Komposition und Formulierung der Trias beeinflußt haben.

2. Glaube, Hoffnung und Liebe in der urchristlichen Missionspredigt vor und neben Paulus

Die Prägung und Verbreitung der Trias wäre nicht denkbar, könnte der Apostel nicht voraussetzen, daß alle drei Begriffe, die er zusammenstellt, bereits in der urchristlichen Missionspredigt ihren festen Platz gewonnen haben – nicht nur in der von Paulus selbst gehaltenen, sondern auch in der bereits vor ihm begonnenen und von vielen anderen neben ihm durchgeführten. Die deutlichsten Hinweise geben die Paulus-Briefe selbst.[16]

---

[15] *K. M. Woschitz* erwägt (Elpis 559f), daß die Elpis erst sekundär zum älteren Paar Pistis – Agape hinzugewachsen sei. *H. Conzelmann* (Grundriß 208) und *H.-J. Klauck* (1Kor 98) denken an eine Kombination der Paare Glaube/Hoffnung und Glaube/Liebe; ähnlich *A. v. Harnack,* Über den Ursprung der Formel „Glaube, Liebe, Hoffnung" 11. Beides ist möglich, doch vielleicht zu formalistisch gedacht. Die Dreizahl hat ihre eigene Plausibilität.

[16] Besonders aufschlußreich ist der 1Thess, weil er nur wenige Wochen nach der Gründung der Gemeinde geschrieben worden ist. Interessant ist aber auch der

a) Glaube

Pistis ist im hellenistischen Judenchristentum lange vor Abfassung der Paulus-Briefe ein theologisches Hauptwort. Bereits das älteste Schreiben des Apostels verwendet es wie selbstverständlich, ohne weitere Erklärung und ohne jede Problematisierung, in einem ganz allgemeinen und grundsätzlichen, freilich auch nahezu formelhaften Sinn.[17] Die Angehörigen der Ekklesia heißen einfach „die Glaubenden" (1Thess 1,7; 2,10.13). „Glaube" erscheint als Konstituente und Inbegriff ihres neuen Lebens in der Gemeinde.[18] Verb und Substantiv bezeichnen grundlegend die Bekehrung zum Christentum und die Annahme des Evangeliums[19], aber auch das ausdrückliche, nicht auf die Situation der Bekehrung beschränkte Bekenntnis dessen, was in ihm verkündet wird: grundlegend die Einzigkeit Gottes (1,8f)[20], dann insbesondere der Heilstod und die Auferweckung Jesu (1Kor 15,3–5; vgl. 1Thess 4,14; 5,10 u. ö.), die Kyrios-Würde des Erhöhten (Röm 10,9f) und die Rettung aus dem kommenden Zorngericht durch den Herrn Jesus Christus (1Thess 1,10; 5,9f).[21]

Röm, weil Paulus ihn an eine Gemeinde schreibt, die er nicht selbst gegründet und zuvor auch nicht selbst besucht hat; deshalb läßt das, was der Apostel im Röm theologisch voraussetzt, ohne es eingehend zu erklären, Rückschlüsse auf das zu, was er als Topos urchristlicher Missionspredigt eingeschätzt hat. Schließlich gibt das Vokabular urchristlicher Bekenntnisformeln und Paränese-Traditionen Aufschlüsse. Weitere Indizien ergeben sich aus den (allerdings schwer zu fixierenden) Traditionen der Apg.

[17] Das darf nicht einfach als selbstverständlich gelten. Erst im Neuen Testament gewinnt „Glaube" diese Schlüsselrolle – so sehr es Vorläufer im Frühjudentum gibt (vgl. z. B. äthHen 46,8 und mDem 4,7: die Gerechten sind die „Glaubenden").

[18] 1Thess 1,8; 3,2.5.6.7.10; Röm 1,5.8.12; vgl. Gal 1,23; 3,2.5; auch 1Kor 15,14.17.

[19] 1Thess 1,5–8; 2,13; 1Kor 15,2; Phil 1,29; Gal 2,16; Röm 13,11; vgl. Röm 10,8.

[20] Die Wendung „euer Glaube an Gott" in 1Thess 1,8 verweist auf 4Makk 15,24; 16,22. Dort kennzeichnet sie das unterscheidend Jüdische in einer paganen (zudem aggressiven) Umwelt. Dies läßt sich auf die christliche Evangeliumsverkündigung in der Welt des heidnischen Hellenismus übertragen. Daß in 1Thess 1,8ff die Theozentrik so stark betont ist, hängt damit zusammen, daß Paulus Heidenchristen angesprochen hat bzw. anspricht (vgl. Gal 4,9; Hebr 6,1f; Apg 14,15ff). Darin ist auch die Übernahme signifikanter Topoi der jüdisch-hellenistischen Missionsliteratur begründet; vgl. *T. Holtz*, Glaube 282–288.

[21] Auch der frühen synoptischen Tradition ist ein theozentrisch orientiertes und christologisch gefülltes Glaubensverständnis geläufig. Seine Wurzeln liegen in der Verkündigung Jesu selbst. Doch ist sein Zentrum zunächst nicht die Bejahung spezifisch biblisch-christlicher Bekenntnissätze. Vielmehr herrscht bis zu Markus das alttestamentlich und frühjüdisch geprägte Verständnis des Glaubens als Vertrauen vor (das freilich durch Basileia-Verkündigung Jesu ein charakteristisches neues Profil gewinnt). Vgl. *Th. Söding*, Glaube bei Markus. Glaube an das Evangelium, Gebetsglaube und Wunderglaube im Kontext der markinischen Basileiatheologie und Christologie (SBB 12), Stuttgart ²1987 (¹1985), 49–55.

Damit erweisen sich drei Aspekte, die immer wieder zu Recht als Wesenselemente des *paulinischen* Glaubensbegriffs angeführt werden, als vorpaulinisch grundgelegt:
Erstens: Der Glaube stammt aus dem Hören auf das Evangelium (vgl. Röm 10,14–17), indem er das von Aposteln verkündete Wort als das annimmt, „was es in Wahrheit ist: das Wort Gottes" (1Thess 2,13).
Zweitens: Glaube ist Gehorsam gegen Gottes Weisung (Röm 1,5 u. ö.), insbesondere dort, wo er die Verfehltheit des bisherigen Lebens aufscheinen läßt und jeden Versuch durchkreuzt, sich von Gott ein Bild zu machen (1Thess 1,9; Gal 4,8ff) und an die Stelle der Gnade Gottes das eigene Tun zu setzen.
Drittens: Glaube ist Vertrauen, das die gesamte Existenz in nichts anderem als Gottes Barmherzigkeit gründet (Röm 9,33; 10,11: Jes 28,16).

b) Hoffnung

Elpis ist in der urchristlichen Tradition vor und neben Paulus[22] dem Worte nach weniger verbreitet als Pistis, der Sache nach aber kaum weniger wichtig.[23] Der Grund liegt in der starken eschatologischen Erwartung (weitester Teile) des Urchristentums.[24] Die Hoffnung geht primär auf die Rettung aus dem endzeitlichen Zorngericht Gottes (1Thess 1,10) und von daher (zunehmend) auf die endzeitliche Totenerweckung (1Kor 15; Apg 23,6; 24,15; 26,6f; 28,20; 1Petr 1,3).[25] Elpis meint aber urchristlich nicht in erster Linie das, was zu hoffen ist[26], sondern das Hoffen selbst: ein Sich-Ausstrecken in die Zukunft Gottes, das die Gegenwart bestimmt. Daraus resultiert eine große semantische Nähe zwischen „glauben" und „hof-

---

22 Die meisten mir bekannten Arbeiten konzentrieren sich auf das paulinische Verständnis. Eine traditionsgeschichtliche Darstellung des hellenistisch-judenchristlichen Befundes vor und neben Paulus fehlt m. W. bislang. Deshalb können im folgenden nur einige ganz wenige und sehr vorläufige Beobachtungen zusammengetragen werden. Auf vor- und nebenpaulinischen Sprachgebrauch wird geschlossen, wenn (1.) der Apostel zumal im 1Thess und Röm Bekanntschaft bei seinen Adressaten voraussetzt und (2.) Parallelen in nicht (direkt) von Paulus abhängigen Schriften nachzuweisen sind.

23 Des näheren interessiert im folgenden der theologische Sprachgebrauch. Allerdings ist seine Verbindung zum profanen Wortverständnis, das auch im Neuen Testament begegnet, nicht zu übersehen; „hoffen" heißt dann „erwarten" (1Kor 9,10; Lk 6,34; Apg 24,26) oder „wünschen" (1Kor 16,7; Phil 2,19; Phlm 22; Röm 15,24).

24 Vgl. *W. Thüsing,* Erhöhungsvorstellung und Parusieerwartung in der ältesten nachösterlichen Christologie (SBS 42), Stuttgart o. J. (1969).

25 Nach Hebr 6,18f; 7,19 dann allgemeiner auf die rettende Gemeinschaft mit Gott.

26 Wiewohl auch das vor Augen stehen kann: Röm 8,24; vgl. Kol 1,5; Tit 2,3; Hebr 6,18.

fen".[27] Beide vereint das Vertrauen.[28] Aber während bei Pistis zumeist das ausdrückliche Bekenntnis mitschwingt und der Akt der Bekehrung mitgedacht wird, kennzeichnet Elpis zum einen die vom Glauben getragene Erwartung eines Zukünftigen, das zwar verheißen, aber noch nicht im Vollsinn realisiert ist (vgl. Röm 8,24f), und zum anderen die Geduld, die in der Beharrlichkeit des Wartens besteht und gleichfalls vom Vertrauen auf die Treue Gottes getragen wird (vgl. 1Thess 1,3).

c) *Nächstenliebe*

Nicht allein durch Paulus, auch vor und neben ihm spielt das Gebot der Agape schon früh eine bedeutende Rolle im hellenistischen Judenchristentum. Darauf gibt es mehrere Hinweise. *Zum einen* sprechen die Briefe des Apostels selbst dafür. Aus 1Thess 4,9f; 5,13–24; Phil 2,1–4 und Gal 5,15–6,10 geht hervor, daß bereits in der paulinischen Erstverkündigung die Paraklese auf die Mahnung zur Agape abgestimmt worden ist; und in Röm 12,9–21 nimmt der Apostel an, die ihm bislang fremde Christengemeinde würde im Grunde ohne weiteres verstehen, was er mit Agape meine, er müsse sie nur ermahnen, daß sie auch „ungeheuchelt" sei (12,9). *Zum anderen* hat gerade das hellenistische Judenchristentum in seiner Rezeption der Ethik Jesu die Relevanz der Nächstenliebe unterstrichen, insbesondere durch die Formulierung eines Doppelgebotes der Agape (Mk 12,28–34 parr).[29] Auch wenn eine direkte traditionsgeschichtliche Querverbindung zur vorpaulinischen Tradition unwahrscheinlich ist, läßt sich doch eine Konvergenz beobachten, die Rückschlüsse auf den Stellenwert der Agape-Mahnung in der Ethik des frühen hellenistischen Judenchristentums erlaubt.

Auch wenn Urteile über das inhaltliche Verständnis der Agape in der vorpaulinischen Tradition außerordentlich schwierig sind – so viel wird sich sagen lassen: Der Akzent liegt auf der innergemeindlichen Bruderliebe (1Thess 4,9f), ohne daß der Radius der Agape auf die Ekklesia begrenzt bliebe (vgl. Röm 12,14.18ff). Liebe erweist sich in solidarischer Unterstützung des Nächsten (vgl. Röm 12,13), in der Bereitschaft, ihm zu dienen

---

[27] Das ist schon im hellenistischen Judentum vorgegeben (s. u. S. 53). Es entspricht auch einem weiter verbreiteten hellenistisch-judenchristlichen Sprachgebrauch; vgl. Hebr 11,1; auch 1Petr 1,21.

[28] Daß dies für „hoffen" nicht nur bei Paulus der Fall ist, sondern für größere Teile des hellenistischen Judenchristentums gilt, erhellt aus der sachlichen Korrespondenz zwischen 1Kor 15,19; 2Kor 1,10; 3,12; Phil 1,20 und Hebr 3,6 sowie 1Petr 1,21.

[29] Vgl. *K. Kertelge*, Das Doppelgebot der Liebe im Markusevangelium, in: A Cause de l'Évangile. FS J. Dupont (LeDiv 123), Paris 1985, 303–322.

(vgl. Gal 6,2), vor allem in der vorbehaltlosen Bejahung seiner als Mit-Glied der Ekklesia (1Thess 4,9; Phil 2,1; Röm 12,10). Die Liebe zum Nächsten ist die Kehrseite des Gottes- und Christusverhältnisses, das den Christen eröffnet worden ist: Die Agape entspricht dem Willen Gottes und der Weisung Jesu Christi; sie gehört zu der Antwort, die von den Hörern des Wortes auf das Evangelium gegeben werden soll.

d) Zusammenfassung

Wiewohl an der paulinischen Verfasserschaft der Trias nicht zu zweifeln ist – ihre Formulierung und ihre Wirkung sind doch nur im Kontext hellenistisch-judenchristlicher Theologie möglich. Auch vor und unabhängig von Paulus hat dort ein Nachdenken über christliche Identität begonnen, das nach treffenden griechischen Leitbegriffen gesucht hat. Pistis und Agape, mit wenigen Abstrichen aber auch Elpis sind im Zuge dessen bereits früh jene Termini geworden, die in herausragender Weise die Antwort bezeichnen sollten, die Christen auf das Evangelium Gottes zu geben vermochten. Kein anderes Wort hat in diesem Traditionsraum eine ähnliche Bedeutung erlangt oder später erlangen können.[30] Bei der Wahl gerade dieser Begriffe hat sich das griechisch-sprachige Judenchristentum unzweifelhaft vom hellenistischen Judentum inspirieren lassen (s. u.). Zumindest was die Hochschätzung des „Glaubens“ und der „Liebe“ angeht, ist aber doch auch mit einem indirekten Einfluß der Verkündigung Jesu von Nazaret selbst zu rechnen.
Wenn Paulus in der Trias gerade „die drei“, Glaube, Hoffnung und Liebe, zusammenstellt, greift er mithin auf die zentralen Termini hellenistisch-judenchristlicher Missionspredigt zurück. Daß er sie zu einer Trias zusammengefügt hat, ist jedoch *seine* Leistung. Sie führt nicht nur zu einer neuen Auslegung dessen, was Glaube, Hoffnung und Liebe bedeuten, sondern auch zu einer umfassenden Kennzeichnung christlicher Identität.

3. Frühjüdische Vorgaben und Parallelen der Trias

Die traditionsgeschichtliche Analyse der Trias darf nicht auf den Bereich des Urchristentums beschränkt bleiben. Sie muß sich auch der frühjüdischen Literatur mitsamt ihren alttestamentlichen Wurzeln widmen. Beson-

---

[30] In der synoptischen Tradition und dann im JohEv ist zwar die Nachfolgethematik ähnlich bedeutsam, aber nicht bei Paulus. Auch die Motive der *imitatio Christi*, der Bekehrung (ἐπιστρέφειν) und der Metanoia haben beim Apostel, so relevant sie ohne Frage sind, ein geringeres Gewicht als Glaube, Hoffnung und Liebe.

dere Aufmerksamkeit verdienen die griechisch-sprachigen Texte. Im Zuge dessen können einige Seitenblicke auf die (freilich weit weniger relevante) pagane Gräzität geworfen werden.

a) *Pistis, Elpis und Agape als Termini hellenistisch-jüdischer Theologie*

Alle drei von Paulus zusammengestellten Begriffe haben eine reiche Geschichte im hellenistisch beeinflußten Judentum. Sie sind zwar nicht von der schlechthin zentralen Bedeutung wie in den paulinischen Briefen (und weithin in der neutestamentlichen Literatur). Aber Pistis, Elpis und Agape werden doch, namentlich durch den Einfluß der Septuaginta, wichtige theologische Vokabeln des hellenistischen Judentums. Paulus kann daran anknüpfen.

(1) Pistis

Der Begriff des Glaubens[31] ist in der frühjüdischen Tradition fest verankert. Pistis kann für den Akt der Bekehrung von Heiden zum Bekenntnis des *Einen* Gottes und für den vollen Übertritt zum Judentum[32] stehen, auch für die Bejahung bestimmter Bekenntnissätze[33] und bei *Josephus* (in einer an Heiden gerichteten Verteidigungsschrift des Judentums) auch für die biblische Glaubenslehre als ganze[34]. Vor allem aber bezeichnet Pistis im Frühjudentum eine bestimmte Haltung und Praxis, in der sich authentische Frömmigkeit in enger Bindung an das Gesetz manifestiert. In verschiedenen Traditionen und Gattungen werden auf dieser gemeinsamen Basis unterschiedliche Akzente gesetzt. Nach den Weisheitsbüchern besteht die

---

[31] Vgl. zur ersten Orientierung (neben den Lexikonartikeln) *D. Lührmann*, Pistis; *E. Brandenburger*, Pistis.

[32] Vgl. Jona 3,5; Jdt 14,10; Sap 12,2; auch syrBar 54,5 und als Kontrastparallele 1QpHab 2,4.5–8.

[33] 4Makk 15,24; 16,22f: Glaube an Gott; 4Makk 5,25: Glaube, daß das Gesetz von Gott gegeben ist; 4Makk 7,19: Glaube an ein ewiges Leben; syrBar 54,5; 57,2 und 59: Glaube an ein künftiges Gericht nach den Werken; 1QpHab 1,14f: Glauben an die Gebote; 2,4: Glauben an den Bund; 2,5–8: Glauben an die Worte des Priesters, der die Worte des Propheten richtig deutet; vgl. Philo Agr 50: Glaube an die Botschaft der Propheten. – Schon in relativ späten Texten des Alten Testaments wird „Glaube“ mit der Annahme eines Wortes, eines Zeichens oder eines Boten und dessen Botschaft gleichgesetzt, z. B. nach der LXX Ψ 105,12 (Gottes Worten glauben); 118,66 (Gottes Geboten glauben); Ex 4,1 (Mose [nicht] glauben); 14,31 (Gott und Mose glauben); 2Chr 20,20 (dem Propheten glauben); sowie als negatives Pendant die Rede vom Unglauben in Num 14,11; Dtn 1,32; 9,23; Ps 78,32; 106, 24, vor allem aber (nicht zuletzt mit Blick auf Röm 10,16 und Joh 12,38) Jes 53,1 (LXX: „Herr, wer hat unserer Botschaft geglaubt?“).

[34] Ap 2,163–171. – In äthHen 46,8 und mDem 4,7 findet sich die Selbstbezeichnung der Gesetzestreuen als der „Glaubenden“.

Pistis der Gerechten darin, daß sie auch in Versuchungen treu und standhaft am Vertrauen auf Gott festhalten, das sie in der Liebe zur Weisheit und im Gehorsam gegen das Gesetz bewähren.[35] Die frühjüdische Abraham-Tradition, die weisheitlichem Denken verpflichtet ist, stellt den Stammvater als Urbild des Gerechten vor, dessen Glaube darin besteht, daß er in allen Versuchungen und Erprobungen sich als gerecht, treu und standhaft erweist.[36] Das weisheitliche Glaubensverständnis bildet zusammen mit den Abraham-Traditionen den Hintergrund für das *4. Makkabäerbuch*, das Pistis immer wieder als Treue zum Gesetz und Standhaftigkeit in allen Verfolgungen bis hin zum Martyrium versteht.[37] In vergleichbarer Weise reden apokalyptische Schriften – gleichfalls nicht ohne weisheitliche Einflüsse – vom Glauben als der unbeirrbaren Hoffnung und Zuversicht, an der die Gerechten in der endzeitlichen Drangsal festhalten[38]. Die Qumran-Gemeinde deutet in der Auslegung von Hab 2,4 Glaube als trotz aller Mühsal unverbrüchliche Treue zum Lehrer der Gerechtigkeit und seiner Halacha (1QpHab 7,17–8,13).[39]

Von eigener Art ist der Glaubensbegriff *Philos von Alexandrien.*[40] Als Pistis versteht er das beharrliche Sich-Festmachen in Gott als dem einzig Unerschütterlichen und Unwandelbaren.[41] Darin zeigt er sich durch den stoischen Begriff von Pistis als Tugend der Treue beeinflußt. Doch hält *Philo* fest, daß Pistis nicht wie dort die Treue des weisen Menschen zu sich selbst meint (Epict Diss II 4,1; MAnt 3,7 u. ö.), sondern im strengen Sinn das Verhältnis des Menschen zu Gott.

Pistis ist in diesen Kontexten nicht so sehr durch eine existentielle Grundentscheidung bestimmt, die in einer Bekehrungserfahrung wurzelt; Pistis ist Treue zum monotheistischen Bekenntnis und zum Gesetz, auch zur überlieferten biblisch-jüdischen Lebensordnung, im Grunde aber Vertrauen auf Gott, das sich trotz irritierender Kontrasterfahrungen nicht beirren läßt.

---

[35] Vgl. wegen der Verbindung von Pistis und Elpis Ψ 77 und Sir 2 sowie Weish 3, aber auch Sir 4,16ff; 32,20–33,2.

[36] Maßgebend ist die Verbindung von Gen 15 (und 17) mit Gen 22. Vgl. Sir 44,19b.20 (Beschneidung); 2Esr 19,8 (Neh 9,8); 1Makk 2,50ff; 4Makk 16,19f; Jub 17,17f (Glaubenstreue – Gottesliebe); 18,14ff; 19,9; auch 14,6; PRE 26; AbRN 33; MTeh 18,25; BerR 55,1; ferner Jdt 8,21–27 (zu Philo s. die folgende Anm.). Einen guten Überblick über die Texte verschafft *A. v. Dobbeler,* Glaube 116–125.

[37] Vgl. – vor dem Hintergrund von 1Makk 2,52 – 4Makk 13,10; 14,6; 15, 9.12.14; 17,2ff; ferner 16,11.22f; 17,15.20.

[38] Vgl. slHen 66,6J (Glaube – Liebe); aber auch 4Esr 6,28; 7,24.34; 13,23; äthHen 46,8; ferner syrBar 59,2.

[39] Vgl. *A. v. Dobbeler,* Glaube 128.

[40] Vgl. *R. Bultmann,* Art. πιστεύω 202f; *D. Lührmann,* Pistis 29–32; *E. Brandenburger,* Pistis 178ff.

[41] Abr 70.167–177; Her 90–101; LegAll 2,89; 3,218.228; Praem 28ff.

(2) Elpis

Elpis wird durch die Septuaginta zu einem wichtigen Begriff hellenistisch-jüdischer Theologie und Spiritualität.[42] Er gewinnt besonders dort Gewicht, wo die Vergangenheit und Gegenwart im Licht einer (innergeschichtlichen oder transzendenten) Zukunft gesehen werden, die von Gottes rettendem Eingreifen zugunsten seines Volkes Israel oder doch seiner Frommen bestimmt wird. Wahre und begründete Hoffnung ist immer auf Gott gerichtet, letztlich auf ihn allein.[43] Sie ist Ausdruck der Gottesfurcht (Sir 31,14f; PsSal 6,8) und des Gottvertrauens (Sir 49,10; Jdt 13,19; 2Makk 15,7); beides wächst aus der Ahnung der Majestät und Barmherzigkeit Gottes (PsSal 17,1ff). Hoffnung bewahrheitet sich in geduldiger Bewährung und vertrauensvollem Standhalten.[44] Sie richtet sich auf Hilfe in der Not[45], auch auf die Rettung aus dem Tode[46], in der Apokalyptik auf die eschatologische Heilsvollendung[47], bei *Philo* auf die Vervollkommnung des Menschen (Her 311), der nach Wahrheit und nach Übereinstimmung mit der ihm von Gott geschaffenen Natur sucht (Pot 138f).

---

[42] Vgl. (neben den Lexikonartikeln) *K. M. Woschitz,* Elpis 219–331; *F. Van Menxel,* Ἐλπίς 208–431. Im folgenden interessiert der theologische Sprachgebrauch, wiewohl „hoffen" keineswegs darauf eingeschränkt ist.

[43] Vgl. Sir 31,14f; Sus 60; PsSal 17,3; epAr 261; TestAbr 7,7f und die Kontrastparallelen PsSal 17,2; Sir 31 (34),1; Sap 2,22; 3,11.18; 5,15f; 13,10; 15,6.10; 16,29; 2Makk 7,34; 4Makk 3,11.18; Jub 22,22; äthHen 46,6f; 98,12.14. Nach äthHen 48,4 richtet sich die Hoffnung auf den Menschensohn. Die Theozentrik der Hoffnung wird von *Philo* eigens zum Thema gemacht: Pot 138f; Abr 7–14; Praem 11–14; auch LegGaj 196.

[44] Vgl. nur Ψ 33,18–22; 71,5; 37,40; Test Hiob; 4Makk 17,2ff.

[45] 2Makk 15,7; Jdt 8,20; epAr 18; Jos Ant 12,300; auch PsSal 5,11.14; 6,5; 15,1.

[46] Sap 3,2ff.9; 5,15f; 2Makk 7,11.14.20; syrBar 30,1; vgl. 4Makk 11,7; Jub 31,32 und als Kontrast 4Makk 3,18.

[47] ÄthHen 40,9; 62,9; 96,1; 102,4; 104,2.4; syrBar 44,7ff; 48,18ff; 51,7; 77,5; 78,6.

(3) Nächstenliebe

Agape bezeichnet in der frühjüdisch-hellenistischen Literatur[48], theologisch gebraucht, vor allem die Liebe Gottes und die Liebe zu Gott, aber auch die Liebe zum Nächsten. Im Hintergrund steht dann immer wieder Lev 19,18 (mitsamt den Ausweitungen auf die „Fremden“ in Lev 19,34 und Dtn 10,19); allerdings wird der Vers nicht ausdrücklich zitiert.[49] Der Radius des Liebesgebotes bleibt zumeist auf das Volk Israel und die Glaubensgenossen in der Diaspora beschränkt. Doch werden einerseits Heiden nur in den qumranischen und einigen wenigen rabbinischen Texten (besonders in SifraLev 19,17f) ausdrücklich ausgeschlossen (ohne daß damit sittliche Pflichten ihnen gegenüber geleugnet würden), und andererseits finden sich gelegentlich Ansätze universaler Ausweitungen des Liebesgebotes.[50] Worin Haltung und Praxis der Nächstenliebe bestehen, ist weitgehend durch das alttestamentliche Liebesgebot vorgezeichnet.[51] Nächstenliebe zeigt sich darin, die Würde und Ehre des anderen zu

[48] Vgl. zum Sprachgebrauch *C. Spicq,* Agapè. Prolégomènes pass.; *Th. Söding,* Wortfeld, Abschn. 5; speziell zum Verständnis der Nächstenliebe auch *K. Hruby,* L'amour du prochain dans le pensée juive: NRTh 91 (1969) 493–516; *K. Stendahl,* Hate, Non-Retaliation, and Love. 1QS X 17–20 and Rom, 12:19–21: HThR 55 (1962) 343–355; *D. Flusser,* Neue Sensibilität im Judentum und christliche Botschaft (amerik. 1968), in: ders., Bemerkungen eines Juden zur christlichen Theologie (ACJD 16), München 1984, 35–53; *K. Berger,* Gesetzesauslegung I 80–165; *A. Nissen,* Gott 244–239.

[49] Das älteste Zitat, SifraLev 19,18, ist mit dem Namen Rabbi Akibas verbunden, stammt also frühestens von der Wende des 1. zum 2. Jh. n. Chr., ist aber vermutlich wesentlich später. Die Datierungsversuche schwanken zwischen dem 3. und dem 6. Jh.; vgl. *G. Stemberger,* Geschichte der jüdischen Literatur. Eine Einführung, München 1977, 85.

[50] Vor allem in den TestXII (Iss 5,2; 7,6; Seb 5,1), zudem, überraschenderweise, an einer Stelle des Jubiläenbuchs (20,2), und zwar (vielleicht nicht zufällig) im Blick auf die Gestalt Abrahams, schließlich auch in einigen wenigen pharisäisch-rabbinischen Texten, von denen freilich nicht ganz klar ist, ob sie schon für das 1. Jh. relevant sind (die aber ein starkes Gegengewicht zu SifraLev 19,17f schaffen): Ab 1,12; Schab 31[a]; vgl. Sanh 105[b] par AZ 4b und Ber 7[a]; MEx 23,4 (104[b]); Git 5,8f; 61[a] Bar; bBer 17[a].

[51] Vgl. *H.-P. Mathys,* Liebe deinen Nächsten wie dich selbst. Untersuchungen zum alttestamentlichen Gebot der Nächstenliebe (OBO 71), Freiburg/Schw. – Göttingen 1986.

achten[52], ihm zu dienen[53] und sich für eine von Gottes Willen geprägte menschliche Gemeinschaft einzusetzen[54]. Einen besonderen Akzent trägt die tatkräftige Unterstützung der Armen, Schwachen und Benachteiligten[55] (einschließlich der Proselyten[56]). Gerade aus neutestamentlicher Sicht ist, damit falschen Entgegensetzungen vorgebeugt werden kann, ein weiterer Punkt besonders wichtig: Nächstenliebe erweist sich (wie in Lev 19,17f vorgegeben) auch nach hellenistisch-jüdischer Auffassung in Situationen konkret erfahrener Feindschaft und unrechtmäßiger Benachteiligung: im Verzicht auf Groll und Rache[57], in der *correctio fraterna*[58] und in der Hilfe für den in Not geratenen Feind[59], an einigen Stellen auch in der Überwindung des Bösen durch das Gute[60].

---

[52] Besonders deutlich wird dies – angesichts der Schuld der Brüder – im Verhalten Josephs, wie es TestSim 4,6; Jos 10,6; 11,2; 13,9; 15,3; 17,1–8 vorstellen; vgl. aber auch AbRN (B) 26 (Anfang) (26[b]) sowie Ab 2,10 mit dem Kommentar AbRN (A) 15 Anfang (30[b] oben); 4,12; AbRN (A) 16 Anfang (31[b]) zu Ab 2,11 und AbRN (A) 17 Anfang (33[a] oben) zu Ab 2,12.

[53] TestBenj 3,8 deutet ihn mit Blick auf Joseph geradezu als Form stellvertretenden Leidens.

[54] Tob 4; Jub 7,20; 20,2; 35ff; 1QS 2,23f; 5,4ff; 8,1f.

[55] Vgl. Sir 7,21; dann auch 3,30; 4,1–10; 4,31–5,8; 7,10.32; 14,8.16; 29,1f.8ff.14f.20; 31,8; 34(31),24ff; 35(32),5.10); Tob 4,12; TestIss 5,1f; 7,5; Benj 4,1 (vgl. Iss 3,8; Seb 8,1; Ass 2,5f; Jos 17,4; Benj 4,4); CD 6,20–7,1 (vgl. 1QS 2,23f; 5,25; 10,26). Wohltätigkeit fordern, ohne sie Liebe zu nennen, auch Jos Ant 6,342 und THiob 45,2 sowie an sehr vielen Stellen Talmudim, Midraschim und Targumim. Vgl. *H. Bolkestein,* Wohltätigkeit und Armenpflege im vorchristlichen Altertum. Ein Beitrag zum Problem „Moral und Gesellschaft", Utrecht 1939, 34–66. Auch Philos Tugend der φιλανθρωπία, in die hinein er (Virt 51–174) Lev 19,17f übersetzt, äußert sich vornehmlich in Wohltaten; vgl. *A. Nissen*, Gott 485–493; *D. Winston,* Philo's Ethical Theory: ANRW II 21/1 (1984) 372–416: 394–400.

[56] Ein besonderes Anliegen der nach wie vor aus einer israelzentrierten Perspektive sprechenden Talmudim, Midraschim und Targumim; vgl. SifraLev 19,33f; MEx 22,20 (101[a]). Es entspricht der Wiedergabe von Lev 19,34 und Dtn 10,19 in der LXX.

[57] TestSeb 8,5f; Dan 5,1f; Gad 4,3; Jub 35ff; CD 7,2; 13,18 (vgl. 9,2); 1QS 5,25f; häufig auch in Talmud und Midrasch. Zumal die TestXII nennen überdies die Vergebung persönlicher Schuld (Sim 4,4; Seb 8,4f; Jos 17,2) und die Fürbitte für Sünder (Benj 3,6f). Das erste Moment, das alttestamentlich schon durch Spr 10,12; 17,9 und 19,11 bezeugt ist, findet sich auch Sir 27,30–28,8 sowie 10,6[MT] und 22,22. Ohne direkt von Liebe zu sprechen, empfiehlt epAr 207 Milde gegen Untertanen und Sünder.

[58] Test Gad 6,3; Benj 4,5; CD 7,2; 1QS 5,25f (vgl. CD 9,6f).

[59] TestSim 4,6; häufig auch in rabbinischen Texten. 4Makk preist die toraorientierte Vernunft als Herrscherin über alle Triebe und Leidenschaften, auch über den Feindeshaß (2,13f; vgl. Dtn 20,19f; Ex 23,4).

[60] TestBenj 8,5f; vgl. auch – ohne explizite Verbindung mit dem Liebesgebot – TestIss 8,5; Gad 6; Jos 17,2.5; 18,2; Benj 4,2f (ferner Seb 5–8); JosAs 23,9–12 (ferner 28,4f.10.14; 29,3ff); slHen 50,4; Philo Virt 96.116f.118f; Jos Ant 4,274f; ep

(4) Glaube, Hoffnung und Liebe in der Profangräzität

Der Befund der profanen Gräzität sieht anders aus, obwohl es durchaus einige Gemeinsamkeiten gibt.

Pistis ist als religiöser Terminus geläufig[61], wenngleich keineswegs so profiliert wie im hellenistischen Judentum und vor allem im Neuen Testament. Pistis kann besonders bei *Plutarch*, aber auch bei nicht wenigen anderen hellenistischen Schriftstellern ein positiv gefüllter religiöser Begriff sein (was skeptische Stimmen anderer Autoren, etwa des *Polybius* und auch des *Lukian von Samostata*, nicht ausschließt). Pistis kann in einem umfassenden Sinn für pagane Religiosität stehen.[62] Pistis kann aber auch speziell den Inhalt religiöser Überlieferung[63] bezeichnen. Pistis kann die Annahme bestimmter Glaubenssätze heißen: die Bejahung der Existenz (eines) Gottes[64] etwa oder der Unsterblichkeit der Seele[65]. Pistis kann überdies das Vertrauen auf die Richtigkeit von Orakeln[66] und Mythen[67] sowie die Überzeugung von der Wirklichkeit wunderbarer Ereignisse[68] bezeichnen. Und Pistis kann nicht zuletzt auch die rechte *Weise* der Gottesbeziehung[69] charakterisieren, insbesondere das Vertrauen auf die Götter[70]. Auch wenn

---

Ar 227 (im Zusammenhang von 225–230); 4Makk 2,14; PsPhok 9–41.140ff. Gewiß gibt es – wie im Alten Testament – auch zahlreiche Kontrastparallelen, z. B. 1Makk 2,67f; 2Makk 10,16; 15,24. Doch wäre es verfänglich, den Blick allein auf sie zu richten.

61 Vgl. *G. Barth*, Pistis in hellenistischer Religiosität: ZNW 73 (1982) 110–126; auch *A. v. Dobbeler*, Glaube 284–298. (Dort finden sich die im folgenden zitierten Belege.) Bei Plato ist Pistis hingegen das bloße Annehmen und Meinen im Gegensatz zum sicheren Wissen (Pol 477b–e. 511d–e; 533e–534a; 601e; Tim 29c; Gorg 454d), in der Stoa Treue des Menschen zu sich selbst (Epict Diss I 4,18f; II 2,2; 4,1ff; 14,11ff; 22,25ff; IV 3,7).

62 Plut SuavVivEpic 21 (II 1101C); Quomodo adulescens poetas audire debeat 2 (II 17B) sowie als Kontraste SerNumVind 3 (II 549B); Superst 2.11 (II 165C.170F). Vgl. Plato Leg 12 966d; Luc Philops 10; JupTrag 40; AelAr 10,38.

63 Plut PythOr 18.25 (II 402E.407A); Amat 13 (II 756b).

64 Plut SuavVivEpic 21 (II 1101C).

65 Plut Consolatio ad uxorem 11 (II 612A).

66 Plut PythOr 5.9.17 (II 396D.398E.402B); vgl. Aesch Pers 800f; Soph KÖd 1445; DioChrys 34,4; Luc Alex 11; Philops 38 sowie als Kontrastparallele Eurip IphTaur 1475f; Hdt 1,158.

67 Plut IsetOs 65 (II 377E); Amat 18 (II 763C); Rom 28,3 sowie den Kontrast IsetOs 64 (II 377A); vgl. DioChrys 14,21; Luc Saturnalia 5.

68 Plut Camillus 6; Numa 15; Cor 38,5; mit gewohnter Skepsis hingegen Luc Philops 13.15.30.

69 Plut IsetOs 23 (II 360A): Glaube und Gottesverehrung; Kontrast: Alex 75 Camillus 6; vgl. Soph Phil 1374; Luc Alex 38; AelAr 1,155; UPZ 144,12; vgl. Plat Ap 10 (18c).

70 Plut Apophth Caesar 9 (II 206D); PythOr 17 (402B); SerNumVind 3 (II 549B); vgl. Ps-Plato Epin 980c; Xenoph Mem I 1,5; Aeschin Or in Ctes 1; Apol 15; auch Luc Alex 38. DioChrys hält das Vertrauen auf die Tyche hoch (65,4.7.13; vgl. 64,26); vgl. Plut ApophthLac, Leontychidas 2 (II 224D).

Pistis kein *terminus technicus* hellenistischer Propaganda wird[71], ist das Wort doch ein durchaus bekannter Begriff paganer Religiosität. Daß eine semantische Verwandtschaft mit dem hellenistisch-jüdischen und dem urchristlichen Sprachgebrauch besteht, ist bei allen verbleibenden Unterschieden nicht zu leugnen. Daß die Septuaginta-Autoren Pistis als Übersetzung des hebräischen *ᵓmn* gewählt haben, kann nicht überraschen. Überdies bestand für Heiden durchaus die Möglichkeit, von ihrer eigenen Sprache her einen Zugang zur hellenistisch-jüdischen und urchristlichen Terminologie zu gewinnen.

Elpis ist differenzierter zu betrachten.[72] Zwar kennt die ältere griechische Philosophie einen positiven und religiös aufgeschlossenen Hoffnungsbegriff. Nach *Plato* gehört es zum Wesen des Menschen, zu hoffen (Phileb 39e). Aber er ist sich mit vielen einig, wie trügerisch die meisten Erwartungen der Menschen sind. Begründete Hoffnung besteht nur dort, wo sich der Sinn, von der Liebe zur Wahrheit geleitet, auf das Göttliche und letztlich auf die Unsterblichkeit richtet (Ap 41c; Phaed 67b–68b.114c).[73] In neutestamentlicher Zeit überwiegt Skepsis. In der Stoa spielt Elpis kaum eine Rolle. Gleichwohl gibt es durchaus Belege für ein positives[74], auch für ein religiöses Verständnis der Hoffnung.[75]

Das Substantiv Agape ist der Profangräzität unbekannt.[76] Allerdings ist das Verb gerade in neutestamentlicher Zeit durchaus von einiger Bedeutung.[77] Es heißt zumeist „wertschätzen" oder „vorziehen". Bisweilen trägt es sogar einen theologischen Sinn.[78] Überdies kennt die Stoa die Tugend der ἀγάπησις[79]: die überlegte Vorliebe für das Gute (im umfassenden Sinn des Wortes) und das konsequente Streben nach seiner Verwirklichung.

---

71 So indes *R. Reitzenstein,* Die hellenistischen Mysterienreligionen nach ihren Grundgedanken und Wirkungen, Leipzig ³1927. Nachdr. Darmstadt 1980, 234ff; *E. Wißmann*, ΠΙΣΤΙΣ; *R. Bultmann*, Art. πιστεύω 180f.

72 Vgl. *K. M. Woschitz,* Elpis 76–218; *F. Van Menxel*, 'Ελπίς 22–160.

73 In dieser Tradition steht *Porphyrios*, wenn er in der Viererreihe AdMarc 24 auch die Elpis nennt.

74 Epict Diss I 9,16f; Plut QuaestConv (II 668E).

75 Signifikant ist, daß es Tempel der *spes* gibt und daß die Göttin Elpis verehrt wird. Vgl. auch Polybios 38,7,9; 38,8,1.

76 Vgl. *Th. Söding*, Wortfeld, Abschn. 1b (1).

77 Vgl. *R. Joly,* Le vocabulaire chrétien de l'amour est il-original? φιλεῖν et ἀγαπᾶν dans le grec antique, Bruxelles 1968.

78 Liebe einer Gottheit zu einem Menschen oder einer Stadt: Ps-Demosth Erot (Or 61) 9.30; *U. Wilcken,* Chrestomatie, in: L. Mitteis – ders., Grundzüge und Chrestomathie der Papyruskunde 1/2, Leipzig–Berlin 1912, 109,12; OGIS 90,4; SB Nr. 4127,20; 4244; 8232; 8299; 8542,27; DioChrys 3,60; 28,13. – Liebe zu einer Gottheit: DioChrys 12,61 (vgl. 12,32: δαιμόνιον); vgl. noch die Andeutungen bei Seneca Ep 47,18; Ben IV 19,1.

79 Ps-Plato Def 413b 10; Aristot Metaph 980a 21; PhilodemPhilos Περὶ φιλαδελφίας (ed. Olivieri) fr. 80,9f; Chrysipp (DiogL 7,115; vArnim III 105); ArDid (Stob II 108,5; vArnim III 161,13). Vgl. Plut De Amore Prolis 3 (II 495C: eheliche Liebe); Rom 35,2 (I 39A); CMarc 37,3 (I 231E). Vgl. *M. Paeslack*, Zur Bedeutungsgeschichte der Wörter φιλεῖν „lieben", φιλία „Freundschaft" und φίλος „Freund" in der Septuaginta und im Neuen Testament: TheolViat 5 (1953/54) 51–142: 65.

Glaube, Hoffnung und Liebe sind auch in der Profangräzität ethisch wie religiös durchaus geläufig und tendenziell positiv besetzt. Paulus kann dies voraussetzen, ebenso wie es vor ihm frühjüdische und neben ihm andere urchristliche Autoren getan haben. Für Heidenchristen gab es durchaus die Möglichkeit, von ihrer vertrauten Sprache her einen Zugang zum biblischen Wortverständnis zu gewinnen.
Dennoch bleiben die Differenzen zwischen dem paganen und dem biblischen Sprachgebrauch unverkennbar. Glaube, Hoffnung und Liebe haben im frühjüdischen Traditionsraum ein weit größeres Gewicht und eine weit profiliertere Bedeutung als in der paganen Gräzität. Paulus knüpft (wie das gesamte Neue Testament) am frühjüdischen, nicht am paganen Sprachgebrauch an.

b) Verbindungen von Pistis, Elpis und Agape im hellenistischen Judentum

Im Frühjudentum (und z. T. auch in der Profangräzität) werden relativ häufig mindestens zwei der drei Glieder eng miteinander verbunden. Das gilt vor allem für Pistis und Elpis.[80] Aber auch Agape wird gelegentlich mit Pistis[81] und Elpis[82] verknüpft, allerdings m. W. nicht als Nächsten-, sondern als Gottesliebe verstanden, wenn Pistis oder Elpis theologisch gefüllt sind.[83]

---

[80] Vgl. nur Ps 77(78),22; Sir 2,6.8f; 49,10; 1Makk 2,59ff; 4 Makk 17,2.4 (Pistis – Elpis/Geduld); syrBar 51,7 (Hoffnung – Erwartung – Glaube; s. u.); 59,10; 63,3; sodann Hebr 11,1; ferner die Verbindung von Vertrauen (πεῖθω) und Hoffnung in 2Makk 15,7 sowie Jer 17,7. – Die pagane Literatur kennt gleichfalls die Verbindung von πίστις und ἐλπίς (sowie ὑπομονή), was für die Rezeptionsmöglichkeit der paulinischen Aussagen zu beachten ist, verbindet sie aber mit ganz anderen Bedeutungen und kommt deshalb als Inspirationsquelle für den paulinischen Gedanken kaum in Betracht; vgl. zu den einschlägigen Stellen *F. Van Menxel*, Ἐλπίς 78–93; *A. v. Dobbeler*, Glaube 191–195.

[81] Vgl. Sap 3,9; Sir 2,13–17; Jos Ant 14,186; Jub 17,18; Sir 24,18 L.La; epAr 270 („glauben“: sich [einem Menschen] anvertrauen); Sib 3,376 (Pistis als soziale Tugend der Treue); Jos Ant 14,186 spricht von der Liebe (ἀγαπάω) zur Tapferkeit und zur Treue (πίστις). TestIsaak 8,19 verbindet Pistis mit Barmherzigkeit. Aus dem paganen Schrifttum ist immerhin Plut Amat 23,7 (eheliche Liebe und Treue) zu nennen, überdies Demosth Or 44,3 (auf die Wertschätzung der Wahrheit bezogen).

[82] Vgl. Ps 5,12; ferner PsSal 18,2f(3f). Entfernte pagane Parallelen: Lys 2,21 Ps-Demosth Erot (Or 61) 6. Plato Pol 496de, von *C. Spicq* (Agapè. Prolégomènes 51 Anm. 2) angeführt, ist keine Parallele, da keine direkte Verbindung besteht und ἀγαπάω etwa „froh sein“ bedeutet.

[83] Vgl. Sap 3,9; Sir 2,13–17 und Sir 24,18 L.La sowie Ps 5,12 sprechen von der Liebe zu Gott, PsSal 18,2f(3f) redet von Gottes Liebe.

Besonders aufschlußreich ist *Sir 2,13–17.*[84] Die Verse stehen im Kontext einer Mahnung des Siraciden an seinen „Sohn“ (Sir 2), sich auf Versuchungen einzustellen, die sich gerade aus seinem Gottes-Dienst ergeben werden (2,1), und in diesen Prüfungen mutig, tapfer und geduldig zu sein. Seine Mahnrede faßt Jesus Sirach am Schluß (2,12–17) in drei Wehesprüchen (2,12ff) und drei kontrastierenden Kennzeichnungen des Gerechten (2,15ff) zusammen:

12 Weh den feigen Herzen und schlaffen Händen
und dem Sünder, der auf zweierlei Wegen geht (vgl. Ps 1; Sir 1,28).
13 Weh dem schlaffen Herzen, weil es nicht glaubt (πιστεύω);
deshalb wird es nicht bewahrt werden.
14 Weh denen, welche die Standfestigkeit (πιστεύω) verloren haben,
was werdet ihr tun, wenn der Herr euch ins Auge faßt?
15 Die den Herrn fürchten, werden seinen Worten nicht ungehorsam,
und die ihn lieben (ἀγαπάω), werden seine Wege beachten.
16 Die den Herrn fürchten, werden sein Wohlgefallen suchen,
und die ihn lieben (ἀγαπάω), werden erfüllt sein vom Gesetz.
17 Die den Herrn fürchten, werden ihre Herzen bereiten
und ihre Seelen vor ihm demütigen.

Die Verse richten das Augenmerk ganz auf die Beziehung des Gerechten zu Gott, bei dem allein Erbarmen zu finden ist (2,18). Die Ethik wird nicht direkt angesprochen. (Freilich ist sie impliziert.) Insofern fehlt ein wichtiges Moment der paulinischen Trias. Allerdings ist beachtenswert, daß nicht nur die Gottesfurcht (2,15.16.17; vgl. 2,8) und der Glaube (2,13; vgl. 6.8.10) eine Rolle spielen (vgl. 2,6.8: Hoffnung), sondern auch die *Liebe* (ἀγαπάω) zu Gott (2,15f)[85] genannt wird.[86]

Interessant ist auch *Sap 3,9*:

Die auf ihn (Gott) vertrauen (πείθω), werden die Wahrheit verstehen,
und die Getreuen (οἱ πιστοί) werden in Liebe bei ihm verharren,
denn Gnade und Erbarmen (gewährt er) seinen Erwählten.

Der Vers spricht von Gottes Verheißung für die Gerechten. πιστός heißt „getreu“.[87] Agape bezeichnet die Liebe zu Gott. „Verharren“ (προσμένω) ist im Griechischen mit „standhalten“ (ὑπομένω) stamm- und bedeutungsverwandt. Zuvor ist in Vers 4 das Stichwort Elpis gefallen: Der Gerechten Hoffnung ist „voll

---

[84] Die Übersetzung beruht auf der Fassung der LXX; vgl. *J. Ziegler*, Sapientia Jesu Filii Sirach (Septuaginta XII,2), Göttingen 1965. Eine hebräische Version fehlt.

[85] Zum Verhältnis von Gottesfurcht und Gottesliebe bei Jesus Sirach vgl. *J. Haspekker*, Gottesfurcht bei Jesus Sirach (AnBib 30), Rom 1967, bes. 281–312.

[86] Ob Sir 24,18 nach den LXX-Hs. L und La aus dem 3. Jh. n. Chr. („Ich bin die Mutter der schönen Agape und der Furcht und der Gnosis und der frommen Elpis“) eine vorpaulinische Tradition bezeugt, muß bezweifelt werden; vgl. *J. Ziegler*, a.a.O. 64ff. Christlicher Ursprung bzw. Einfluß ist wahrscheinlicher. Das gilt ebenso für den nur von einigen späten Minuskeln gebotenen Satz Sir 25,12: „Die Furcht des Herrn ist der Anfang der Liebe zu ihm; Glaube der Anfang der Gemeinschaft mit ihm.“

[87] Zu πιστός vgl. *D. B. Garlington*, Obedience 70f; ähnlich bereits *Ch. Keller*, Glaube in der „Weisheit Salomos“, in: H. J. Stoebe (Hg.), Wort – Gebot – Glaube. Beiträge zur Theologie des Alten Testaments. FS W. Eichrodt, Zürich 1970, 11–20. Die Treue, von der V. 9 redet, wächst aus dem Vertrauen auf Gott.

Unsterblichkeit“[88]. Liebe, Vertrauen, Treue und Hoffnung gewinnen dadurch an Relevanz, daß Sap 3,1–12 in einem apokalyptisch beeinflußten Horizont die gegenwärtige Prüfung und die eschatologische Rettung der Gerechten bespricht. Damit kommt Sap 3 zwar nicht der Formulierung, wohl aber der Thematik von 1Thess 1,3 und 5,8 noch näher als Sir 2.[89]

Vorläufiges Fazit: Die paulinische Trias steht erkennbar im Einflußbereich frühjüdischer Traditionen, die sowohl in weisheitlicher als auch in apokalyptischer Färbung insbesondere auf die Bewährung der Gerechtigkeit in Glaube und Hoffnung abstellen. Das macht sich bis in die Formulierungen hinein bemerkbar: Im Hintergrund von 1Thess 1,3 zeichnen sich Sap 3,9ff und 4Makk 17,2ff deutlich genug ab.

c) *Pistis, Elpis und Agape in frühjüdischen Kurzformeln*

Das Verfahren des Apostels, mithilfe einiger weniger theologisch gefüllter Haupt-Wörter konzentriert auf den Begriff zu bringen, was den rechten Wandel vor Gott ausmacht, läßt durchaus Vergleiche mit Texten zu, die versuchen, die Substanz des Gesetzes bzw. der israelitischen und jüdischen Religiosität in kurzen Kernsätzen und knappen Leitbegriffen zusammenzufassen.

Bereits aus dem Alten Testament gibt es Beispiele. Einige rekapitulieren zentrale Glaubensinhalte und -erfahrungen Israels, so das „kleine geschichtliche Credo“ Dtn 26,5–9, das Hauptgebot Dtn 6,4f und die Bundesformel (Dtn 26,17ff; 29,12; 2Sam 7,24 u. ö.). Andere rekurrieren aber (wie die paulinische Trias) auf Grundhaltungen bzw. elementare Lebensvollzüge und nehmen dabei sowohl die Beziehung zu Gott als auch die zum Nächsten in den Blick. Der klassische Text (freilich erst in frühjüdischer Zeit eingehend rezipiert) ist der *Dekalog*.[90] Zwei weitere Beispiele, die etwas näher an die Trias heranführen, seien genannt.[91]
Nach *Hos 12,7*[92] ergeht an Jakob/Israel als Wort Gottes zugleich eine Verheißung und eine Mahnung, die für das Leben des Rebellen vom Jabbok (Gen 32,23ff) und damit indirekt für das Leben des gesamten, dem Gericht verfallenen Volkes grundsätzliche Bedeutung hat:

---

[88] Gemeint ist nicht, daß die „Hoffnung *selbst*“ unsterblich ist, so aber *D. Georgi*, Weisheit Salomos: JSHRZ III/4 (1980) 391–478: 410 Anm. 4a, sondern daß sie „erfüllt von Unsterblichkeit“ ist: *J. Fichtner*, Weish 19.

[89] Vgl. *O. Wischmeyer,* Weg 150f.

[90] Vgl. *F.-L. Hossfeld*, Der Dekalog (OBO 45), Freiburg/Schw. 1982.

[91] Zahlreiche Belege liefert überdies die Spruchweisheit, freilich zumeist ohne den programmatischen Anspruch, allgemeingültige Regeln aufzustellen oder prinzipielle Aussagen über die Beziehung zu Gott und zum Nächsten zu treffen; vgl. jedoch Spr 3,7b: „Fürchte den Herrn und fliehe das Böse“; 8,13: „Gottesfurcht haßt Ungerechtigkeit“; 16,6: „Durch Barmherzigkeit (*ḥœsœd*) und Treue (*ǣmæṯ*) wird Schuld gesühnt, und durch Gottesfurcht meidet man das Böse“.

[92] Zur Exegese vgl. *J. Jeremias*, Hos 149ff.154f.

Ja, mit deinem Gott wirst du heimkehren,
bewahre Barmherzigkeit (*ḥœsœd*) und Recht (*mišpaṭ*)
und harre beständig auf deinen Gott.

Zwar besteht keine direkte traditionsgeschichtliche Verbindung zur Trias. Dennoch ist der Vers besonders interessant. Mit *ḥœsœd* und *mišpaṭ* (LXX: ἔλεος und κρίμα) werden Begriffe genannt, die durchaus als Sachparallelen zur Agape angesehen werden dürfen. Der Schlußsatz (LXX: ἔγγιζε) begreift das Gottesverhältnis in der Dimension der Hoffnung. Überdies versteht die Septuaginta den einleitenden Satz als Aufforderung zur Umkehr zu Gott: „Und du, bekehre dich (ἐπιστρέφειν) zu deinem Gott". Die *strukturelle* Verwandtschaft mit der Trias wird dadurch noch enger.

Ein zweites Beispiel liefert *Mi 6,8*.[93] Der Vers lautet:

Es ist dir gesagt, Mensch, was gut ist,
und was Jahwe von dir fordert:
nämlich Recht (*mišpaṭ*) zu tun
und Barmherzigkeit (*ḥœsœd*) zu lieben
und besonnen[94] zu gehen mit deinem Gott.

Erneut werden die (sozial)ethischen Pflichten auf die Begriffe „Recht" (*ḥœsœd*) und „Barmherzigkeit" (*mišpaṭ*) gebracht. (Die LXX übersetzt wieder: ἔλεος und κρίμα). Der Text ist ein herausragendes Ergebnis schriftgelehrter Arbeit in nachexilischer Zeit. Es entsteht durch den Versuch, in weisheitlicher Manier auf einen kurzen Nenner zu bringen, was nach der Botschaft der Propheten und des Deuteronomiums die rechte Lebensführung ausmacht. Der nähere Kontext baut einen Kontrast zu depravierten Kulthandlungen auf (6,6f). Dadurch verstärkt sich der Nachdruck, der auf der Mahnung zu authentischer Lebensführung liegt. Überdies signalisiert die einleitende Anrede die Weichenstellung zu einer stärkeren Personalisierung des Ethos. Nicht unerwähnt bleibe, daß im Hebräischen (wie im Griechischen) von der *Liebe* zur Barmherzigkeit geredet wird, um (einem weit verbreiteten Sprachgebrauch folgend) zu deren vorbehaltloser Bejahung und tatkräftiger Verwirklichung anzuhalten. Nach der Septuaginta-Fassung soll die Gottesbeziehung von Bereitwilligkeit (ἕτοιμος) gekennzeichnet sein – auch dies eine sachliche Analogie zu dem, was neutestamentlich Glauben heißt.

In frühjüdischer Zeit gewinnen derartige Kurzformeln besondere Relevanz.[95] Sie sind in der Regel von weisheitlicher Art, finden sich aber durchaus nicht selten in apokalyptischen Texten und gewinnen dann besondere Schärfe. Die „Summarien" haben sowohl für die Innen- als auch für die Außenbeziehungen der jüdischen Gemeinschaft eine wichtige Funktion: Einerseits dienen sie der Selbstvergewisserung der Juden über ihre Identität und der Paränese, die den solidarischen Zusammenhalt der Glaubensgenossen stärken soll; andererseits dienen sie der Vermittlung des

---

[93] Vgl. *W. Werner*, Mi 6,8 – eine alttestamentliche Kurzformel des Glaubens?: BZ 32 (1988) 232–248.

[94] Zur Übersetzung von *ṣnᶜ* vgl. *H. J. Stoebe*, Und demütig sein vor deinem Gott. Mi 6,8: WuD 6 (1959) 180–194.

[95] Zahlreiche Texte (die freilich von unterschiedlichem Gewicht sind) listet *K. Berger* (Gesetzesauslegung I 137–142) auf.

biblischen Erbes in die Welt des paganen Hellenismus, sowohl in missionarischer als auch in apologetischer Absicht. Beides ist in der Diaspora von besonderer Relevanz.

Die Möglichkeiten sind vielfältig. Gelegentlich werden die vier Kardinaltugenden aufgezählt.[96] Andere Texte zitieren die Goldene Regel.[97] Der Aristeasbrief stellt (ähnlich wie Philo; s. u.) das Begriffspaar Gerechtigkeit und Gottesfurcht als Kriterium rechter Gottesbeziehung und Lebensführung auf (24.131; vgl. 189). 4Esr 7,34 nennt Wahrheit und Glaube (Treue), 7,114 Wahrheit und Gerechtigkeit, äthHen 61,11 Glaube, Weisheit, Geduld, Barmherzigkeit, Recht, Frieden, Güte. Rabbi Akiba hebt nach einer legendarischen Überlieferung[98] Lev 19,18 als einen „großen Grundsatz" der Tora hervor[99]. Eine weitere späte rabbinische Tradition[100] konstruiert eine regelrechte Reihenfolge immer stärkerer Konzentrationen der Tora: David habe das Gesetz in elf Geboten (Ps 15,2–5), Jesaja in sechs (33,15), Micha in drei (6,8), Jesaja sodann in zwei (56,1) und Amos schließlich in einem Gebot (5,4) zusammengefaßt (so TanchB) bzw. Amos in zwei Geboten (5,4) und schließlich Habakuk (2,4) in einem Gebot (so Mak 23[b]–24[a]).

Für den Vergleich mit der paulinischen Trias sind vor allem jene Texte interessant, die Kombinationen zwischen den drei Gliedern Pistis, Agape und Elpis herstellen bzw. das Verhältnis zu Gott eng mit der Beziehung zum Nächsten verknüpfen. Einige wenige Beispiele, die eine triassische Struktur aufweisen[101], seien (ohne jeden Anspruch auf Vollständigkeit) zur Illustration kurz zitiert.[102]
Einer der zahlreichen Zahlensprüche des *Sirachbuches* lautet in der Fassung der Septuaginta[103] (*25,1*):

---

[96] Sap 8,7; 4Makk 1,2–4.6.18; 5,23ff (dort statt Klugheit Frömmigkeit).

[97] Tob 4,15; epAr 207; Philo Hypothetica (Eus PraepEv 8,7,6); Ps.-Menander 39f (Zählung nach *P. Rießler*); slHen 61,1; TestNaph hebr 1; Achikar Arm. B 53; AbRNath 15.16; Tg Jerusch I Lev 19,18; Schab 31[a] Bar (vgl. Mt 7,12; Did 1,2; Apg 15,20.29 nach Hs. D).

[98] In SifraLev 19,18 (89[b]) par jNed 10,41[c],37; vgl. GenR 24,7 zu 5,1 (237).

[99] Vgl. zur Bedeutung *H.-W. Kuhn*, Liebesgebot 206–209.

[100] Mak 23[b]–24[a] par TanchB, Schophetim § 10 zu Dtn 16,19 (V 16[b]–17[a]); vgl. *W. Bacher*, Die Agada der palästinischen Amoräer, 3 Bde., Straßburg 1892–1902, I 558f.

[101] Eine pagane Trias, auf die eheliche Liebe bezogen, bietet Plut Rom 35,2 (I 39a): Ehre und Agape und Gerechtigkeit gegenüber den Frauen; ähnlich CMarc 37,3 (I 231e). Später (im 5. Jh. n. Chr.) prägt der Neuplatoniker *Proklos* die Trias Glaube, Liebe, Wahrheit (Theol.Plat. 1,25; 62,19; Alc 51,15–52,2); vgl. *W. Beierwaltes*, Proklos. Grundzüge seiner Metaphysik, Frankfurt/M. 1965, 320ff.

[102] Im weiteren ist Ab 2,7a zu nennen: Fünf Versuchungen stehen drei positive Größen gegenüber: Tora – Leben; Weisheit – Schüler; Almosen – Heil.

[103] Rekonstruktion nach *J. Ziegler*, Sapientia Jesu Filii Sirach 76ff. Eine hebräische Version fehlt.

Drei Dinge gefallen mir
und sind Gott und den Menschen wohlgefällig:
Eintracht der Brüder,
Liebe (φιλία) zum Nächsten (Nachbarn)
und Mann und Frau einander zugetan.

Brüderliche Eintracht, Nächstenliebe und eheliche Verbundenheit sind Grundwerte weisheitlicher Ethik. Ihre Zusammenstellung in einem Zahlenspruch verfolgt ein didaktisches Interesse.[104] Vorausgesetzt ist vermutlich eine (in der Schule gestellte) Frage nach den Dingen, die Gott und den Menschen wohlgefällig sind. Insofern ist Sir 25,1 zwar weder eine Summe der Tora noch eine Maxime der Ethik, wohl aber ein überlegtes *Statement*, mit dem ein Weisheitslehrer seine Sicht der rechten Lebensführung zusammenfaßt. Dabei greift er gezielt drei primäre Bereiche menschlichen Zusammenlebens heraus: das Verhältnis zwischen Geschwistern, zwischen Nachbarn und zwischen Eheleuten.
Die *Testamente der Zwölf Patriarchen*[105] unternehmen an zahlreichen Stellen den Versuch, gesetzesfromme Lebensführung auf den Nenner einiger weniger Weisungen und auf den Begriff einiger weniger Tugenden zu bringen. Dabei spielen Aufrichtigkeit (ἁπλότης) und Agape eine Hauptrolle.[106] Der älteste Jakob-Sohn faßt die erwünschten Einstellungen und Verhaltensweisen in einer Trias zusammen. Das letzte Wort *Rubens* (7,9.10a) lautet:

9 Ich beschwöre euch beim Gott des Himmels,
die Wahrheit zu üben jeder gegenüber seinem Nächsten
und Liebe zu hegen jeder gegenüber seinem Bruder,
10 und naht euch Levi in Demut des Herzens ...

---

[104] Zur Gattung des Zahlenspruchs vgl. *G. v. Rad*, Weisheit in Israel, Neukirchen-Vluyn ³1985 (¹1970), 51–56.

[105] Ausgaben des griechischen Textes: *R. H. Charles (Hg.)*, The Greek Versions of the Testaments of the Twelve Patriarchs, Oxford 1908. Nachdr. Darmstadt 1960; *M. de Jonge – H. W. Hollander – H. de Jonge – Th. Korteweg (Hg.)*, The Testaments of the Twelve Patriarchs. A Critical Edition of the Greek Text (PVTG I/2), Leiden 1978; deutsche Übersetzung: *J. Becker*, Die Testamente der Zwölf Patriarchen: JSHRZ III/1 (²1980.¹1974), 1–163. Der Grundbestand der Schrift reicht nach *J. Becker* (a.a.O.) bis ins 2. Jh. v. Chr. zurück; nach *A. Hultgård* indes nur bis in die erste Hälfte des 1. Jh. v. Chr.: L'eschatologie des Testaments des Douze Patriarches. I: Interprétation des Textes. II: Composition de l'ouvrage, textes et traductions (HR[U] 6/7), Uppsala 1977.1982, II 214–224.

[106] Vgl. nur Levi 13,1; Sim 5,2; Iss 5,1ff; 7,2–7; Seb 5,1; Dan 5,1–3; Gad 6,1–4; Benj 3,1–3; 10,2. – Iss 5,2; Dan 5,3; Benj 3,3 (sowie Seb 5,1) sprechen in diesem Zusammenhang von Gottes- und Nächstenliebe.

Wahrhaftigkeit, Bruderliebe (Agape) und Achtung der Leviten (die in 10b–11 weiter eingeschärft wird) sind immer wiederkehrende Anliegen der Patriarchentestamente. Sie zielen darauf, jüdisches Gemeinschaftsleben in der Diaspora zu stärken. Für den Vergleich mit Paulus ist interessant, daß in den Patriarchen-Testamenten das Liebesgebot von herausragender Qualität ist.[107]

Der 14. der *Psalmen Salomos,* im 1. Jh. v. Chr. entstanden, weisheitlich geprägt und von pharisäischer Spiritualität beeinflußt[108], ein Wort des Trostes an die bedrängten Frommen, die von der Theodizeefrage umgetrieben werden, beginnt mit dem Zuspruch *(14,1f)*:[109]

1 Treu ist der Herr denen,
die ihn lieben in Wahrheit,
die seine Zucht erdulden,
2 die in Gerechtigkeit in seinem Gebot wandeln,
im Gesetz, das er uns zu unserem Leben gegeben hat.

Wahrhaftige Liebe, gehorsames Standhalten in Bedrängnissen, die als Prüfung gedeutet werden (vgl. 3,4f), und torafromme Gerechtigkeit – drei kaum sehr scharf von einander zu trennende Einstellungen und Verhaltensweisen, die für die Zeit und das Milieu typisch sind. Von PsSal 14 werden sie mit der Verheißung ewigen Lebens ausgezeichnet (V. 3).

Im dritten Buch der *Sibyllinischen Orakel*[110], einer hellenistisch-jüdischen Schrift apokalyptischen Zuschnitts, prophezeit die (fiktive) Seherin gegen Ende des 1. Jh. v. Chr.[111] für die messianische Endzeit:

373 Denn alle Gesetzlichkeit wird vom gestirnten Himmel
374 zu den Menschen kommen und Gerechtigkeit, mit ihnen
375 die beste aller Gaben für die Sterblichen, weise Eintracht,
376 und Liebe, Treue, Gastfreundschaft.

---

107 Vgl. TestRub 6,9; Sim 4,4.7; Iss 5,2; 7,6; Seb 8,5; Dan 5,3; Gad 4,2.(6)7; 6,1.3; 7,7; Jos 17,2.3; Benj 3,3ff; 4,3.5; 8,1; vgl. auch Ass 2,4; Gad 3,3 (über den Hasser); 4,6; Jos 17,5; Benj 8,2 (über das Verhältnis des Mannes zur Frau); Gad 1,5 (über Jakobs Vaterliebe zu Joseph).

108 Vgl. zur Einordnung der PsSal *J. Schüpphaus,* Die Psalmen Salomos. Ein Zeugnis Jerusalemer Theologie und Frömmigkeit in der Mitte des vorchristlichen Jahrhunderts (ALGHJ 7), Leiden 1977, speziell zu Ps 14 S. 59f.

109 Text nach *A. Rahlfs,* Septuaginta, 2 Bde., Stuttgart 1935.

110 Zum Text vgl. *J. Geffcken (Hg.),* Die Oracula Sibyllina (GCS 8), Leipzig 1902. Nachdr. 1967.

111 Im voraufgehenden Kontext (3,350.363) wird auf die mithridatischen Kriege (88–84.83–81.74–64 v. Chr.) angespielt. Der Passus dürfte etwas später sein; vgl. *J. Geffcken,* Komposition und Entstehungszeit der Oracula Sibyllina (Texte und Untersuchungen zur Geschichte der altchristlichen Literatur NF VIII/1), Berlin 1902, 9–13.

Die Pointe des Textes liegt darin, daß die traditionellen alttestamentlichen (freilich griechisch ausgesprochenen) Theologoumena Gesetzlichkeit (εὐνομίη) und Gerechtigkeit (εὐδικίη) durch hellenistisch-judenchristliche Tugendbegriffe erläutert werden, die in der paganen Gräzität problemlos vermittelbar sind. Die abschließende Trias erläutert, woraus Eintracht (ὁμόνοια) entsteht, die wichtigste Gabe Gottes für die Zeit vor dem Ende: Praktische Nächstenliebe (στοργή)[112], Treue (Pistis) und Gastfreundschaft sind jene Verhaltensweisen, die zur (eschatologischen) *communio* des Gottesvolkes führen und geradezu paradiesische Friedenszeiten heraufziehen lassen (3,377ff).

Noch später (zu Beginn des 2. Jh. n. Chr.) faßt *die syrische Baruchapokalypse*[113] ihre Hoffnung auf die eschatologische Totenauferstehung der Gerechten in die Worte (*51,7*):

> Diejenigen aber, welche durch ihre Werke gerettet worden sind,
> die, deren Hoffnung jetzt das Gesetz
> und Erwartung die Einsicht
> und Glaube die Weisheit war,
> denen werden sich Wunder zeigen zu ihrer Zeit.[114]

Die Verklammerung von „Hoffnung", „Erwartung" und „Glaube" ist topisch. In syrBar 51,7 ist sie in die Form einer Trias gegossen und überdies durch den eschatologischen Kontext als das geradezu heilsentscheidende Kriterium eines Gerechten ausgewiesen, der sich zum Gesetzesgehorsam verpflichtet weiß und die Tora als Quelle aller Erkenntnis und als Summe der Weisheit betrachtet.

Ähnliche Vorstellungen treten im verklärten Rückblick auf die Zeit Abrahams hervor (*57,2*):

> Denn zu jener Zeit war ohne Niederschrift das Gesetz ihnen bekannt,
> die Werke der Gebote wurden damals vollbracht,
> der Glaube an das künftige Gericht wurde damals geboren,
> die Hoffnung auf eine erneuerte Welt wurde damals erbaut,
> und die Verheißung des zukünftigen Leben wurde gepflanzt.[115]

Die Trias Werke – Glaube – Hoffnung (vgl. Barn 1,6), gerahmt von den indikativischen Aussagen über die Präsenz des Gesetzes und die Gabe der

---

[112] στοργή bezeichnet im Griechischen jene Liebe, die in tatkräftiger Weise natürliche Verbundenheit zum Ausdruck bringt; vgl. *Th. Söding*, Wortfeld, Abschn. 1a (1).

[113] Text: *M. Kmosko (Hg.)*, Liber Apocalypseos Baruch Filii Neriae (PS 1), Paris 1907.

[114] Übersetzung nach *B. Violet (Hg.)*, Die Apokalypsen des Esra und des Baruch in deutscher Gestalt (GCS 32), Leipzig 1924, 277.

[115] Übersetzung: a.a.O. 292.

Verheißung, steht im Zeichen der Gesetzesfrömmigkeit, gewinnt aber durch die starke eschatologische Erwartung eine charakteristische Färbung: Die Ausrichtung auf das kommende Gericht und die transhistorische Vollendung, für die Glaube und Hoffnung stehen, stellen die Gesetzeswerke in die rechte Perspektive, wie umgekehrt Toraobservanz *die* Form der eschatologischen Erwartung ist.

Schließlich sei noch auf *Philo von Alexandrien* hingewiesen.[116] Wenn er eine Zusammenfassung dessen versucht, was die Tora fordert, denkt er zumeist in binären Kategorien. Typisch ist SpecLeg 2,61f. Philo sagt, es gebe zwei „Hauptpunkte" (κεφάλαια): gegenüber Gott Frömmigkeit (εὐσεβεία) und Heiligkeit (ὁσιότης), gegenüber den Menschen *Philanthropie* und Gerechtigkeit (δικαιοσύνη).[117] Gleichwohl kommt bei Philo gelegentlich auch die Dreizahl zu Ehren. Von den Essenern sagt er, sie richteten ihr Leben an drei Richtschnüren aus: der Liebe zu Gott, der Liebe zur Tugend und der Liebe zu den Menschen (Prob 83f; vgl. 85–87; auch Hyp 11,2: Eus PraepEv 8,11,2). In seinem Buch über die Veränderung des Namens Abrahams (zu Gen 17,1–12) behauptet er (Mut 236ff), inspiriert durch Dtn 30,12ff, es gebe gerade drei Dimensionen, in denen Versuchungen zum Bösen und Möglichkeiten zum Guten bestehen: das Denken, das Sprechen und das Handeln; deshalb komme es auf ein dreifaches an (237): gutes Entschließen (εὐβουλία), gutes Reden (εὐλογία) und gutes Handeln (εὐπραξία). In seiner allegorischen Erklärung von Ex 22,6 (LegAll 3,248ff) spricht *Philo* davon, daß das Feuer der Leidenschaft drei Dinge angreife: vollkommene Tugend, (moralischen) Fortschritt und natürliche Güte (ἀρετὴν τελείαν, προκοπήν, εὐφυΐαν). In seinem theologischen Abraham-"Psychogramm" sagt Philo, zur Erlangung des von Gott verheißenen Segens führe ein dreistufiger Weg: von der Hoffnung über die Metanoia hin zur Dikaiosyne (Abr 2–48).[118] In seiner Abhandlung über Gottes Belohnungen und Strafen entfaltet er zunächst in umfangreichen Erörterungen die Dreiheit Hoffnung – Umkehr – Gerechtigkeit (Praem 10.23) und verbindet dann die drei Stammväter mit der Trias Glaube, Gnade und Anschauung Gottes (Praem 27).

---

[116] Vgl. zur Einordnung *A. Nissen,* Gott 498–502.

[117] Vgl. auch Plant 28.122; Decal 12.52. Nach demselben Prinzip teilt Philo die Dekaloggebote in zwei Fünferreihen ein, deren erste die Freundschaft mit Gott und deren zweite die Freundschaft zu den Menschen thematisiere (Decal 50.108ff).

[118] In Abr 52–55 leitet er allegorisch aus der Dreizahl der Stammväter ab, abgestützt durch einen Querverweis auf die drei Grazien (!), daß es drei Wege zur Tugend gibt: durch Lernen, durch Natur und durch Übung. Vgl. LegAll 1,93.

d) Zusammenfassung

Die Trias Glaube – Hoffnung – Liebe ist, obwohl unverkennbar paulinisch und typisch christlich, in mehrfacher Hinsicht durch das hellenistische Frühjudentum weisheitlicher und apokalyptischer Färbung vorbereitet, insbesondere durch die zahlreichen Versuche, in der unübersichtlichen Vielzahl der Tora-Gebote eine Ordnung zu erkennen, die nicht nur eine bessere Orientierung, sondern auch eine Unterscheidung von „schweren" und „leichten", zentralen und peripheren, wesentlichen und weniger substantiellen Geboten erlaubt (ohne daß die Verbindlichkeit auch nur eines Gebotes je zur Debatte steht).[119] Wie nicht überraschen kann, entstehen im Zuge dieser Bemühungen gelegentlich triassische Wendungen. Die didaktische und rhetorische Plausibilität der Dreizahl ist evident: „Aller guten Dinge sind drei".[120]
Das Augenmerk kann sich sowohl auf die Ethik als auch auf die Gottesbeziehung richten. Im ersten Fall spielt die Nächstenliebe durchaus eine wichtige (wenn auch lediglich in den Testamenten der Zwölf Patriarchen eine herausragende) Rolle; im zweiten fällt der Blick recht häufig auf den Glauben und die Hoffnung, gelegentlich auf die Liebe zu Gott. Für die Verklammerung von Glaube und Hoffnung hat die frühjüdische Leidens- und Märtyrertheologie besondere Bedeutung gewonnen.[121] Sie wächst aus weisheitlichen Wurzeln und wird in (vor)neutestamentlicher Zeit immer wieder durch apokalyptische Geschichtsdeutungen und Heilserwartungen zugespitzt. Angesichts alltäglicher und namentlich angesichts eschatologisch erscheinender Prüfungen, denen der Fromme gerade aufgrund seiner Gerechtigkeit ausgesetzt ist, liegt die Bewährung seines Gottesverhältnisses darin, daß sich die Pistis, als Einheit von Treue und Vertrauen gesehen, mit der Elpis verschwistert, die Zuversicht mit Geduld verbindet.
Einige frühjüdische Kurzformeln verknüpfen auch ausdrücklich das Gottesverhältnis mit der Ethik, mitunter so, daß Pistis, Elpis und Agape vorkommen, freilich nicht als Trias, nicht so, daß dann sowohl die Gottesbeziehung als auch das Verhältnis zum Nächsten thematisiert würde, und auch nicht so, daß Pistis, Elpis und Agape dann die umfassenden

---

[119] Bei der Beurteilung frühjüdischer Gesetzestheologie ist nicht nur eine Position wie 4Makk 5,20f zu würdigen, nach der kleine und große Sünden von gleichem Gewicht sind, sondern ebenso die Tendenz, aus missionarischen, katechetischen und theologischen Gründen zu einer „Hierarchie" der Gebote zu gelangen.

[120] Zur Bedeutung der Zahl 3 in der Antike vgl. *R. Mehrlein,* Art. Drei: RAC 4 (1959) 269–310; *G. Delling,* Art. τρεῖς.

[121] Allerdings nur indirekt für die Trias; eine zu direkte Verbindung postuliert *O. Wischmeyer,* Weg 151.

Begriffe und entscheidenden Kriterien wären. Dennoch zeigen die Texte, vor welchem Hintergrund und auf welchem Boden die paulinische Trias entsteht.

4. Ergebnis

Die Trias Glaube – Liebe – Hoffnung ist eine Bildung des Apostels. Ihr ursprünglicher „Sitz im Leben" ist die missionarische Verkündigung, die zur Gründung und zum ersten Aufbau christlicher Gemeinden führt. Bereits dort dient sie als theologisch reflektierte, prägnante, einprägsame und leicht rezipierbare Zusammenfassung dessen, was das Wesen des christlichen Lebens ausmacht. Eben diese Funktion hat die Trias auch in den Briefen. Paulus setzt voraus, daß sie den Adressaten bekannt ist. Deshalb kann er sie zur Ermunterung (1Thess), auch zur Kritik (1Kor 13,13) und zum theologischen Weiterdenken (Gal) nutzen.
Allerdings ist die Bildung der Trias weder ohne den Einfluß hellenistisch-judenchristlicher Theologie noch ohne den Einfluß frühjüdischer Traditionen weisheitlicher und apokalyptischer Provenienz erklärbar. Mit Pistis, Elpis und Agape greift der Apostel die drei Termini auf, die in der Missionspredigt, der Katechese und der Paränese hellenistischer Judenchristen schon vor und auch neben Paulus die größte Bedeutung gewonnen haben. Diese Sprachregelung ist typisch christlich. Sie versteht sich aber nur vor dem Hintergrund der hellenistisch-jüdischen Literatur. Hier sind die drei Stichworte zu theologischen Begriffen geprägt worden. Bei aller christologischen Aufladung, die sie im hellenistischen Judenchristentum erfahren, sind fundamentale semantische und pragmatische Kontinuitätselemente nicht zu leugnen.
Überdies scheint der Apostel durch das hellenistische Judentum weitere Anregungen zur Bildung der Trias empfangen zu haben. Versuche, eine „Kurzformel des Glaubens" zu formulieren, sind dort nicht unbekannt. Ihr „Sitz im Leben" sind Katechese und Paränese, aber auch missionarische und apologetische Bemühungen. Die Verbindung von Pistis und Elpis ist in frühjüdischer Leidenstheologie und -spiritualität topisch. Ebenso ist die Zusammenschau des Gottes- und des Nächstenverhältnisses weit verbreitet. Überdies ist Agape durchaus ein signifikantes Stichwort frühjüdisch-hellenistischer Ethik. Es gibt also ein reiches Reservoire theologischer Vorstellungen und Anschauungen, aus dem der Apostel bei der Bildung der Trias schöpfen konnte. Von diesem Vorrat zehrt unabhängig von ihm (oder doch nur indirekt von ihm beeinflußt) auch der Seher Johannes (Apk 2,2), überdies vielleicht der Verfasser des Hebräerbriefes (6,10ff; 10,22f). Allein der Apostel hat die Idee gehabt, Glaube, Hoffnung und Liebe in einer

Trias zusammenzustellen. Andere sind ihm darin gefolgt. Durch die Komposition der Trias entsteht etwas Neues: einerseits durch die spezifisch christliche Neudefinition der drei Leitbegriffe, andererseits durch die Zusammenschau „dieser Drei" als Einheit und ihre Qualifizierung als authentische und suffiziente Antwort auf Gottes Gnadenhandeln in Jesus Christus.

IV. Die Trias im Ersten Thessalonicherbrief (1,3; 5,8)

Die Trias Glaube – Liebe – Hoffnung findet sich im Ersten Thessalonicherbrief zweimal, gleich zu Beginn, als Auftakt der Danksagung (1,3), dann gegen Schluß des Schreibens (5,8), als Höhepunkt der allgemeinen Paraklese 5,1–11. Beide Verse sind aufeinander abgestimmt (vgl. 3,6). Ihre Aussage kann sich nur dann abzeichnen, wenn zunächst mit wenigen Strichen der Anlaß und die Eigenart des Briefes skizziert werden.

1. Der Anlaß und die Intention des Schreibens

Die Entstehungssituation des Ersten Thessalonicherbriefes[1] läßt sich recht genau rekonstruieren. Nicht wenige Hinweise gibt der Brief selbst; anderes ergibt sich aus einer kritischen Analyse von Apg 17, der Darstellung, die Lukas dieser Etappe der „Zweiten" Missionsreise gegeben hat. Von Philippi gekommen (Apg 17,1), wo er zuletzt Nachstellungen erlitten hat (1Thess 2,2), hält sich Paulus im Laufe des Jahres 50[2] längere Zeit, wahrscheinlich mehrere Monate[3], in Thessalonich auf und gründet dort eine kleine Christengemeinde (1Thess 1,5.9; 2,1.13). Sie besteht in erster Linie aus Heidenchristen (vgl. 1Thess 1,9; 2,14), obwohl gewiß auch einige Juden und Gottesfürchtige zu ihr gestoßen sind.[4]

Bei der Abreise des Apostels[5] ist die Gemeinde bereits so gefestigt, daß Paulus sie in seinem kurze Zeit danach verfaßten (2,17) Brief als ein „Vorbild für alle Glaubenden in Makedonien und Achaia" rühmen kann (1,7). Freilich sind den Christen schon bald Nachstellungen und Drangsalierungen seitens ihrer Landsleute nicht erspart geblieben (2,14; vgl. 1,6; 3,3ff). Paulus erfährt davon (3,1ff), macht daraufhin mehrfach vergeblich den Versuch, persönlich nach Thessalonich zu kommen (2,17), und entsen-

---

[1] Zur Einheitlichkeit des Briefes (die wiederholt bezweifelt worden ist) vgl. *T. Holtz*, 1Thess 23ff.

[2] Vgl. (in Auseinandersetzung mit abweichenden Auffassungen) *Th. Söding*, Chronologie 32ff.

[3] Apg 17,2 gibt mit „drei Sabbaten" eine zu kurze Zeitspanne an. Nach Phil 4,16 hat der Apostel während seines Aufenthaltes in Thessalonich von den Philippern allein zweimal eine materielle Unterstützung erhalten. Auch 1Thess 2,9–12 läßt auf eine längere Aufenthaltsdauer schließen.

[4] Apg 17,4 erweckt hingegen den Eindruck, die Ekklesia habe vor allem aus Juden und Gottesfürchtigen bestanden. Dem widerspricht aber 1Thess 1,9.

[5] Nach Apg 17,5–9 wird sie durch einen Konflikt mit den Juden der Stadt verursacht. Die Historizität der Notiz über Paulus ist aber umstritten. Vorsicht scheint angezeigt.

det schließlich von Athen aus (3,1) Timotheus als seinen „Bruder und Mitarbeiter Gottes im Evangelium Christi“ (3,2), um die Gemeinde zu trösten und zu stärken (3,1f.5). Vermutlich in Korinth (vgl. Apg 18,5) trifft Paulus wieder mit Timotheus zusammen und hört einen detaillierten Bericht über den Zustand der Gemeinde (3,6–10). Das ist der unmittelbare Anlaß für den Brief, den er (zusammen mit Silvanus und Timotheus) an die Ekklesia von Thessalonich schreibt.[6]

In seinem Bericht hat Timotheus ein sehr gutes Gesamtbild der Gemeinde gezeichnet (3,6–10). Paulus hat allen Grund, froh und dankbar zu sein – und er verschweigt es nicht (3,7.9). Der Erste Thessalonicherbrief ist (ähnlich wie Phil 1f) auf den Grundton eschatologischer Freude gestimmt.[7] Der Apostel schreibt den Brief nicht zuletzt deshalb, um die Gemeinde an seiner Erleichterung und Dankbarkeit teilhaben zu lassen.

Allerdings bestätigt Timotheus ihm auch, daß die Gemeinde tatsächlich Verfolgungen hat erleiden müssen (3,3f). Es handelt sich jedoch nicht um Martyrien, sondern um Schikanierungen und Diskriminierungen, die mit der religiösen Außenseiterrolle der Christen einhergehen.[8] Zwar haben diese Bedrängnisse kaum zu einer tiefen Verunsicherung ihres Glaubens und einer Trübung ihres Verhältnisses zum Apostel geführt[9]; dagegen spricht 3,6. Dennoch ist es für die Thessalonicher eine bedrückende Situation. Paulus versichert sie seiner persönlichen Anteilnahme (3,1–10); er führt ihnen die Solidarität der Mitchristen in anderen Gemeinden vor Augen (2,14ff); vor allem aber versucht er, Trost zu spenden und Mut zu machen (3,2.7–10.11–13).

Gravierender als die Irritationen, die von diesen Bedrängnissen ausgehen, ist die Befürchtung der Thessalonicher, Mitchristen, die inzwischen gestorben sind, könnten wegen ihres frühen Todes vom vollendeten Heil ausgeschlossen bleiben (4,13–18).[10] Zwar besteht nach Paulus zur Dramatisierung kein Anlaß. Aber daß es sich um ein wirkliches Problem handelt, ist ihm doch klar. Nach 3,10 schreibt er den Brief auch, um am Glauben der Gemeinde „zu ergänzen, was ihm noch fehlt“. Dazu zählt nicht zuletzt die Klarstellung über die Rettung der „Toten in Christus“ (4,16).

Zusammengenommen: Zwischen Paulus und der Gemeinde von Thessalo-

---

[6] *C. E. Faw* schließt zu Unrecht aus dem περὶ δέ in 4,9.13 auf einen Brief der Thessalonicher an Paulus: On the Writing of 1Thessalonians: JBL 71 (1952) 217–225.

[7] Vgl. *R. Kampling,* Freude bei Paulus: TThZ 101 (1992) 69–79.

[8] Vgl. *Th. Söding,* Widerspruch.

[9] Anders *E. v. Dobschütz,* 1Thess 62.

[10] Vgl. *T. Holtz,* 1Thess 186f. Die stark diskutierte Frage, wie die Betrübnis der Gemeinde hat entstehen können, braucht hier nicht beantwortet zu werden.

nich besteht ein ausgesprochen herzliches Verhältnis.[11] Der Brief ist über weite Strecken eine Bekräftigung[12], Reflexion[13] und Ergänzung[14] der noch nicht lange zurückliegenden Erstverkündigung. Er soll die Gemeinde darin bestätigen, daß sie auf gutem Wege ist;[15] er soll sie dazu ermuntern, die positiven Ansätze weiter auszubauen;[16] und er soll sie für die kommenden Herausforderungen wappnen, die nach Auffassung des Apostels weiterhin vor allem in Bedrängnissen durch „die draußen" (4,12) bestehen werden (3,1–10).[17]

2. Der Kontext und die Formulierungen der Trias in 1Thess 1,3 und 5,8

Die beiden Formulierungen der Trias in 1,3 und 5,8 fügen sich in den Duktus des Briefes ein. Sie sind genau auf die Lebenssituation der Adressaten, auf ihre Probleme, Befürchtungen und Erwartungen abgestimmt; und sie passen ebenso gut zur Intention, die der Apostel mit dem gesamten Schreiben verfolgt.

---

[11] Von gnostischen Anwandlungen der Thessalonicher ist nichts zu spüren; gegen *W. Lütgert,* Die Vollkommenen im Philipperbrief und die Enthusiasten in Thessalonich (BFChTh 13/6), Gütersloh 1909; *W. Schmithals,* Paulus und die Gnostiker 89–157; *W. Harnisch,* Existenz 22–29.

[12] Ausdrücklich: 1,9f; 3,3f; 4,1.2; vgl. 4,9; 5,2.

[13] Im Blick auf die Gemeinde in 1,2–10; 2,13; im Blick auf den Apostel in 1,5; 2,1–12.13.

[14] Vor allem 4,13–18, aber z.T. wohl auch in 5,1–11.

[15] 1,3–10; 2,1.13.19f; 3,7f; 4,1.9f; 5,2.4f.11.

[16] 3,2.3.10.11–13; 4,1–8.10.13–18; 5,6ff.11.12–22.23.

[17] In epistolographischer Hinsicht ist der 1Thess als paränetischer Brief zu klassifizieren, wenn man sich an den Kriterien von Ps-Libanius 5 orientiert; ed. V. Weichert, Demetrii et Libanii quae feruntur ΤΥΠΟΙ ΕΠΙΣΤΟΛΙΚΟΙ et ΕΠΙΣΤΟΛΙΜΑΙΟΙ ΧΑΡΑΚΤΗΡΕΣ (BT), Leipzig 1910. Das schließt Züge eines Trostbriefes nicht aus, wie aus Sen Ep 94,39.45; 95; Theon Progymnasmata 3,117 (ed. Spengel); Ps-Demetrius 5 (ed. V. Weichert, a.a.O.) hervorgeht; vgl. *A. J. Malherbe*, Exhortation 238.254f; *St. K. Stowers*, Letter Writing in Graeco-Roman Antiquity (Library of Early Christianity 5), Philadelphia 1989, 26f.92.96. In rhetorischer Hinsicht weist der 1Thess dementsprechend eine gewisse Verwandtschaft mit dem *genus deliberativum* auf; vgl. *B. C. Johanson,* Brethren 189. Dafür spricht nicht nur die Bedeutung der Paraklese, sondern auch der Stellenwert der *consolatio* (vgl. *R. Kassel,* Untersuchungen zur griechischen und römischen Konsolationsliteratur, München 1958).

a) 1Thess 1,3

Die Trias in 1Thess 1,3 bildet den Ausgangspunkt der Danksagung[18], die im Ersten Thessalonicherbrief besonders herzlich und umfangreich ausfällt. Sie umfaßt die Verse 2–10, bestimmt aber darüber hinaus den Tenor des gesamten ersten Briefteiles bis hin zur Fürbitte 3,11–13.

(1) Der Kontext der Trias (1,2–10)

Der Kontext der Trias ist für deren Verständnis in dreierlei Hinsicht aufschlußreich.

Erstens: In 1,2–10 finden sich zwei weitere Aussagen, die das lobenswerte Verhalten der Thessalonicher beschreiben (1,6f.8ff). Beide blicken auf die noch jungen Anfänge der Gemeinde zurück. Beide sind vor allem am Glauben interessiert (1,7.8). Beide unterstreichen damit die fundamentale Relevanz, die der Pistis im Rahmen der Trias zukommt.[19]

Zweitens: Die Trias begründet einerseits das Lob der Thessalonicher, ist aber andererseits Teil der an Gott gerichteten Danksagung. Das Lob, das Paulus der Gemeinde spendet (1,2–8), ist zuerst und zuletzt Dank an Gott (1,2; 3,9). Das qualifiziert den Glauben, die Liebe und die Hoffnung in fundamentaler Weise theo-logisch. So gewiß sie das engagierte Christsein der Thessalonicher bezeichnen, so deutlich bleibt dem Apostel doch, daß der Dank dafür Gott gebührt: Glaube, Hoffnung und Liebe sind Gnade; sie werden letztlich von Gott selbst bewirkt.[20] Dies geschieht grundlegend bei der Verkündigung des Evangeliums, die kraft des Geistes das Wort Gottes (vgl. 2,13) vollmächtig und in ganzer Fülle proklamiert (1,5); es geschieht dauerhaft durch die Gabe des heiligen Geistes an die Glaubenden (4,8; vgl. 4,9b).

Drittens: Unmittelbar im Anschluß an die Trias spricht Paulus von der Erwählung der Thessalonicher (1,5).[21] Damit fällt ein wichtiges Stichwort. Zusammen mit „Berufung“ (2,12; 4,7; 5,24) und „Bestimmung“ (5,9)[22] ist

---

[18] Nicht erst V. 4 gibt den Grund des Dankes an, wie *H.-H. Schade* (Christologie 118) meint.

[19] Nach *B. C. Johanson* (Brethren 86) besteht eine spezifische Korrespondenz zwischen der Trias und 1,9f: „Werk des Glaubens“ werde durch die Bekehrung zu Gott, „Mühe der Liebe“ durch den Dienst Gottes und „Standhaftigkeit der Hoffnung“ durch die Erwartung des Kyrios aufgenommen. Das ist überzogen.

[20] Vgl. auch *A. v. Dobbeler*, Glaube 38f.

[21] Grammatikalisch handelt es sich um zwei parallele Partizipialsätze, die vom Prädikat des Hauptsatzes (V. 2: „Wir danken Gott allezeit ...“) abhängig sind und näherhin das im ersten Partizipialsatz (V. 2b) erwähnte Gebet des Apostels kennzeichnen.

[22] Zu τιθέναι als Ausdruck göttlicher Bestimmung vgl. Apg 13,47 (Jes 49,6[LXX]) und 1Petr 2,8, als Parallele zum Motiv der Erwählung überdies Joh 15,15f.

es ein zentraler theologischer Terminus des Ersten Thessalonicherbriefes.[23] Paulus führt ihn ein, um (in der Sprache einschlägiger Texte aus dem Alten Testament und dem Frühjudentum[24]) zu betonen: Das eschatologische Heil verdankt sich einzig Gott; es ist nichts als Gnade; und es setzt die Herausführung aus den unheilvollen Verstrickungen in den gegenwärtigen Äon voraus, der von Unreinheit und Sünde gezeichnet ist (4,3–8) und deshalb dem Untergang im Zorngericht Gottes überantwortet wird (5,9f; vgl. 1,10). Durch die akute Naherwartung, die den Brief durchzieht (4,17; 5,10), gewinnt die Gnadenwahl besondere Brisanz. Ihr alleiniges Motiv ist die Liebe Gottes, des Vaters (1,4), ihr einziger Grund das Heilsgeschehen des Todes und der Auferweckung Jesu Christi (5,9f; vgl. 1,9f; 4,14). Die Berufung gilt nicht nur Juden, sondern auch Heiden (2,16). Sie manifestiert sich kraft des Geistes, den Gott in der vollmächtigen Evangeliumsverkündigung des Apostels wirksam werden läßt (1,5; vgl. 2,1–13), den er aber auch den Glaubenden schenkt (4,8), um sie zu einer authentischen Antwort zu befähigen. Das eigentliche Ziel der Berufung ist die Teilhabe am futurisch vollendeten Heil (2,12; 5,9; vgl. 2,16; 4,16f): am Reich Gottes (2,12), das von der Herrlichkeit Gottes geprägt wird (2,12), und am Leben „mit Christus", das in der schlechthin vollständigen Gemeinschaft mit dem Kyrios besteht (5,10; vgl. 4,14.17). Für die noch verbleibende Zeit vor dem Ende zielt die Erwählung Gottes auf die Zugehörigkeit zur Ekklesia als der eschatologischen Heilsgemeinde (1,4–8). Gleichzeitig ruft Gott zu einer sittlichen Lebensführung, die in der Ausrichtung auf die kommende Parusie (2,12; 3,12f; 5,1–11.23f) den Alltag heiligt (4,7f; vgl. 4,1–6.9–12). Durch die Gabe des Geistes möglich geworden (4,7f; vgl. 5,23), realisiert diese im Glauben begründete Lebensführung den neuen eschatologischen Standort, auf den die Christen versetzt sind. Es hieße Gottes Gnade verwerfen, wollte man dies nicht beherzigen (4,8).

Im Zusammenhang mit Vers 4 betrachtet, erscheinen Glaube, Liebe und Hoffnung als authentische Antwort der Berufenen auf die Gnade der Erwählung, die Gott ihnen aus Liebe hat zuteil werden lassen. Glaube, Hoffnung und Liebe sind letztlich selbst von Gott geschenkt. Zusammen sind sie Grundvollzug jener eschatologischen Existenz, zu der Gott die

---

[23] Vgl. *J. Becker,* Erwählung; *ders.,* Paulus 138–148.

[24] Insbesondere das Dtn hat eine profilierte Erwählungstheologie ausgearbeitet. In frühjüdischer Zeit wird der Erwählungsgedanke vor allem von der Apokalyptik aufgegriffen und dann eschatologisch zugespitzt; vgl. (1.) Jub 2,20; 15,30; 19,18; 22,9.19f; äthHen 93; syrBar 21,21; 48,20–24; 4Esr 5,23–27; 6,54; 8,52 (gesetzestreues Volk) und (2.) Jub 1,29; CD 2,6f; 6,2; äthHen 53,6; 56; 60,6; 62,8; syrBar 75,5f; Sib 3,69 (die Gerechten innerhalb Israels, die sich von den Frevlern geschieden wissen). Zum Vergleich mit der Erwählungstheologie des 1Thess vgl. *Th. Söding,* Thessalonicherbrief 194f.

Christen als einzelne und als Ekklesia berufen hat. Glaubend, hoffend und liebend richten sich Christen aufgrund des Heilsgeschehens, das der Tod und die Auferweckung Jesu darstellen, auf die kommende Parusie aus, die den Auftakt der futurischen Vollendung bildet. Damit sind Glaube, Liebe und Hoffnung die vom Geist gewirkte und deshalb personal integrierte Voraussetzung für die Anteilgabe am eschatologischen Heil (was 5,8ff explizieren wird).

(2) Die Formulierung der Trias

Vers 3 redet vom „Werk des Glaubens", von der „Mühe der Liebe" und „der Standhaftigkeit der Hoffnung". In allen drei Fällen handelt es sich um einen *genitivus subjectivus* bzw. *auctoris*[25]: Das „Werk" erwächst aus dem Glauben, die „Mühe" aus der Liebe, die „Standhaftigkeit" aus der Hoffnung. Umgekehrt zeigt sich der Glaube im Werk, die Liebe in der Mühe, die Hoffnung in der Standhaftigkeit.

Die Reihe „Werk", „Mühe", „Standhaftigkeit" begegnet ähnlich in Apk 2,2.[26] Der Vers ist auch deshalb interessant, weil in 2,4 von der Agape die Rede ist (deren Fehlen beklagt wird). Dennoch ist eine Abhängigkeit von 1Thess 1,3 unwahrscheinlich[27]: Die Trias Glaube – Liebe – Hoffnung fehlt ja gerade. Aber auch der Rückschluß auf eine vorpaulinische Formel ist nicht zwingend.[28] Die Johannes-Apokalypse ist wesentlich jünger als der Erste Thessalonicherbrief; und in Apk 2,2 stehen die drei Glieder nicht gleichberechtigt nebeneinander; vielmehr ist „Werke" der Oberbegriff, der zunächst durch „Mühe" und „Standhaftigkeit", dann durch Agape spezifiziert wird.[29] Überdies fehlen in den Paulinen weitere Indizien für eine feste Formel, wiewohl zwei der drei Glieder auch andernorts verbunden sein können.[30]
Die Parallele zwischen 1Thess 1,3 und Apk 2,2 erklärt sich aus einem gemeinsamen frühjüdisch-hellenistischen Hintergrund. In Sap 3,11 begegnet die Trias „Hoffnung", „Mühen", „Werke". Zwar beziehen sich die Verse auf die Gottlosen (3,10), deren Hoffnung als nichtig, deren Mühen als vergeblich und deren Werke

---

[25] Vgl. *E. v. Dobschütz*, 1Thess 66; *T. Holtz*, 1Thess 49; anders *R. F. Collins*, Studies 213: „Werk des Glaubens" sei ein epexegetischer Genitiv. Das modale Verständnis, das die Luther-Bibel und die Zürcher Bibel andeuten, wenn sie übersetzen „Werk im Glauben", „Arbeit in der Liebe" und „Geduld in der Hoffnung", ist nicht präzise.

[26] Allerdings steht dort der Plural „Werke".

[27] Anders *O. Wischmeyer*, Weg 151f.

[28] Anders *W. Marxsen*, 1Thess 35; *A. v. Dobbeler*, Glaube 212.

[29] Vgl. *E. Lohmeyer*, Offb 21; *M. Karrer*, Die Johannesoffenbarung als Brief. Studien zu ihrem literarischen, historischen und theologischen Ort (FRLANT 140), Göttingen 1986, 204f (auch zur Differenz gegenüber dem paulinischen Verständnis von Pistis, Agape und Standhaftigkeit).

[30] Die Nähe von „Werk" und „Mühe" bezeugen auch 1Kor 15,58, ferner 2Thess 2,8 und in einer bes. aufschlußreichen Parallele Apk 14,12ff (V. 12: „Standhaftigkeit" und Pistis). Im Peristasenkatalog 2Kor 6,4ff sind „Standhaftigkeit", „Mühe" und „Agape" locker miteinander verbunden.

als unnütz erklärt werden. Überdies steht nicht „Standhaftigkeit“, sondern „Hoffnung“. Aber die Nähe beider Begriffe liegt ja auch in 1Thess 1,3 auf der Hand. Zudem finden sich im unmittelbar voraufgehenden Kontext Wendungen, die im traditionsgeschichtlichen Vorfeld der Trias Glaube – Liebe – Hoffnung eine erhebliche Rolle spielen[31]. Vers 9 verbindet den Glauben und die Liebe zu Gott; Vers 4 nennt noch einmal die Hoffnung. Diese Beobachtungen machen es wahrscheinlich, daß Paulus in 1Thess 1,3 zwar nicht eine feste Formel „Werk – Mühe – Standhaftigkeit“ zitiert, wohl aber bei seiner Formulierung der Trias von Sap 3,9–11 beeinflußt ist. Aus dieser Tradition wird auch Apk 2,2 (und 14,12f) geschöpft haben.

Die erste Genitivverbindung, „Werk des Glaubens“, mag irritierend wirken, wenn man sie im Lichte der paulinischen Antithese zwischen dem Christusglauben und den Gesetzeswerken liest.[32] Doch darf die Rechtfertigungstheologie des Galater- und des Römerbriefes nicht ohne weiteres in den Ersten Thessalonicherbrief zurückprojiziert werden. 1Thess 1,3 steht die spätere Problematik nicht vor Augen.[33] Paulus formuliert völlig unbefangen.[34] Sein Blick richtet sich auf etwas anderes. „Werk“ bezeichnet in 1Thess 5,13 ganz ähnlich wie in 1Kor 3,13ff und 16,10 sowie 2Kor 9,8 speziell das Engagement von Christen in der Gemeinde und für die anderen Glaubenden, in 1Kor 15,58; Phil 1,6 und Gal 6,4 (vgl. Röm 2,6f) allgemein das, was ein Christ zu wirken fähig und herausgefordert ist. Dieses Verständnis ist auch in 1Thess 1,3 vorauszusetzen. „Werk“ meint in 1Thess 1,3 (wie zumeist sonst bei Paulus) die gesamte Lebensleistung derer, die sich für das Evangelium und die Ekklesia einsetzen.[35] „Werk *des Glaubens*“ heißt es, weil Paulus die Pistis als Quelle dieses Engagements sieht. Der Glaube erscheint als jene Kraft, die das „Werk“ der Thessalonicher, ihren

---

[31] S. o. S. 54f.

[32] Verfehlt ist die Auslegung von *S. Schulz* (Ethik 304f), der vom Werk des Glaubens als „Leistung“ und „Tugend“ redet.

[33] Eine Interpretation von Gal 6,2; Röm 3,2f und 8,2 oder auch Gal 5,6 her, wie sie *E. Best* (1Thess 68.140), *G. Friedrich* (1Thess 212) und *T. Holtz* (1Thess 44) unternehmen, ist insofern nicht unproblematisch, als der 1Thess (noch) nicht durch die Auseinandersetzung mit dem Nomismus geprägt ist, (noch) nicht die Antithese „Werke des Gesetzes – Glaube“ formuliert (auch nicht einfach stillschweigend voraussetzt; vgl. *Th. Söding*, Thessalonicherbrief 190–201) und deshalb die Verbindung von „Glaube“ und „Werke“ (ebenso wie die von Pistis und Agape) doch in einem anderen Koordinatensystem ortet (was elementare Kontinuitäten der Theologie nicht ausschließt).

[34] Auch eine Erklärung durch 1Kor 13,2 würde auf eine falsche Fährte führen, weil Pistis dort, durchaus nicht unkritisch beurteilt, charismatische „Glaubenskraft“ ist.

[35] Nicht nur speziell die Missionstätigkeit, wie *H. Schlier* (Drei 10) und *K. M. Woschitz* (Elpis 568) meinen.

Einsatz für das Evangelium, ermöglicht, hervorruft und bestimmt.[36] Paulus weiß: Es wird den Christen einiges abverlangt, ihren Glauben zu leben; es handelt sich wirklich um anstrengende Arbeit, die vollen Einsatz erfordert. Offenkundig hat der Apostel die schwierigen Rahmenbedingungen ekklesialer Existenz vor Augen, die es allgemein in urchristlicher Zeit und speziell in Thessalonich gegeben hat.
Ähnlich liegt der Fall bei der zweiten Genitivverbindung: „Mühe der Liebe".[37] Gerade wenn Paulus von der „Mühe" der Thessalonicher spricht, steht ihm ihre Plage mit den täglichen Widrigkeiten christlicher Existenz vor Augen, die aus der Entscheidung für das Evangelium resultieren.[38] Es geht dem Apostel nicht speziell um die Schwierigkeiten der Missionsarbeit, sondern allgemein um das Mühevolle und Anstrengende christlichen Engagements in einer tendenziell feindlich eingestellten Umwelt.[39] Die Genitivverbindung mit Agape signalisiert, daß Paulus insbesondere an die Mühe beim Aufbau einer geschwisterlichen Glaubensgemeinschaft denkt (vgl.

---

[36] In dieser Richtung deuten auch *E. v. Dobschütz*, 1Thess 66; *F. Laub*, Verkündigung 166f.

[37] Die Wiedergabe der Einheitsübersetzung mit „Opferbereitschaft" ist eine Paraphrase, die nur einen Ausschnitt des paulinischen Gedankens erfaßt.

[38] "Mühe" (κόπος) wechselt in der LXX häufig mit „Last" (πόνος); vgl. Hiob 5,6f; Ψ 9,28; 54,11; 89,10; Jer 20,18 und die Hs.-Varianten in Hiob 3,10; Ψ 9,35; Weish 10,10; Sir 29,4. Es bezeichnet allgemein die Mühsal und Plage menschlichen Lebens. Das Wort kann sich aber auch speziell auf die Mühsal der Frommen beziehen. In diesen Fällen steht es häufig im Wechsel mit „Demut" (ταπείνωσις); vgl. Gen 31,42; Hiob 11,16; Ψ 24,18; 87,16; 106,12; dazu *F. Hauck*, Art. κόπος: ThWNT 3 (1938) 827ff: 828. Es bezeichnet dann die dunkle Seite dieses Leidens, das von Gott verhängt worden ist (Ψ 87,16; Jer 51,33 [45,3]) und allein von Gott wieder aufgehoben werden kann (Ψ 24,18; 106,12; Gen 31,42). Dieses Verständnis äußert sich auch in Apk 2,2; 14,13.

[39] Vgl. zum Stichwort *A. v. Harnack*, Κόπος (Κοπιᾶν, Οἱ Κοπιῶντες) im frühchristlichen Sprachgebrauch: ZNW 27 (1928) 1–10. Der paulinische Sprachgebrauch ist differenziert. Wo κόπος und κοπιᾶν sich auf Missionsarbeit im engeren Sinn beziehen, redet Paulus im 1Thess (2,9; 3,5) wie in den Hauptbriefen (1Kor 3,8; 4,12; 15,10; 2Kor 6,5; 10,15; 11,23.27) von sich selbst bzw. von anderen Aposteln. Wo sich die Wörter hingegen auf die Gemeindeglieder beziehen, geht es im 1Thess wie in den Hauptbriefen allgemein um das Mühevolle und Anstrengende ihres Engagements als Christen (1Thess 5,13; 1Kor 15,58; 16,16; Röm 16,6.12). κόπος ist also kein *terminus technicus* der Missionsarbeit. Allerdings braucht nicht bestritten zu werden, daß dem Apostel die „Lasten", die das Christsein mit sich bringt, insbesondere aus seiner eigenen Missionserfahrung plausibel geworden sind. Der paulinische Sprachgebrauch ist durch Weish 10,17 (Lohn der Mühe; vgl. 10,10) und 1Makk 10,15 (Tapferkeit des Jonathan und seiner Brüder) vorbereitet. Interessant sind aber auch die Hinweise auf den Herakles-Mythos bei *M. Ebner*, Leidensliste und Apostelbrief. Untersuchungen zu Form, Motivik und Funktion der Peristasenkataloge bei Paulus (FzB 66), Würzburg 1991, 161–172.

4,9f; 5,12). Die Liebe selbst erscheint als jene Größe, die zur Übernahme der Beschwernisse befähigt und im Interesse des Nächsten drängt.

Den Akzent der Trias trägt die dritte Genitivverbindung: „Standhaftigkeit (ὑπομονή) der Hoffnung auf unseren Herrn Jesus Christus". ὑπομονή[40] kann in der Profangräzität gelegentlich ein schimpfliches, unmännliches Ertragen und Erdulden von Schmähungen meinen (so in Teilen der jüngeren Stoa). Häufiger ist jedoch eine positive Wertung: ὑπομονή ist unbeirrbares Standhalten in Not und Bedrängnis, damit eine Nebentugend der Tapferkeit (so bei *Plato, Aristoteles* und in der älteren Stoa).[41] An diesen Sprachgebrauch vermag Paulus anzuknüpfen (zumal gegenüber überwiegend heidenchristlichen Adressaten).[42] Wichtiger sind jedoch die theozentrischen und häufig eschatologisch geprägten Belegstellen in der Septuaginta[43], bei Theodotion (Dan 12,12) und vor allem im *Testament des Hiob*, im *4. Makkabäerbuch* und in anderen frühjüdischen Schriften.[44] ὑπομονή bezeichnet hier die Geduld und Standhaftigkeit, in der trotz aller gegenwärtigen Bedrängnisse die eschatologische Hoffnung auf Gott nicht fahrengelassen wird.[45] Auf dieser Linie liegt auch das paulinische Verständnis.[46] ὑπομονή bezeichnet beim Apostel jene Standfestigkeit der Glaubenden, die trotz aller Bedrängnisse, durch die sie erprobt wird, der Versuchung widersteht, dem Evangelium abzuschwören und der Ekklesia den Rücken zu kehren.[47]

Die Verbindung mit der Hoffnung ist in der Sache begründet. Sie ist auch traditionsgeschichtlich vorgegeben. Sie stammt aus einem ganz ähnlichen geistigen Milieu wie die Zusammenstellung von Pistis und Elpis: der weisheitlichen und apokalyptischen Leidenstheologie spät-alttestamentli-

---

40 Vgl. *C. Spicq*, ῾ΥΠΟΜΟΝΗ, Patientia: RSPhTh 19 (1930) 95–106; *W. Radl*, Art. ὑπομένω/ὑπομονή: EWNT 3 (1983) 967–971.

41 Vgl. *A. M. Festugiere*, ῾ΥΠΟΜΟΝΗ dans la tradition grecque: RSR 21 (1931) 477–486.

42 Wie es auf andere Weise auch *Philo* getan hat: Det 30.45.51; Plant 169; Imm 13; LegAll 2,65; Mut 197; Cher 78.

43 Jes 40,31; Ψ 24,3.5; 36,9.34; Mi 7,7; Hab 2,3; Sach 6,14.

44 Vgl. Jub 17,18; TestJos 2,7; 10,17.

45 Die Theozentrik dieser ὑπομονή markiert den Unterschied zum positiven paganen Verständnis.

46 Vgl. zu ὑπομονή bei Paulus 2Kor 1,6; 6,4; 12,12; Röm 2,7; 5,3f; 8,25; 15,4f sowie zu ὑπομένειν 1Kor 13,7 und Röm 12,12. Die Verbindung mit ἐλπίς bezeugen noch Röm 5,3f; 8,25; 12,12; 15,4f; ferner 2Kor 1,6f.

47 Den Unterschied zum frühjüdischen Verständnis markiert die christologische Orientierung der ὑπομονή. Sie erlaubt, das Leiden nicht nur aus dem Wissen um die kommende Herrlichkeit in Freude anzunehmen, sondern auch aus dem Wissen um die Nähe zu den anderen Christen, zum Apostel und zum Kyrios; vgl. *Th. Baumeister*, Die Anfänge der Theologie des Martyriums (MBT 45), Münster 1980, 159.

cher und frühjüdischer Zeit.[48] Insbesondere liegt 4Makk 17,4 („Hoffnung der Standhaftigkeit") nahe bei 1Thess 1,3 (zumal in 17,2 das Stichwort Pistis fällt).[49]

(3) Resümee

Die Ausgestaltung der Trias Glaube – Liebe – Hoffnung durch die drei Genitivkonstruktionen erklärt sich daraus, daß Paulus die Thessalonicher in ihrer bedrängten Lage möglichst konkret ansprechen will. Sind Glaube, Liebe und Hoffnung der Inbegriff authentischen Lebens gemäß dem Ruf Gottes, so „Werk", „Mühe" und „Geduld" die Gestalten, die sie angesichts des Widerstandes von „denen draußen" (4,12) annehmen müssen. Daß dies möglich geworden ist, verdankt sich allein Gott (1,2–10). Er befähigt die Thessalonicher zur adäquaten Antwort auf das Evangelium, das ihnen Gottes Erwählung aus Liebe (1,4) machtvoll kundgetan hat (1,5).
Bei der Ausgestaltung der Trias von 1Thess 1,3 greift Paulus auf eben jene weisheitlichen und apokalyptischen Traditionen zurück, die ihn auch bei der Zusammenstellung von Glaube, Liebe und Hoffnung beeinflußt haben. Sie vermitteln ihm die spirituellen Erfahrungen erprobter Standhaftigkeit und geduldiger Ausdauer im Vertrauen auf Gott. Die Orientierung am eschatologischen Christusgeschehen verleiht diesen Traditionen im Ersten Thessalonicherbrief eine neue Färbung, ohne daß der Zusammenhang mit ihnen verlorenginge.

b) 1Thess 5,8

Die zweite Trias des Ersten Thessalonicherbriefes findet sich in 5,8. Sie gehört in den Zusammenhang der Verse 5,1–11.[50] Dort kennzeichnet Paulus in grundlegender Weise die Aufgabe, die sich den Christen in der Gegenwart stellt.

---

[48] Vgl. Jes 51,5^{LXX} (Hoffnung der Heiden auf eschatologisches Heil); Ψ 33,18–22; 52,10f (Vertrauen der Frommen auf Gottes Erbarmen) sowie Ψ 37,3.5.9.34.40 (hoffnungsvolles Vertrauen der Gerechten auf Gott), überdies Test Hiob (4,10; 7,13; 21,4; 26,5; 27,7; 37,1f.5)

[49] Eine theologische und spirituelle Weiterführung des Themas bringen Röm 5,3ff und 8,18–25.

[50] An der Echtheit des Passus ist nicht zu zweifeln; gegen *G. Friedrich*, 1Thess 5,1–11, der apologetische Einschub eines Späteren: ZThK 70 (1973) 288–315; *ders.*, 1Thess 206f.

(1) Der Kontext der Trias (5,1–11)

In 1Thess 5,1–11 macht Paulus die Gemeinde auf die ethischen Konsequenzen aufmerksam, die sich aus dem (gemeinsamen) Wissen um das nahe, sichere und plötzliche Eintreten der Parusie (5,1–3) und dem Bestimmtsein der Christen für die endgültige Rettung (5,9f) ergeben.

Worin besteht der Anlaß der Paraklese? Daß sie durch eine Anfrage der Thessalonicher veranlaßt worden sei (die Timotheus überbracht habe), ist trotz der περί-Wendung unwahrscheinlich[51]: Paulus sagt, über „Zeit und Stunde" der Parusie zu schreiben, habe er *keinen* Anlaß (5,1b), weil die Thessalonicher selbst genau wüßten, daß der Tag des Herrn wie ein Dieb in der Nacht komme (5,2). Ebensowenig darf vorausgesetzt werden, daß sich der Apostel an einer gegnerischen Parole (V. 3.: „Friede und Sicherheit")[52] oder gar einer konträren Position der Gemeinde[53] reibt:[54] Den Passus trübt keinerlei Tadel; er ist im Gegenteil voller Anerkennung für die Gemeinde.[55] Eher hilft ein Blick auf 4,13–18 weiter. Dort unternimmt es Paulus, die Hoffnung der Thessalonicher, die durch den Tod einiger Gemeindeglieder ins Wanken geraten war, neu zu begründen. Daß er sich im Anschluß daran der (eschatologischen) Gegenwart, der Zeit bis zur Parusie, zuwendet, ist nur folgerichtig.

Paulus will mit 5,1–11 weder eine problematische Eschatologie der Thessalonicher korrigieren noch über das Wann und Wie der Parusie informieren, sondern die Christen in Thessalonich darauf hinweisen, wie sie sich in der verbleibenden Zeit verhalten können und sollen, weil sie nicht traurig zu sein brauchen „wie die anderen, die keine Hoffnung haben" (4,13). Möglicherweise will er dem Mißverständnis vorbeugen, die Zeit bis zur Parusie

---

[51] Vgl. *E. v. Dobschütz,* 1Thess 184; *W. Harnisch,* Existenz 52; *G. Nebe,* Hoffnung 95; *T. Holtz,* 1Thess 210. Anders *B. Rigaux,* 1Thess 552; *E. Lohse,* Entstehung 35.

[52] *W. Schmithals* (Paulus und die Gnostiker 119f) und *W. Harnisch* (Existenz 82f) plädieren für gnostische Verwerfungen der Parusieerwartung (die in Thessalonich auf Resonanz gestoßen sei), *E. Bammel* (Ein Beitrag zur paulinischen Staatsanschauung: ThLZ 85 [1960] 837–840), *K. P. Dornfried* (The Cults of Thessalonica and the Thessalonian Correspondence: NTS 31 [1985/86] 336–356: 344) und *B. C. Johanson* (Brethren 131f) für Protagonisten römischer Staatsideologie (*pax et securitas*). Es handelt sich aber um einen Topos apokalyptischer Traditionen, dessen Wurzeln in der alttestamentlichen Prophetie liegen; vgl. Jer 6,14; 8,11; 14,13; Ex 13,30; Mi 3,5.

[53] An Spekulationen über den Termin der Parusie denken *E. Best,* 1Thess 203; *F. Laub,* Verkündigung 132f.158; *W. Marxsen,* 1Thess 68; *H.-H. Schade,* Christologie bei Paulus 98; *U. Schnelle,* Entstehung 210f. An ein Nachlassen der eschatologischen Spannung glaubt *W. G. Kümmel,* Das literarische und geschichtliche Problem des 1Thess (1962), in: ders., Heilsgeschehen 406–416.

[54] Vgl. *G. Nebe,* Hoffnung 95; *T. Holtz,* 1Thess 210f.

[55] Vgl. neben 5,1b und 2a noch die Antithese der Verse 3 und 4 sowie die keineswegs kritisch hinterfragte Anrede der Thessalonicher als „Söhne des Lichtes" und „des Tages" (5,5.7a).

könne vernachlässigt werden.[56] Wichtiger ist der Hinweis darauf, welches Selbstverständnis, welche Einstellung und welches Verhalten den Thessalonichern eschatologisch ermöglicht wird: dadurch, daß die Parusie so sicher und plötzlich eintreten wird, wie die Wehen über eine schwangere Frau (5,3) kommen, und daß die Wiederkunft des Kyrios zur Rettung der Glaubenden im Endgericht führen wird. Die Spitze des Abschnitts liegt deshalb in den Versen 6–8.

Entscheidend ist, daß sich die Thessalonicher ganz auf den „Tag des Herrn“ (5,2) ausrichten, an dem Gott durch Jesus Christus für die „Söhne des Lichtes“ (5,5)[57] als „Söhne des Tages“ (5,5b)[58] das endgültige Heil heraufführen wird (5,9f). Angesichts dessen ist es wichtig, daß die Christen nüchtern und wachsam sind (5,6).[59] Die Nüchternheit besteht in der Absage an jeden eschatologischen Enthusiasmus wie im festen Rechnen mit dem Kommen der Parusie (vgl. 5,1ff; 4,13–18), die Wachsamkeit in der Aufmerksamkeit für die eschatologische Dynamik des Heilswillens Gottes und der selbstkritischen Sensibilität für alles, was von der Ausrichtung auf die Wiederkunft des Kyrios ablenken könnte (vgl. 4,1–8.9–12).

Vers 8 führt die Mahnung zur Wachsamkeit und Nüchternheit interpretierend weiter. Insofern ist die Trias der Höhepunkt des Passus. Die Nüchternheit und Wachsamkeit, zu der die Christen mit Blick auf die Parusie Jesu Christi gerufen sind, kann und soll sich in einem Leben des Glaubens, der Liebe und der Hoffnung äußern. Umgekehrt sind es gerade Glaube, Liebe und Hoffnung, die nicht etwa einen eschatologischen Überschwang beflügeln, der die Augen vor der Wirklichkeit verschließt, sondern im Gegenteil zu eben jener realistischen Einschätzung der Gegenwart und Zukunft führen, die nur aus der Perspektive des (im Evangelium verkündeten) Heilswillens Gottes möglich ist.

---

[56] Auch 4,9–12 und 5,14 weisen darauf hin, daß eine solche Gefahr bestanden hat. Ausgewogen urteilt *F. Laub*, Verkündigung 120–123.

[57] Die Christen sind „Söhne des Lichtes“, weil für sie aufgrund der Berufung zum Heil die Doxa Gottes (2,12) schon aufscheint. Die Lichtmetaphorik steht in apokalyptischer Tradition; vgl. *H. Conzelmann*, Art. φῶς: ThWNT 9 (1973) 302–349.

[58] Die Christen sind „Söhne des Tages“, weil für sie der „Tag des Herrn“ die Heilsvollendung bringen wird; vgl. *F. Froitzheim*, Christologie 11–14.

[59] γρηγορέω gebraucht Paulus zwar nur noch in 1Kor 16,13 (verbunden mit πίστις); das Wort darf aber geradezu als ein Topos urchristlicher Paraklese im Blick auf die Parusie gelten (Mk 13; Mt 25,13; Lk 12,37; 1 Petr 5,8; Apk 3,2f; 16,15); vgl. zu diesem Motiv *E. Neuhäusler*, Anspruch und Antwort Gottes, Düsseldorf 1962, 215–234; *E. Lövestam*, Über die neutestamentliche Aufforderung zur Nüchternheit: StTh 12 (1958) 80–102; *ders.*, Spiritual Wakefulness in the New Testament (LUÅ NF I 53), Lund 1963.

Vers 9 knüpft kausal an das letzte Glied der Trias an.[60] Er begründet zusammen mit Vers 10 den gesamten Imperativ der Perikope. Gott hat durch den Kyrios Jesus Christus die Lebenden wie die Toten zum Erwerb des eschatologischen Heils bestimmt (vgl. 2,12).[61] Deshalb ist es ebenso möglich wie nötig, in Glaube, Liebe und Hoffnung nüchtern und wachsam auf die Parusie des Kyrios hin zu leben.[62] Durch die enge Verbindung mit 5,9f werden Glaube, Liebe und Hoffnung ebenso wie in 1,3 als authentische Antwort auf die Berufung zum eschatologischen Heil ausgewiesen, die Gott durch Jesus Christus realisiert.

(2) Die Formulierung der Trias

Für 1Thess 5,8 ist die Verbindung der Trias mit den Waffenstücken des Brustpanzers und des Helms charakteristisch. Paulus zählt sie in Anlehnung an Jes 59,17^{LXX} und Weish 5,18ff auf.[63] Die Verteilung der Rüstungsgegenstände auf den Glauben und die Liebe einerseits und auf die Hoffnung andererseits ist ebensowenig signifikant wie die Art der Waffenstücke selbst. Entscheidend ist vielmehr das von Paulus gewählte Bildfeld. Im Alten Testament und im Frühjudentum breitet es sich dort aus, wo entweder vom endzeitlichen Handeln Gottes geredet wird, der seinem Heilswillen selbst gegen erbitterten Widerstand Geltung verschaffen wird, oder auch vom eschatologischen Kampf der Gerechten in den Wirren der letzten Tage.[64] Damit fügt sich die Gestaltung der Trias 5,8 in den thematischen Kontext von 5,1–11. Glaube, Liebe und Hoffnung sind erforderlich, um unmittelbar vor der Wiederkunft Christi in der Anfechtung durch zahlreiche Bedrängnisse und Bedrohungen zu bewähren, wozu die Christen berufen sind.

---

[60] Das ὅτι zu Beginn von V. 9 ist gezielt gesetzt.

[61] Zur Exegese vgl. *W. Thüsing,* Gott I: Per Christum 203ff.

[62] Im Bestreben, eschatologische Rettung allein in Gottes Gnade gegründet sein zu lassen, betont *J. M. Gundry Volf* (Perseverance 15–27) nur die Ermöglichung, nicht zugleich die Notwendigkeit von Glaube, Liebe und Hoffnung – um den Preis, 1Thess 5,9f allzu prädestinatorisch klingen zu lassen.

[63] Freilich liegt kein Zitat vor. Jes 59,17 und Weish 5,18ff reden von Gott, nennen jeweils noch weitere Kleidungs- bzw. Waffenstücke und kennen keine Trias. Stattdessen spricht Jes 59,17 von Gerechtigkeit, Rettung, Rache und Vergeltung, Sap 5,18ff von Gerechtigkeit, Gericht, Heiligkeit und Zorn. Allerdings dürfte in 1Thess 5,8 die durch Elpis vermittelte Beziehung zwischen „Helm“ und „Rettung“ direkt von Jes 59,17 beeinflußt sein.

[64] Beispiele für Aussagen über Gott liefern – neben Jes 59,17 und Weish 5,17–22 – Jes 34,6; 42,13; Ez 21,6–12(13–22); Hab 3,8–12; ferner Ps 35; auch Philo Decal 53; vgl. Virt 53. Zur menschlichen „Aufrüstung“ vgl. das reiche Material aus den Qumran-Schriften (insbes. 1QH sowie 1QM). Profangriechische Parallelen notieren *M. Dibelius – H. Greeven,* Eph 96f.

Weshalb dies so ist, erschließt sich aus dem paulinischen Begriff des Glaubens, der Liebe und der Hoffnung im Ersten Thessalonicherbrief.

3. Glaube nach dem Ersten Thessalonicherbrief

Sowohl in 1Thess 5,8 als auch in 1,3 bildet Pistis das erste Glied der Trias. In 3,6 geht es ebenfalls dem Stichwort Agape voran. Die genaue Bedeutung, die „Glaube" in diesen drei Versen trägt, kann nur dann erhellen, wenn bei der Begriffsbestimmung nicht ohne weiteres das Zeugnis der späteren Briefe eingetragen[65], sondern zunächst streng vom Text des Ersten Thessalonicherbriefes selbst[66] ausgegangen wird.[67]
Der älteste Paulusbrief kennt und bezeugt das allgemein verbreitete hellenistisch-judenchristliche Glaubensverständnis, nach dem Pistis die Bekehrung zum Christentum, die Annahme des Evangeliums und die Bejahung seiner zentralen Verkündigungsinhalte meint.[68] Der Glaubensbegriff des Ersten Thessalonicherbriefes geht freilich darin nicht auf. Das ergibt sich insbesondere aus 1,8ff (sowie 1,6f) und 3,1–10.

a) 1Thess 1,8ff und 1,6f

Zum Schluß der Danksagung 1,2–10 hebt Paulus noch einmal eigens die Pistis der Thessalonicher hervor. In 1,8ff beschreibt er unter der Überschrift „euer Glaube an Gott" (1,8) rückblickend den Akt der Bekehrung und die Übernahme der mit ihr verbundenen Konsequenzen.[69] Zuvor lobt Paulus die Gemeinde in 1,6f, weil sie die Folgen getragen hat, die sich daraus angesichts des Drucks von außen ergeben haben:

---

[65] Auch wenn dieses Verfahren bis in die jüngste Zeit üblich ist: Die Belegstellen des 1Thess werden entweder mit denen der Hauptbriefe synchronisiert, so in den meisten der o. S. 18 Anm. 42 genannten Studien, oder zwar für sich analysiert, aber in einer Untersuchungsperspektive betrachtet, die ganz von den Hauptbriefen bestimmt ist, so bei *M.-E. Boismard,* Foi 77ff – beides um den Preis, die Spezifika der Glaubensaussagen des 1Thess nicht zu erkennen.

[66] Die Textbasis bilden 1Thess 1,3.7.8; 2,10.13; 3,2.6.7.8.10; 4,14; 5,8 (1Thess 2,4 ist ein Sonderfall: πιστευθῆναι heißt hier „anvertraut werden").

[67] Das beherzigt *R.F. Collins,* Studies 209–229.

[68] Vgl. o. S. 42f. Belegstellen sind 1,7.8; 2,10.13; 3,2.5.6.7.10; 4,14. Im Vergleich mit den Hauptbriefen fällt auf, wie sehr die futurische Eschatologie sowohl in der Theo-logie als auch in der Christologie und Soteriologie dominiert. Vgl. *Th. Söding,* Thessalonicherbrief 187–194.

[69] Er greift dazu in freier Form auf hellenistisch-judenchristliches Traditionsgut zurück; vgl. *T. Holtz,* Glaube.

[6] Und ihr seid meine Nachahmer geworden und die des Kyrios,
indem ihr das Wort in großer Bedrängnis
mit der Freude des heiligen Geistes angenommen habt,
[7] so daß ihr ein Vorbild geworden seid
für alle Glaubenden in Makedonien und Achaia.
[8] Denn von euch ist das Wort des Herrn
nicht allein nach Makedonien und Achaia hinausgeschallt,
sondern an jeden Ort ist euer Glaube an Gott hinausgedrungen,
so daß wir es nicht nötig haben, davon zu reden.
[9] Denn sie selbst erzählen über euch,
welche Aufnahme wir bei euch gefunden haben
und wie ihr euch zu Gott bekehrt habt von den Götzen,
um dem wahren und lebendigen Gott zu dienen
[10] und seinen Sohn aus den Himmeln zu erwarten,
den er von den Toten erweckt hat,
Jesus, der uns aus dem kommenden Zorn(gericht) retten wird.

Glaube ist nach *1Thess 1,8ff* grundlegend die Abkehr von den Götzen und die Hinkehr zu Gott. Paulus versteht diesen Akt nicht allein als Konfessions-, sondern mehr noch als Herrschaftswechsel. Die Annahme des Evangeliums (vgl. 1,5) führt zum Dienst des lebendigen und wahren Gottes (1,9) und zum intensiven Warten auf die Parusie des von den Toten erweckten Sohnes Gottes, der die Glaubenden aus dem Zorngericht erretten wird (1,10; vgl. 5,9f). „Dienen" (δουλεύειν) meint die gehorsame Unterstellung des gesamten Lebens unter den Willen Gottes (der in der apostolischen Evangeliumsverkündigung zur Sprache kommt)[70], „erwarten" (ἀναμένειν) das hoffnungsvolle Sich-Ausrichten auf den von Gott gesandten Retter, das in aller Not und Bedrängnis durchgehalten wird[71]. All dies zusammen macht erst den „Glauben an Gott" aus, den Paulus der Gemeinde zugute hält (1,8). Pistis ist nicht eine punktuell bleibende Entscheidung für das Evangelium; Pistis ist nach 1,8ff vielmehr auf der einen Seite radikale und konsequent durchgehaltene Abkehr von einem Leben der Sünde und Mißachtung Gottes (vgl. 4,3–8); und Pistis ist auf der anderen Seite radikale und konsequent durchgehaltene Ausrichtung auf

---

[70] δουλεύειν ist im Sinn der LXX zu verstehen; vgl. bei Paulus noch Röm 7,6.25; 12,11; im Neuen Testament überdies Mt 6,24 par Lk 16,13^Q.

[71] ἀναμένειν ist im Neuen Testament singulär. Die Bedeutung erschließt die LXX. Sie bezeugt das Verb einerseits als Standhalten in Not und Leiden durch Hiob 2,9, andererseits als Hoffnung und Erwartung durch Hiob 7,2; Jdt 8,25; Jer 13,16 und Sir 5,7; 6,19, vor allem aber durch Sir 2,6ff (wo auch die Verbindung mit „glauben" belegt ist; s. o. S. 54) und in der frühchristlichen Literatur (neben 2Klem 19,4) durch Ign Phld 5,2 (ἀναμένειν – ἐλπίζειν) und Mg 9,2f (ἀναμένειν – προσδοκεῖν), schließlich in der für 1Thess 1,10 signifikanten Verbindung beider Aspekte durch Jes 59,11^LXX. Vgl. dazu auch *P.-E. Langevin,* Jésus Seigneur et l'eschatologique (Studia 21), Bruges – Paris 1967, 67–73.

den endzeitlich handelnden Gott und seinen eschatologischen Heilswillen, dem er mit der Parusie des Gottessohnes Jesus in baldiger Zukunft vollkommene Geltung verschaffen wird (vgl. neben 4,1f und 4,3–8 noch 5,23f). Gerade die starke eschatologische Erwartungshaltung ist es, die zur konsequenten Erfüllung des Willens Gottes führt, der nach 4,3 in der Heiligung der Christen[72] besteht.[73]

Vers 6 spricht davon, daß die Thessalonicher sowohl den Apostel als auch den Herrn (Jesus Christus) „nachgeahmt" haben: durch die freudige Bejahung des Evangeliums inmitten aller Bedrängnis.[74] Nach Vers 7 hängt diese *imitatio* eng mit dem Glauben zusammen. Das Thema der Nachahmung ist für den Ersten Thessalonicherbrief signifikant (1,6; 2,13–16).[75] Seine Bedeutung und sein Zusammenhang mit dem Glaubensverständnis erhellen im Lichte der nachfolgenden Passagen. 2,1–12 handelt vom Leiden und von der Freude des Apostels (vgl. 1,5). Nach 2,15f[76] steht die Verfolgung des Apostels in der Fluchtlinie der Tötung Jesu und der Propheten durch „die Juden", ähnlich die Drangsalierungen der judäischen Christen (2,14), so daß die Thessalonicher auch als deren Nachahmer angesprochen werden können (2,14). Paulus handelt also in 1,6 von der Nachahmung des leidenden Apostels und des getöteten Jesus[77] – der als der Kyrios vor Augen

---

[72] Vgl. *K. Kertelge,* „Rechtfertigung" 277f; *W. Schrage,* Heiligung als Prozeß bei Paulus, in: D.-A. Koch u. a. (Hg.), Rede 222–234.

[73] Die Naherwartung lähmt also nicht die Aktivität der Christen; sie fordert sie vielmehr, indem sie ihr eine eschatologische Orientierung gibt.

[74] Der Gedanke der Freude im Leiden ist bereits frühjüdisch ein Topos; vgl. *W. Nauck,* Freude im Leiden. Zum Problem einer urchristlichen Verfolgungssituation: ZNW 46 (1955) 68–80. In 1Thess 1,3 ist er durch das Mimesis-Motiv christlich eingefärbt.

[75] Es darf allerdings nicht ohne weiteres im Lichte späterer Stellen aus den Hauptbriefen gedeutet werden (1Kor 11,1; vgl. 4,16; Phil 3,17), wie dies zumeist geschieht, zuletzt wieder bei *O. Merk,* Nachahmung Christi. Zu ethischen Perspektiven in der paulinischen Theologie, in: H. Merklein (Hg.), Ethik 172–206; vgl. demgegenüber *H.-H. Schade,* Christologie 118f.124ff. Insbesondere ist die für die *imitatio*-Konzeption der Hauptbriefe entscheidende essentielle Verbindung zwischen der Herrschaft des Kyrios und der Wirksamkeit des Pneuma im 1Thess so noch nicht zu erkennen; vgl. *W. Thüsing,* Gott I: Per Christum in Deum 291.

[76] 2,14ff ist keine Glosse, sondern genuiner Bestandteil des Briefes; vgl. *G. Lüdemann,* Paulus und das Judentum (TEH 215), München 1983, 25ff; gegen *B. A. Pearson,* 1Thessalonians 2:13–16: A Deutero Pauline Interpolation: HThR 64 (1971) 79–94 (dem sich einige andere angeschlossen haben).

[77] 1,6 verweist ebensowenig wie 2,15 auf den gesamten „Christusmythos", sondern speziell auf den Tod Jesu (ohne von Stellvertretung und Sühne zu reden); gegen *H. D. Betz,* Nachfolge und Nachahmung Christi im Neuen Testament (BHTh 37), Tübingen 1967, 168. Allerdings ist richtig, daß es nicht um ethische Vorbildhaftigkeit geht; gegen *W. P. de Boer,* The Imitation of Paul. An exegetical Study, Kampen 1962, 209.

steht.[78] Der Blick richtet sich weder in 1,6 noch in 2,15 auf eine Partizipation am Heilstod Jesu, sondern (vermittelt durch die deuteronomistische, dann apokalyptisch zugespitzte Tradition vom gewaltsamen Prophetengeschick[79]) auf die Gleichartigkeit der Verfolgungssituation, die jeweils im Vertrauen auf Gott durchgestanden wird.[80] Daraus ergibt sich die Pointe des Mimesis-Motivs: Das Leiden, das die Thessalonicher zu erdulden haben, trübt nicht etwa ihre Beziehung zu Paulus und zu Jesus Christus; es ist vielmehr, in Freude angenommen, ein Erweis ihrer engen Gemeinschaft mit ihrem Apostel und vor allem mit ihrem Kyrios – wie es nach 2,14 Ausweis gesamt-ekklesialer Koinonia ist.[81] Insofern ist die Nachahmung im Leiden Signum des geschenkten Heiles.[82] Die Freude, in der die Gemeinde das Evangelium trotz der scharfen Bedrängnis angenommen hat (vgl. 2,13), ist das Werk des heiligen Geistes.[83] Durch ihn haben die Thessalonicher als Nachahmer des Apostels und des Kyrios anderen Christen selbst zum Vorbild werden können (1,8).

Pistis ist also in 1,6–10 grundlegend die Umkehr vom Götzendienst zur Verehrung des *einen* Gottes, in der Konsequenz dessen aber auch die Erfüllung des eschatologischen Willens Gottes, das Warten auf die Parusie des Menschensohnes und nicht zuletzt die Bewährung des Gottesverhältnisses im Leiden. Gerade dadurch konstituiert die Pistis die Gemeinschaft der Ekklesia Thessalonichs mit ihrem Apostel, mit anderen Christengemeinden und mit ihrem Kyrios Jesus Christus.

---

[78] Kyrios ist der wichtigste christologische Hoheitstitel des 1Thess (1,1.3.6.8; 2,15.19; 3,8.11.12.13; 4,1.2.6.15.16.17; 5,2.9.12.23.27.28). In 2,15 bezeichnet er den Irdischen (ohne daß dessen Identität mit dem Auferweckten im mindesten fraglich wäre).

[79] Vgl. *O.H. Steck*, Israel und das gewaltsame Geschick der Propheten. Untersuchungen zur Überlieferung des deuteronomistischen Geschichtsbildes im Alten Testament, Spätjudentum und Urchristentum (WMANT 23), Neukirchen-Vluyn 1967, 274–279.

[80] Beim Kyrios Jesus braucht dies nicht eigens ausgeführt zu werden; es ist selbstverständliche Voraussetzung des Glaubens. Hebr 5,7; 12,2f führt später den Gedanken aus.

[81] *A. Schulz* spricht zu Recht von „Schicksalsgemeinschaft", sieht darin jedoch nicht das Zentrum der paulinischen Mimesis-Konzeption, sondern eine Ausnahme, die sie sprengt: Nachfolgen und Nachahmen. Studien über das Verhältnis der neutestamentlichen Jüngerschaft zur urchristlichen Vorbildethik (StANT 6), München 1962, 314f. *W. Michaelis* (Art. μιμέομαι κτλ: ThWNT 4 [1942] 661–678: 673/37f: „Beugung unter die Autorität des apostolischen Wortes") und *R.F. Collins* (Studies 214f) stellen einseitig auf den Gehorsam ab.

[82] Das hat *H.-H. Schade* (Christologie 123f.129f) richtig herausgestellt (freilich vielleicht etwas überbewertet).

[83] Der Genitiv ist ein *genitivus auctoris*; vgl. *B. Rigaux*, 1Thess 383. Das Pneuma ermöglicht die Bejahung jenes Wortes (nach 2,13 als des Wortes Gottes), das es nach 1,5 in der Verkündigung durch den Apostel als vollmächtig qualifiziert.

b) 1Thess 3,1–10

Nach 1Thess 1,8ff ist Pistis wieder in 1Thess 3,1–10 das theologische Leitwort (3,2.5.6.7.10). Besondere Aufmerksamkeit verdient Vers 6, der Pistis und Agape eng zusammenfügt. 1Thess 3,1–10 bildet zusammen mit der Fürbitte 3,11ff den Abschluß des ersten Briefteiles. Paulus schildert der Gemeinde den Eindruck, den der Bericht des Timotheus bei ihm hinterlassen hat.

Pistis bezeichnet an allen Stellen nicht speziell den Beginn, sondern den gesamten Vollzug christlichen Lebens in der Ekklesia. Erneut geht es um die Bewältigung der Verfolgungssituation. Pistis verleiht die Kraft, „in diesen Bedrängnissen“, denen die Thessalonicher als Christen ausgesetzt sind (vgl. 1,6; 2,14f), nicht erschüttert[84] zu werden, sondern standzuhalten (3,3).[85] Die Pistis widersteht dem Versucher, der zum Abfall vom Evangelium verführen will (3,5).[86] Sie besteht geradezu darin, „im Herrn festzustehen“ (3,8)[87],

---

[84] σαίνεσθαι kann in der Profangräzität und sonst im Neuen Testament (im hellenistischen Judentum ist es selten) „erschüttert“ (Hesych s. v. σαίνεται) oder „betört werden“ (AeschSeptTheb 383) heißen. Wegen des Kontextes (3,2.8) ist in 1Thess 3,3 die erste Möglichkeit vorzuziehen.

[85] Der Zusammenhang mit den anderen Belegstellen in 1Thess 3 weist auf die christologisch-theo-logische Dimension dieses Glaubens. V. 3a bietet die nähere Erklärung, wozu die Pistis führt bzw. was sie selbst bedeutet. Beides berücksichtigt *E. Best* (1Thess 134) zu wenig, wenn er schreibt: „This is not „the Faith“, i. e. the Christian Faith, nor is the trustfull response of the believers to what God has done; it is instead the moral and virtual virtue of faithfulness, though not in the sense of steadfastness but rather in that of being full of the works of faith, i. e. the activity which flows from the relationship of faith (trust) to God (cf. 1,3).“ Allerdings sieht *E. Best* richtig, daß hier wie in 1,3 die Aktivität des Glaubens betont ist. Zu undifferenziert urteilt hingegen *E. v. Dobschütz* (1Thess 132), wenn er nur die *fides qua* angesprochen sieht. *I. H. Marshall* (1Thess 51) betont zwar die theologische Fundamentierung des Pistis-Begriffs („acceptance of the gospel message, trust in God and Jesus, and obedient commitment“), bezieht aber Vers 3a zu wenig ein.

[86] πειράζειν bezieht sich auf den Abfall vom Evangelium bzw. eine schwerwiegende Gefährdung des Christseins; vgl. 1Kor 10,13; Gal 4,14; 6,1. – Ein christologisches Moment der Pistis ist also in 3,5 mitzudenken; vgl. *E. Best,* 1Thess 137; dagegen erneut einseitig *E. v. Dobschütz*, 1Thess 132 (nur *fides qua*).

[87] πίστις und στήκειν ἐν κυρίῳ sind parallel und semantisch analog; vgl. *H. Schlier*, Apostel 54; gegen *E. Best*, 1Thess 142f. στήκειν gewinnt seinen „Sitz im Leben“, wo es um die Gefährdungen der Christen geht, sowohl durch Bedrohung von Außen als auch durch Verwerfungen im Gemeindeleben; vgl. 1Kor 16,13; 2Kor 1,24; Phil 4,1; Röm 11,20; 14,1.4; ferner 1Kor 7,37; 10,12; 15,1; Phil 1,27; Gal 5,1; Röm 5,2 sowie als theologischen Hintergrund Ex 14,13. – Das ἐν κυρίῳ ist nicht ohne weiteres auf einer Linie mit Phil 4,1; Röm 14,4 und Phil 1,27 (ἐν πνεύματι) zu deuten, weil der 1Thess die dynamische Identifizierung von Pneuma und Christus noch nicht vornimmt und überhaupt das gegenwärtige Wirken des Kyrios als eine

d. h. am Bekenntnis zum Kyrios und der Erwartung seiner Parusie als endzeitlicher Retter festzuhalten (1,9f).[88]
Pistis ist auch in 3,1–10 weniger Entscheidung und ausdrückliches Bekenntnis als Grundhaltung und Praxis. Gleichwohl griffe es zu kurz, Pistis nur als Tugend der Standhaftigkeit zu sehen. Vielmehr erweist sich Pistis gerade in der Übernahme der Konsequenzen, die sich aus dem Bekenntnis zum Evangelium ergeben. Pistis ist auch nach 3,1–10 spezifisch christlich: Ausdruck der Bindung an Gott, der durch Jesus Christus eschatologisch handelt. Angesichts der Bedrängnisse, die von außen auf die Gemeinde zukommen, ist Pistis das feste Stehen zum Evangelium im Vertrauen auf den treuen Gott (vgl. 5,23f).
Um diesen Glauben sorgt sich Paulus (3,5), weil die Thessalonicher durch die Abwesenheit ihres Apostels und die Repressionen ihrer Umwelt (überdies durch ihre Ungewißheit ob des Geschicks der vorzeitig Gestorbenen) angefochten sind. Diesen Glauben zu stärken und aufzumuntern, hat Paulus Timotheus entsendet (3,2). Stärkung und Aufmunterung sind zwei Seiten einer Medaille (vgl. Röm 1,11f). Sie führen in einer Situation der Anfechtung den Trost und die Zuversicht vor Augen, die aus dem Evangelium kommen. Die anschließende Fürbitte 3,11ff zeigt, daß Paulus diese Stärkung letztlich allein von Gott und vom Kyrios erwartet (vgl. 5,23f). Dies zeigt erneut: Pistis ist (schon) nach dem Ersten Thessalonicherbrief im Grunde das Werk Gottes.
Nach Vers 10 bittet Paulus Gott darum, die Gemeinde persönlich besuchen zu dürfen, um die Unvollkommenheiten ihrer Pistis auszugleichen[89]. Vorläufig muß dies durch den Brief und namentlich seinen parakletischen Teil geschehen. Die Kap. 4 und 5 zeigen, daß die Stärkung und Aufmunterung des Glaubens durch zweierlei geschieht: durch die Auslegung und Bekräftigung des christlichen Bekenntnisses (4,13–18; 5,9f) und durch die Explikation des dem Evangelium innewohnenden sittlichen Anspruchs (4,1–12; 5,1–11.12–22). Mit dem ersten Punkt akzentuiert Paulus (wie in 1,8ff) die eschatologische Dimension der Pistis, mit dem zweiten ihre praktischen Implikationen.

Herrschaft, die einen bestimmten Machtbereich konstituiert, noch kaum in den Blick faßt. Zu unbestimmt, nämlich modal, deutet das ἐν *F. Büchsel*, „In Christus" bei Paulus: ZNW 42 (1949) 141–158: 144. In 1Thess 3,8 ist der Kyrios (trotz 3,11ff) weniger der, der das „Stehen" ermöglicht, als der, auf den es sich richtet und in dem es sich festmacht; anders *M. Dibelius*, 1Thess 18; *G. Friedrich*, 1Thess 234.

[88] *W. Grundmann* (Art. στήκω: ThWNT 7 [1964] 635ff: 636) paraphrasiert: „Steht im Gehorsam gegenüber dem Herrn". Genauer noch wäre: „Steht fest/gründet euch in der Erwartung des Herrn". In dieser Richtung interpretieren auch *I. H. Marshall*, 1Thess 95; *T. Holtz*, 1Thess 134f.

[89] Vgl. zu dieser Wendung *T. Holtz*, 1Thess 137f.

c) *Pistis im Ersten Thessalonicherbrief als Bekenntnis und Treue*

Pistis meint im Ersten Thessalonicherbrief grundlegend die Annahme des Evangeliums (1,5–8; 2,13), aber auch das ausdrückliche, nicht auf die Situation der Bekehrung beschränkte Bekenntnis dessen, was in ihm verkündet wird (1,8ff; 4,14; vgl. 3,10). Dieser Sprachgebrauch ist bereits vor Paulus in der Mission des hellenistischen Judenchristentums geprägt worden. Charakteristische Konturen gewinnt der Glaubensbegriff des Ersten Thessalonicherbriefes einerseits durch die (im Vergleich zu den Hauptbriefen besonders stark akzentuierte) futurisch-eschatologische Dimension des Evangeliums (1,9f; 4,13–18; 5,9f) und andererseits durch die Lebenssituation der Thessalonicher, die erst vor kurzem die christliche Botschaft angenommen haben und deshalb, ohne den persönlichen Beistand des Apostels erfahren zu können, vielfältigen Schikanierungen und Diskriminierungen durch ihre pagane Umwelt ausgesetzt sind. Vor diesem Hintergrund versteht Paulus im Ersten Thessalonicherbrief Pistis als unerschütterliches Festhalten am Evangelium und als unbeirrtes Feststehen in der damit verbundenen Hoffnung auf die baldige eschatologische Rettung (1,8ff; 3,1–10). Pistis meint deshalb im Ersten Thessalonicherbrief insbesondere Glaubenstreue.[90] In dieser Prägung ist die Pistis die grundlegende, von Gott selbst gewirkte (1,3–10) Antwort der Christen auf ihre Erwählung zu Gliedern des eschatologischen Gottesvolkes und ihre Berufung zum Erwerb des endgültigen Heiles (5,9f).

Auch die triadischen Formulierungen akzentuieren dieses Glaubensverständnis. Die im Corpus Paulinum singuläre Wendung „Werk des Glaubens" (1,3) hebt die Aktivität des Glaubens hervor, die von den Thessalonichern in ihrer schwierigen Lage geleistet werden kann, weil Gott selbst unter ihnen wirksam ist (1,5; 2,13). Und wenn Paulus in 5,8, angelehnt an Jes 59,17^{LXX} und Weish 5,18ff, vom „Panzer" des Glaubens (und der Agape) redet, steht ihm erneut die schwere Aufgabe vor Augen, in den eschatologischen Wirren, als welche die Bedrängnisse der Gemeinde ihm erscheinen, so gerüstet zu sein, daß der Kampf mit allem, was der Erlangung endgültiger Rettung zuwiderläuft, siegreich bestanden werden kann.

---

[90] Vgl. *J. Becker,* Erwählung 9; ähnlich bereits *A. Pott,* Hoffen 116f (der dies freilich tendenziell negativ wertet und zu Unrecht den Bezug auf Jesus Christus vermißt). – *A. v. Dobbeler* (Glaube 188) betont, daß Pistis die *Kraft* ist, die das Standhalten ermöglicht. So richtig diese Beobachtung ist, darf sie doch nicht gepreßt werden. Pistis kann im 1Thess (den *v. Dobbeler* nicht für sich in den Blick nimmt) auch das Standhalten selbst bezeichnen.

d) Das Glaubensverständnis des Ersten Thessalonicherbriefes im Vergleich mit dem der Hauptbriefe

Im Vergleich mit dem Glaubensverständnis der Hauptbriefe zeigen sich auf der einen Seite grundlegende Gemeinsamkeiten: Pistis ist auch nach dem Ersten Thessalonicherbrief ein theologischer Grundbegriff, der die von Gott gewirkte authentische und ganzheitliche Antwort der Menschen auf das Handeln Gottes bezeichnet; dieser Glaube ist eine eschatologische Größe; er rührt aus dem Hören des Wortes; er fußt auf dem theo-logischen Grundkerygma des Todes und der Auferweckung Jesu; und er führt im Endgericht zur Rettung, wie er auch schon gegenwärtig die Gnade des Heiles vermittelt.
Dennoch dürfen auf der anderen Seite deutliche Unterschiede zu den späteren Schreiben nicht übersehen werden. „Glaube“ wird im Ersten Thessalonicherbrief weder im kreuzestheologischen Zusammenhang als Gegensatz zur Weltweisheit bzw. zum falschen Sich-Rühmen und als Konformität mit der „Torheit“ des Heilshandelns Gottes verstanden (wie im 1Kor) noch im rechtfertigungstheologischen Zusammenhang als Gegensatz zu den Werken des Gesetzes und als Teilhabe an der Dikaiosyne Gottes (wie in Phil 3, im Gal und in Röm 3f) noch auch im pneumatologischen Zusammenhang als Erfüllt-Sein durch die Macht des Pneuma-Christus (wie in allen Hauptbriefen). Die Struktur des Glaubensbegriffs ist im Ersten Thessalonicherbrief wesentlich einfacher als in den späteren Schreiben. Die *relative* Nähe zum Ersten Petrusbrief und zum Hebräerbrief liegt auf der Hand.[91] Sie ergibt sich traditionsgeschichtlich aus einem ähnlichen jüdisch-hellenistischen Hintergrund und theologisch aus einer analogen Einsicht in die Aufgabe, einer angefochtenen Christengemeinde Mut zum Christsein zu machen, ohne die Schwierigkeiten zu leugnen, die ihm im Wege stehen.

e) Der traditionsgeschichtliche Ort des Glaubensverständnisses im Ersten Thessalonicherbrief

Der „Sitz im Leben“ und die theologische Gesamtausrichtung des Ersten Thessalonicherbriefes zeigen, daß der Pistis-Begriff, den Paulus hier entwirft, vor allem von der frühjüdischen Abraham-Tradition (die nicht zuletzt in der Proselyten-Katechese beheimatet gewesen ist) und dem

[91] S. u. S. 181f, 188, 198f.

Glaubensverständnis der frühjüdischen Apokalyptik inspiriert wird.[92] Hier findet der Apostel die Vorstellung, daß Pistis die Treue zum gerechten Gott meint, die sich in der Anfechtung bewährt. Die Bahnen der frühjüdischen Traditionen verläßt Paulus freilich dadurch, daß er die enge Verbindung mit dem Gesetzesgehorsam aufgibt[93], dem Glauben (mit der vorpaulinischen Überlieferung) einen christologischen Sinn verleiht und im Gefolge dessen durch die Orientierung einerseits an der Parusie des Kyrios, andererseits an Tod und Auferweckung Jesu auch die eschatologische Dimension und die theozentrische Orientierung des Glaubens neu bestimmt.

4. Liebe nach dem Ersten Thessalonicherbrief

Neben 1Thess 1,3 und 5,8 sind es drei Stellen, die im Ersten Thessalonicherbrief von der Nächstenliebe reden: die Fürbitte 3,11ff, die den ersten Briefteil beschließt und zur Paraklese überleitet; die Mahnung zur christlichen Bruderliebe in 1Thess 4,9–12; und die kurze Aufforderung in 5,13, diejenigen besonders zu lieben, die sich in der Ekklesia besonders einsetzen.[94]

a) 1Thess 3,11–13

An der Schwelle von der Danksagung zur Paraklese steht die Fürbitte 3,11ff. Sie reflektiert einerseits auf das wichtigste Anliegen des ersten Briefteiles, daß die Gemeinde weiterhin standhalten möge, und bereitet

---

[92] Zu den Texten s. o. S. 46f. Soweit im Glaubensverständnis des 1Thess das Moment des Vertrauens mitschwingt, stehen selbstverständlich auch die „klassischen" atl. Stellen im Hintergrund: neben Hab 2,4 und Gen 15,6 auch Jes 7,9 und 28,26.

[93] Die Ausrichtung des frühjüdischen Pistis-Begriffs an der Tora ist unverkennbar. Vgl. über die o. S. 46f Anm. 33–39 hinaus genannten Texte besonders noch Ps 119,66; Sir 1,14; 32,21–24; äthHen 46,8; syrBar 54,5; 59; 4Esr 3,32; 6,5 – sowie die weiteren von Bill III 189 aufgelisteten Stellen. So wenig der Pistis-Begriff des 1Thess durch den Gesetzesgehorsam geprägt ist und so sehr der Brief ein klares Zeugnis für die Gesetzesfreiheit der frühen paulinischen Evangeliumsverkündigung ist, so sehr fehlt doch die programmatische Auseinandersetzung mit dem christlichen Nomismus, wie sie den Glaubensbegriff in Phil 3, im Gal und noch in Röm 3f.9ff bestimmt.

[94] Im folgenden kann nur eine kleine Skizze gefertigt werden; eine ausführlichere Exegese habe ich in meiner Habilitationsschrift über das Liebesgebot bei Paulus vorgelegt. Für nähere Begründungen und weitere Differenzierungen muß auf sie verwiesen werden.

andererseits die zentralen Themen der Ethik[95] vor: Nächstenliebe (4,9–12) und Heiligung (4,3–8).

[11] Gott selbst aber, unser Vater, und unser Kyrios Jesus
bahne unseren Weg zu euch.
[12] Euch aber bereichere und erfülle der Kyrios
mit der Liebe zueinander und zu allen,
so wie auch wir euch (lieben),
[13] damit eure Herzen gestärkt werden,
untadelig zu sein in Heiligkeit vor Gott, unserem Vater,
bei der Wiederkunft unseres Kyrios Jesus mit allen seinen Heiligen.

Die Agape, von der 3,12 spricht, ist zuerst innergemeindliche Bruderliebe (vgl. 4,9); sie reicht aber über den Kreis der Ortsgemeinde hinaus – bis zu den Christen in anderen Gemeinden (4,10a; 5,14), aber auch bis zu Nicht-Christen (vgl. 4,11f; 5,15).[96] Wie diese Liebe sich äußert, geht aus 4,9–12 und 5,13, indirekt aber auch aus anderen Weisungen des Briefes hervor. Die Fürbitte nennt nur das Leitwort, unter dem die gesamte Ethik des Briefes steht. Entscheidend ist zweierlei: *Zum einen* macht die Tatsache, daß Paulus (Gott und) den Kyrios um die Agape der Thessalonicher bittet, unmißverständlich klar, daß sie im letzten nicht aus dem genuinen Vermögen der Christen selbst stammt, sondern vom Kyrios gewirkt wird; er ermöglicht die Aktivität der Christen. Diese Wirksamkeit Jesu Christi ist darin begründet, daß sein Tod und seine Auferstehung nach Gottes Willen nicht in sich ruhen, sondern die Rettung der Glaubenden herbeiführen sollen.

Zum anderen geht die Bitte dahin, der Kyrios möge die Thessalonicher in der Agape „reicher werden" (πλεονάσαι) und „überfließen" (περισσεύσαι) lassen.[97] Diese Bitte kennzeichnet nicht nur die pragmatische Pointe der Paraklese: daß es dem Apostel keineswegs um eine Korrektur massiver Fehlentwicklungen geht, sondern um die Weiterführung dessen, was bereits auf gutem Wege ist. Die Bitte kennzeichnet auch den theologischen Horizont der Paraklese: „Reicher werden" und „Überfluß haben" sind bei Paulus eschatologisch gefüllte Begriffe.[98] Beide bezeichnen die dynamischen Auswirkungen des endzeitlichen Heils, das Gott durch den Tod und

[95] Einen guten Überblick, der die Spezifika des 1Thess genügend beachtet, verschafft *U. Schnelle*, Ethik; den Verbindungen zur paganen Ethik geht *A.J. Malherbe* (Exhortation) nach.

[96] So *W. Schrage*, Einzelgebote 252; *H. Schlier*, Drei 73f; *E. Best*, 1Thess 148; *T. Holtz*, 1Thess 144; gegen *G. Lohfink*, Gemeinde 130f.

[97] Vgl. zu πλεονάζω aus den Hauptbriefen noch 2Kor 4,15; Phil 4,17; Röm 5,20 (*sensu malo*); 6,1; zu περισσεύω aus den Hauptbriefen 1Kor 8,8; 14,12; 15,58; 2Kor 1,5; 3,9; 4,15; 8,2.7 (V. 8: ἀγάπη); 9,8.12; Phil 1,9 (ἀγάπη).26; 4,12.18; Röm 3,7; 5,15; 15,13.

[98] Vgl. *M. Theobald*, Gnade.

die Auferweckung Jesu Christi begründet hat und in naher Zukunft vollenden wird. Dieses Heil ist je größer als alles, was Menschen sich vorstellen und erhoffen können. Von jener eschatologischen Dynamik des „Je-mehr" ist aber auch die Auswirkung des endzeitlichen Heiles in der Gegenwart bestimmt. Die Fürbitte, die der Apostel für die Gemeinde bei Gott und beim Kyrios einlegt, zielt also darauf, daß die Thessalonicher in ihrem Verhalten gegenüber den Glaubensgeschwistern und gegenüber allen Menschen vom Reichtum und Überfluß bestimmt werden, der das christologische Heilsgeschehen bestimmt.[99]

b) 1Thess 4,9–12

Nach dem Aufruf zur Heiligung des Lebens in 4,3–8 steht die Paraklese von 4,9–12 im Zeichen der Agape.

9 Über die Bruderliebe brauche ich euch nicht zu schreiben,
denn ihr seid selbst von Gott gelehrt, einander zu lieben,
10 und ihr tut es ja auch gegenüber den Brüdern in ganz Makedonien.
Wir bitten euch aber, Brüder, (darin) um so mehr überzufließen
11 und eure Ehre darein zu setzen,
ruhig zu leben
und euch um eure eigenen Angelegenheiten zu kümmern
und mit euren eigenen Händen zu arbeiten,
wie wir es euch auch geboten haben,
12 damit ihr vor denen draußen anständig wandelt
und auf niemanden angewiesen seid.

Der Abschnitt besteht aus zwei Teilen. Der erste wendet sich dem innerchristlichen Bereich zu (4,9f), der zweite den Beziehungen der Thessalonicher zur Außenwelt (4,11f). Im ersten Teil kann Paulus die Gemeinde in dem bestärken, was sie bereits tut; im zweiten scheint er der Gefahr wehren zu wollen, im Überschwang eschatologischer Freude die Herausforderungen des Alltags geringzuschätzen und namentlich die Erwerbsarbeit zu vernachlässigen.[100]

---

[99] Vgl. auch 1Thess 4,1.10 sowie Phil 1,9.

[100] 4,11f muß im Zusammenhang mit 5,14a gesehen werden. Dann zeigt sich, daß Paulus an ein konkretes Problem denkt (wie gravierend auch immer es gewesen ist); vgl. *W. Schrage*, Einzelgebote 17; auch *O. Merk*, Handeln 53f; *H. Schlier*, Apostel 72f.

(1) Die Bruderliebe

An den Beginn des ersten Teiles stellt Paulus das Stichwort Bruderliebe. *Philadelphia*[101] ist den heidenchristlichen Thessalonichern als hellenistischer Tugendbegriff bekannt[102] (während er in der frühjüdischen Literatur nur relativ selten begegnet[103]). Allerdings bezieht er sich (mit wenigen Ausnahmen, welche die Regel bestätigen) auf das Verhältnis zwischen leiblichen Geschwistern: *Philadelphia* ist die Tugend der herzlichen Verbundenheit, der wechselseitigen Fürsorge und des treuen Zusammenstehens zwischen Brüdern und Schwestern. Paulus bezieht sie (als erster?) auf die Beziehungen der Gemeindeglieder untereinander.[104] Dabei bestimmt ihn die Vorstellung, Gott konstituiere die Ekklesia als eine Gemeinschaft, die aufgrund seines Erwählens so eng ist, daß die Christen zu Brüdern (und Schwestern) werden (vgl. nur 4,10a.b). Diese Sicht vermittelt dem Apostel eine Tradition, die im Deuteronomium wurzelt[105] und frühjüdisch vor allem in Diasporagemeinden[106], aber auch in Qumran[107] rezipiert worden ist.[108] Nicht zuletzt entspricht sie der Erfahrung, die Christen in ihren Gemeinden machen (können).

Das Wesen der *Philadelphia* besteht darin, einander zu lieben. Das meint

---

[101] Vgl. neben den Lexika *C. Spicq*, La charité fraternelle selon I Th., 4,9, in: Mélanges Bibliques. FS A. Rolet (TICP 4), Paris 1964, 507–511; *C. Brady*, Brotherly Love, Diss. masch. Fribourg 1961; *H. D. Betz*, De fraterno amore (Moralia 478A–492D), in: ders. (Hg.), Plutarch's Ethical Writings and Early Christian Literatur (SCHNT 4), Leiden 1978, 231–263; auch *J. Ratzinger*, Die christliche Brüderlichkeit, München 1960.

[102] Vgl. u. a. Epict Diss III 3,9; Plut De fraterno amore 478A–492D; Stob IV/1, 27 (S. 656–675) und schon Alexis (ed. T. Koch) 334. Verschiedene Inschriften bezeugen die große Breitenwirkung des Wortes; vgl. u. a. OGIS I 182,2; 185,1; 329,6; Preisigke Sammelbuch III 6234f.6653; Inscript Delos 314d, 169; U. Wilcken, Chrestom I/1, 99; I/2, 137 (Nr. 106,7); ferner Aristot EthNic 1161a 3ff. 1161b 35.

[103] Vgl. 4Makk 13,23.26; 14,1; Jos Ant 2,161; 4,26; 12,189; Philo LegGaj 87. φιλαδελφός findet sich 2Makk 15,14; 4Makk 3,21; 15,10; Jos Bell 1,275.485; Philo LegGaj 92; Jos 218.

[104] Vgl. Röm 12,10 und 1Petr 1,22; 2Petr 1,7; Hebr 13,1.

[105] Vgl. *L. Perlitt*, „Ein einzig Volk von Brüdern". Zur deuteronomistischen Herkunft der biblischen Bezeichnung „Bruder", in: D. Lührmann – G. Strecker (Hg.), Kirche 27–52.

[106] Vgl. TestRub 6,9; Benj 10,10; Jos Ant 7,37; 10,201; 12,226.338; Philo SpecLeg 2,73.79f; 4,157; Virt 82; PraemPoen 57; VitMos 1,240.

[107] 1QS 6,10.22; 1QSa 1,18; 2,13?; CD 6,20; 7,1f; 8,6; 19,18; 20,18; 1QM 13,1; 15,4.7 (Jos Bell 2,122; Philo OmnProbLib 79); vgl. *H. Kosmala*, Hebräer – Essener – Christen. Studien zur Vorgeschichte der frühchristlichen Verkündigung (StPB), Leiden 1959, 44–75.

[108] Weniger wichtig ist, daß sich vereinzelt auch die Angehörigen einer hellenistischen Kultgenossenschaft „Brüder" nennen; vgl. *B. Rigaux*, 1Thess 370.

elementar die Bejahung des Nächsten als Mit-Glied der Ekklesia. An welches konkrete Handeln Paulus gedacht hat, wird in 4,9f nicht deutlich. Der Apostel sieht offenbar keinen akuten Mißstand, den er kritisieren müßte. Indirekte Hinweise lassen sich dem engeren und weiteren Kontext entnehmen. 1Thess 4,6 hat vor wirtschaftlicher Übervorteilung eines Glaubensbruders gewarnt[109], 5,13 wird zur Bewahrung und Entwicklung des innergemeindlichen Friedens aufrufen[110], 5,14a zur Zurechtweisung[111] der „Unordentlichen", die aus einer eschatologischen Übermotivation heraus die alltägliche Arbeit vernachlässigen[112], 5,14b zur Aufmunterung der „Kleinmütigen", die angesichts der Pressionen durch die Nicht-Christen verzagen[113], 5,14c zum Festhalten der (im Glauben) Schwachen[114], 5,14d zur Langmut[115] mit allen (Gemeindegliedern), d.h. insbesondere zur Verzeihung ihrer Fehler[116], 5,15 schließlich zum Verzicht auf Vergeltung und zur Aufarbeitung des Bösen durch das Gute[117]. Diese angedeuteten Kon-

---

[109] Vgl. *O. Merk,* Handeln 47f. Frühjüdische Parallelen gibt es zuhauf; vgl. Test Jud 18,2–6, aber auch Menand-Phlm 20-30; Sib 3,41–44.184–189; 4,31–34; CD 4.14ff; syrMen 65,18ff; 69,7.12; 71,5 (Rießler 11f.38f.63ff); Ps-Heracl 4,3,5; 7,10,2ff; dazu *E. Reinmuth*, Geist und Gesetz. Studien zu Voraussetzungen und Inhalt der paulinischen Paränese (ThA 44), Berlin 1985, 22–41.

[110] Parallelen sind 1Kor 1,10; 2Kor 13,11; Gal 5,22; Röm 12,18; 14,19; auch Phil 2,3; 4,2. Ein konkreter Anhaltspunkt ist nicht auszumachen; anders *W. Schmithals,* Paulus und die Gnostiker 121f (der an die Konflikte mit Gnostikern denkt).

[111] Vgl. zu νουθετέω 1Kor 4,14 und Röm 15,14, ferner Kol 1,28; 3,16; 2Thess 3,15 und Apg 20,31; zum Klang bei Paulus *A. Grabner-Haider*, Paraklese und Eschatologie bei Paulus. Mensch und Welt im Anspruch der Zukunft Gottes (NTA 4), Münster [2]1985 ([1]1968), 9f; zum traditionsgeschichtlichen Hintergrund *C. Spicq,* Notes II 585–588.

[112] Die *correctio fraterna* ist schon in Lev 19,17f ein Gebot der Nächstenliebe; vgl. auch Prv 25,9f; 27,5f; 28,23; Dtn 25,1ff, aus der frühjüdischen Literatur noch TestGad 6,3; Benj 4,5; CD 7,2; 1QS 5,25f.

[113] Vgl. *H. Schlier*, Apostel 98; *F. Laub,* Verkündigung 74. Daß Paulus in 5,13 an die Betrübnis wegen der gestorbenen Christen denkt, ist unwahrscheinlich, weil auf sie bereits die Ermunterung zum gegenseitigen Trösten in 4,18 bezogen ist.

[114] Worin die Schwäche besteht, bleibt unklar. Entscheidend ist, daß die (anderen) Gemeindeglieder sich bemühen sollen, den Schwachen (mit ihrer Schwäche) das Leben in der Gemeinde zu ermöglichen und sie, soweit nötig, in ihrem Christsein zu unterstützen.

[115] Zur Nähe von μακροθυμία und Agape vgl. 1Kor 13,4 und Gal 5,22.

[116] Vgl. Spr 19,11 (14,9ff; 29,8); Eccl 7,8ff und Test Gad 4,7 (ἀγάπη) sowie TestHiob 11,10, neutestamentlich auch noch Mt 18,26.29. Aus der griechisch-hellenistischen Ethik liegt die Tugend der μεγαλοψυχία nahe (Aristot EthNic 4,4).

[117] Vgl. Röm 12,17.21 im Kontext von 12,9–21. Die Verbindung zwischen Liebe und Vergebung wurzelt in Lev 19,17f. Sie ist im Frühjudentum an zahlreichen Stellen belegt; s. o. S. 50. Es gibt auch pagane Parallelen; vgl. Epict Diss III 22,54; Fr. 5.7; vgl. Diss II 10,14.26; 14,12f; Cic Off I 25,88; Sen Ben IV 26; VIII 31,1; Vita 20,5; 23,5; Ira I 14,2; II 32.34; III 42,3f; 43,1f; De Otio I 4; Clem I 17,1; Const 5,4; 7,2;

kretionen der Liebe liegen ganz auf der Linie dessen, was auch die frühjüdische Ethik als Ausweis der Nächstenliebe versteht. Überdies ergeben sich zwanglos zahlreiche Verbindungen zur stoischen Popularethik (auch wenn sie dort nicht als Agape firmieren). Paulus ist offenkundig daran interessiert, durch einige einfache Hinweise zu illustrieren, wie die Bruderliebe zur Stärkung der ekklesialen Gemeinschaft beitragen kann. Besondere Beachtung verdient, daß die Thessalonicher nach 4,9 von Gott selbst belehrt worden sind, einander zu lieben. Mit diesem Satz rekurriert der Apostel nicht nur auf die Predigt des Evangeliums, die nach 1,5 in der Kraft des Geistes geschehen ist und nach 2,13 das Wort Gottes zur Sprache gebracht hat, sondern auf das Wirken des Pneuma in den Thessalonichern selbst (vgl. 5,19)[118], denen die Verbindlichkeit des Liebesgebotes ebenso wie die Wege zu seiner Erfüllung gnadenhaft einleuchten.[119] Dann weist 1Thess 4,9 aber auch darauf hin, daß Gott die Glaubenden zur Bruderliebe befähigt.

(2) Das Verhalten gegenüber „denen draußen"

Nach 1Thess 4,11f soll die Beziehung der Christen zu den Nicht-Christen dadurch gestaltet werden, daß die Gemeindeglieder ruhig leben[120], sich um ihre eigenen Angelegenheiten kümmern[121] und ihren Lebensunterhalt mit eigenen Händen erarbeiten[122]. Diese wenig spektakulären Mahnungen kommen weit verbreiteten Wertauffassungen hellenistisch-jüdischer und stoischer Ethik entgegen (ohne mit ihnen deckungsgleich zu sein[123]). Gewiß steht auch 4,11f im Zeichen der Konzentration auf das Binnenleben der

---

Ep 95,52; Plut Tranq 468C; MAur II 1; vgl. IX 27. Materialsammlungen präsentieren *M. Waldmann*, Die Feindesliebe in der antiken Welt und im Christentum. Eine historisch-ethische Untersuchung, Wien 1902; *H. Haas*, Idee und Ideal der Feindesliebe in der außerchristlichen Welt, Leipzig 1917.

118 Im Hintergrund steht die prophetische Verheißung, in der Endzeit werde Gott selbst die Tora lehren und zu ihrer Befolgung anleiten; vgl. Jes 54,13^{LXX} (und 1QH 7,10), Ez 36,27^{LXX}; Jer 38(31),33f^{LXX}.

119 Zur hermeneutischen Relevanz dieses Satzes für die ethische Diskussion vgl. *H. Schürmann*, Die Gemeinde des Neuen Bundes als der Quellort des sittlichen Erkennens nach Paulus (1972), in: ders., Ethik 17–48.

120 ἡσυχία ist ein Ideal hellenistischer *und* frühjüdischer Ethik; vgl. *C. Spicq*, Notes I 358–364.

121 Nach Plato (Pol 433a; 496d) ist dies die Voraussetzung für ein funktionierendes Gemeinwesen; vgl. DioCass 60,27,4.

122 Nicht nur in der alttestamentlichen und frühjüdischen, auch in der griechischen und hellenistischen Ethik wird die körperliche Arbeit im ganzen hoch geschätzt; vgl. *F. Hauck*, Art. Arbeit: RAC 1 (1950) 585–590: 587f.

123 Bei Paulus fehlt die im Frühjudentum gängige Rückbindung der einschlägigen Mahnungen an die Tora. Vor allem vertritt der Apostel nicht das Ideal der *Ataraxie*, die sich von den Dingen dieser Welt nicht affizieren läßt.

Ekklesia. Zu politischem Engagement wird nicht aufgerufen. Der Apostel redet jedoch weder einem Rückzug in die Privatheit christlicher Glaubensgemeinschaft das Wort[124] noch einer apokalyptisch motivierten Relativierung der Alltagsethik[125]; er kritisiert vielmehr enthusiastischen Überschwang und fordert zur Besinnung auf das Naheliegende und Wesentliche, entsprechend jener Nüchternheit, die nach 5,1–11 die eschatologische Haltung der Christen auszeichnen soll.[126]

Die Pointe dieser Anweisungen liefert jedoch erst Vers 12. Das in Vers 11 stichwortartig charakterisierte Verhalten soll dazu dienen, vor den Nicht-Christen „anständig" zu leben und niemandem zur Last zu fallen. Mit dem Wort „anständig" (εὐσχημόνως) wählt Paulus einen Begriff, der in hellenistischer Ethik das sittlich Gute bezeichnet.[127] Es kann keine Frage bestehen, daß für ihn vom Evangelium her einleuchtet, was „gut" und „anständig" ist. Paulus redet keinem Opportunismus das Wort. Wohl aber rechnet er damit, daß die Heiden der Stadt auch mit ihren eigenen Wertmaßstäben das ethische Niveau eines christlichen Lebens erkennen können – wenn es sich nicht zu sektiererischen Absonderlichkeiten versteigt, sondern tatsächlich auf das Evangelium gründet.[128] Und mehr noch: Paulus stellt es als eine sittliche Pflicht der Glaubenden hin, sich um ein positives Urteil der Nicht-Christen zu bemühen[129] – nicht durch Anpassung, sondern durch die Erfüllung des Willens Gottes.[130]

Die Mahnungen zur Stärkung der Bruderliebe und zur positiven Klärung der Beziehungen zu den Außenstehenden sind eng miteinander verbunden.

---

[124] Diesen Verdacht hegt *E. v. Dobschütz*, 1Thess 180f.

[125] So aber *M. Dibelius*, Urchristentum und Kultur (Heidelberger Universitäts-Reden 2), Heidelberg 1928, 17f; *ders.*, Geschichte der urchristlichen Literatur (1926), hg. v. F. Hahn (ThB.NT 58), München 1975, II 67; *W. Mundle*, Religion und Sittlichkeit bei Paulus in ihrem inneren Zusammenhang: ZSTh 4 (1927) 456–482: 478.

[126] In dieser Richtung deuten auch *F. Laub*, Verkündigung 175–178; *C. J. Roetzel*, Theodidaktoi and Handwork in Philo and I Thessalonians, in: A. Vanhoye (Hg.), Paul 324–331: 329f.

[127] Vgl. nur Aristot EthNic 1,11 (1101a 1); Epict Diss II 5,23; ferner Spr 11,25; 4Makk 6,2; ep Ar 284; Jos Ant 15,102 (negativ indes Ant 4,167).

[128] Eine ähnliche Linie verfolgt der Autor des 1Petr. Vgl. (auch zum folgenden) *Th. Söding*, Widerspruch.

[129] Vgl. *W. Schrage*, Einzelgebote 197; *E. Lohse*, Ethik 30.

[130] Paulinische Sachparallelen in den Hauptbriefen sind einerseits 1Kor 9,19–23 und 10,32f weiter 14,23ff, und andererseits neben 1Thess 5,21 vor allem Phil 4,8; Röm 12,1f; 13,13. In 1Tim 3,7 zählt das positive Urteil der Heiden zu den Auswahlkriterien für das Bischofsamt. Vgl. noch 2Clem 13,1 und zum Motiv insgesamt *W. C. v. Unnik*, Die Rücksicht auf die Reaktion der Nicht-Christen als Motiv in der altchristlichen Paränese, in: W. Eltester (Hg.), Judentum – Urchristentum – Kirche. FS J. Jeremias (BZNW 26), Berlin 1960, 221–234.

Das Bindeglied ist das Motiv des „Überfließens" (4,10b), dessen Signifikanz für die Theologie und Ethik des Ersten Thessalonicherbriefes aus 3,11f und 4,1f hervorgeht. Die „Bruderliebe", in der die Thessalonicher (kraft des Geistes) von Gott selbst unterwiesen worden sind (4,9b), soll sich vom Kyrios so bereichern lassen, daß durch sie auch das Verhältnis zu den Menschen außerhalb der Ekklesia positiv bestimmt wird. Obgleich es in 4,9–12 nicht direkt gesagt wird, gerät dadurch das Verhalten der Christen zu den „Außenstehenden" in den Horizont der Agape-Mahnung (vgl. 3,12). Angesichts des Drucks, der von außen auf der Gemeinde lastet, ist dies besonders bemerkenswert.

c) 1Thess 5,13

Den Schluß der brieflichen Paraklese (5,12–22) bilden locker gefügte Weisungen, von denen die ersten noch einmal den Beziehungen der Christen untereinander Aufmerksamkeit schenken.

12 Wir bitten euch aber, Brüder,
derer eingedenk zu sein, die sich unter euch mühen
und euch im Kyrios vorstehen
und euch zurechtweisen,
13 und sie über die Maßen in Liebe zu achten wegen ihres Werkes.

Es geht um das Verhalten aller Gemeindeglieder denen gegenüber, die besondere Mühen auf sich nehmen[131], namentlich gegenüber denjenigen, die Leitungsaufgaben wahrnehmen[132] und sich nicht scheuen, das undankbare Geschäft innerekklesialer Kritik zu übernehmen (vgl. 5,14). Ihren Einsatz sollen sich die anderen vor Augen halten[133]; vor allem jedoch sollen sie die besonders engagierten Christen nicht nur anerkennen, sondern dankbar hochschätzen und nach Kräften unterstützen (vgl. Gal 6,6). Dazu bedarf es der Agape.[134] Sie ist die Einstellung, die den anderen in seinem Wert erkennt und anerkennt. 5,13 ist eine Konkretisierung von 4,9f.

---

[131] Die umfassende Bedeutung des Wortes κοπιᾶν (s.o. S. 72 mit Anm. 39) läßt weder speziell an Missionstätigkeit denken noch im besonderen die Diakonie hervortreten (so aber *E. v. Dobschütz*, 1Thess 216); es geht umfassend um jede denkbare Form des kirchlichen bzw. gemeindlichen Engagements; vgl. *F. Laub*, Verkündigung 71.

[132] προΐστημι meint schwerlich nur Fürsorge, sondern wie in Röm 12,8 die Gemein*deleitung* (vgl. 1Kor 12,28: κυβερνήσεις), die freilich noch kaum fest institutionalisiert gedacht werden darf. Vgl. *H. Schlier*, Apostel 95f; anders *W. Marxsen*, 1Thess 71; *T. Holtz*, 1Thess 242f.

[133] εἰδέναι trägt im Neuen Testament nur hier diese Bedeutung; vgl. jedoch Ign Sm 9,1 (ehren); Ael Arist 35,35 und als semantisch äquivalenten Ausdruck ἐπιγινώσκειν in 1Kor 16,18.

[134] Vgl. *E. Best*, 1Thess 227.

d) Zusammenfassung

Daß die Trias in 1,3 und 5,8 die Agape nennt, kommt nicht von ungefähr. Es entspricht der herausgehobenen Stellung, die der Nächstenliebe in der Ethik des Ersten Thessalonicherbriefes zukommt. Paulus begreift sie als Bruderliebe, die auf die Stärkung der ekklesialen Gemeinschaft und die Unterstützung namentlich der Schwachen gerichtet ist. Der Apostel gibt aber auch zu verstehen, daß die Agape nicht an den Grenzen der Ekklesia haltmachen kann. Daß sie, wie 1,3 sagt, Mühe bereitet, wird aus den direkten Agape-Mahnungen des Briefes deutlich: Die Liebe muß den Druck aushalten, der von außen auf der Gemeinde lastet; sie muß die Fehler und Verfehlungen der anderen ertragen und durch Verzeihen überwinden; und sie muß im Interesse des anderen zu Opfern bereit sein. Da die Agape aber kraft des Geistes über dieses Vermögen verfügt, kann sie die Christen in den Auseinandersetzungen wappnen, in die sie ihr Glaube führt (5,8).
Die Liebe, zu der die Thessalonicher gerufen sind, ist notwendiger Bestandteil der Antwort, die sie Gott aufgrund ihrer Berufung in die Ekklesia und ihrer Bestimmung für die endgültige Rettung geben können und sollen. Von der Notwendigkeit der Agape hat Gott die Glaubenden selbst überzeugt (4,9). Der Apostel weiß, daß sie nur dann im Vollsinn praktiziert werden kann, wenn die Christen kraft des Geistes an der eschatologischen Heilsdynamik Anteil gewinnen, die Gott im Tod und in der Auferweckung Jesu konstituiert hat. Dadurch fällt der Agape ein essentielles theo-logisches Moment zu. Als Bruderliebe ist sie die Bejahung der Berufung, die Gott an die Mit-Christen hat ergehen lassen; als Liebe zu den Außenstehenden läßt sie sich von der Universalität des Heilswillens Gottes aufschließen.
Die traditionsgeschichtlichen Linien der paulinischen Agape-Paraklese führen aus dem Ersten Thessalonicherbrief über einige Vorgaben hellenistisch-judenchristlicher Ethik in das Diasporajudentum hinein.[135] Direkte Bezüge zur Jesus-Tradition sind nicht auszumachen. Die frühjüdischen Parallelen betreffen sowohl die Konzentration des Liebesgebotes auf die Glaubensgemeinschaft als auch die wesentlichen Konkretionen der Liebe, namentlich die Unterstützung der Schwachen und das Verzeihen von Fehlern. Die Unterschiede liegen in zwei Punkten: Der Stellenwert, den das Liebesgebot bei Paulus einnimmt, ist deutlich höher als der in den frühjüdischen Schriften; eine Ausnahme bilden nur die *Testamente der Zwölf Patriarchen*. Und der Bezug auf die Tora, der (auch) im hellenistischen Judentum durchgängig zu beobachten ist, fehlt bei Paulus gänz-

[135] Vgl. die kurzen Hinweise o. S. 44f, 49f.

lich.[136] Nicht zu verkennen sind zahlreiche Berührungen mit hellenistischer, insbesondere stoischer Ethik (die auch schon für die vergleichbaren frühjüdischen Texte signifikant sind). Sie betreffen nicht wenige der Konkretisierungen, die Paulus zufolge die Agape fordert, sowohl das Ideal des ruhigen Erwerbslebens als auch die Fähigkeit zur Überwindung von Groll und Rache. Weil die Thessalonicher in der Mehrzahl Heidenchristen sind, haben die Analogien für sie einige Bedeutung. Wie es scheint, hat sich der Apostel bemüht, ihnen die Ethik des Evangeliums auch im Zeichen der Agape, soweit möglich, in der Sprache dieser ethischen Überzeugungen nahezubringen. Die Differenzen (die der Apostel darzulegen keinen Anlaß hatte) entstehen aufgrund des unterschiedlichen Gottes- und Menschenbildes. Die Agape ist nach Paulus Ausdruck und Konsequenz einer personalen Beziehung zu Gott, dem Vater, der durch den Kyrios Jesus Christus seinen eschatologischen Heilswillen offenbart.

5. Hoffnung nach dem Ersten Thessalonicherbrief

Elpis ist, obwohl nur relativ selten belegt[137], ein Schlüsselwort des Ersten Thessalonicherbriefes. Dafür gibt es drei Gründe: die Dominanz der futurischen Eschatologie, die Frage der Thessalonicher nach den „Toten in Christus“ (4,16) und die gegenwärtige Bedrängnis der Christengemeinde.

a) Hoffnung auf vollendetes Heil

Das vollendete Heil ist nach dem Ersten Thessalonicherbrief der eschatologischen Zukunft Gottes vorbehalten. Zwar gibt es im Ersten Thessalonicherbrief durchaus präsentische Eschatologie. Sie bleibt aber ansatzhaft und ist weit weniger als in den Hauptbriefen betont.[138] Das Licht, in dem die Glaubenden bereits jetzt leben, fällt vom „Tag des Herrn“ her in die Gegenwart ein (5,5). Die Vollendung des Heiles besteht nach 2,12 in der Zugehörigkeit der Glaubenden zum Reich Gottes, das von der Herrlichkeit Gottes erfüllt ist, nach 4,14.17 und 5,10 in der vollkommenen Lebensgemeinschaft mit dem Kyrios Jesus[139], in der seine Proexistenz (vgl. 5,10)[140]

---

[136] Gegen *S. Schulz*, Ethik 301–333. Vgl. *U. Schnelle*, Ethik 301; *Th. Söding*, Thessalonicherbrief 198f mit Anm. 5.

[137] Vgl. neben 1,3 und 5,8 noch 2,19 und 4,13(–18).

[138] Vgl. *Th. Söding*, Thessalonicherbrief 187f.

[139] Vgl. *F. Froitzheim*, Christologie 194–199. Parallelen aus den Hauptbriefen sind Phil 1,23; 2Kor 4,14; 13,4; Röm 6,8; 8,32.

[140] Vgl. *H. Schürmann*, „Pro-Existenz“ als christologischer Grundbegriff: ACra 17 (1989) 345–372.

ganz zur Wirkung kommt. Beides ist nicht schon erfüllte Gegenwart, sondern erst noch ausstehende Zukunft. Mehr noch: Angesichts der Gottfeindlichkeit (2,15) und Sündhaftigkeit (vgl. 2,16; 4,5f), die gegenwärtig bei Juden (2,15f) und Heiden (4,5f) grassieren, setzt die Vollendung des eschatologischen Heiles das Gericht voraus, in dem sich Gottes Zorn zeitigt (1,10; 2,16). Das Reich Gottes und das Leben in Gemeinschaft mit dem Kyrios setzen einen schöpferischen Akt Gottes voraus, der jenseits der gegenwärtigen Zeit und Geschichte unerhört Neues beginnt. Allerdings ist die kommende Rettung mehr als ein Versprechen. Die eschatologische Heilsvollendung ist vielmehr im Geschehen des Todes und der Auferweckung Jesu sicher begründet (1,10; 4,14–17; 5,9f). Die Zukunft der Glaubenden ist an dieses vergangene und gegenwärtige Heilshandeln Gottes zurückgebunden (vgl. 3,11ff; 5,23f). Umgekehrt wird im Ersten Thessalonicherbrief die Heilsbedeutung des Todes wie der Auferweckung Jesu nicht eigentlich in der gegenwärtigen Befreiung von der Unheilsmacht der Sünde, sondern in der Bestimmung der Glaubenden für die jenseitige Rettung gesehen (1,10f; 2,12.16; 5,9f).
Dieser eschatologischen Situation entspricht die Elpis. Die Hoffnung richtet sich im Ersten Thessalonicherbrief ganz auf die kommende Vollendung des Heiles; sie ist nahezu ausschließlich auf diese Zukunft gerichtet. Elpis ist die Erwartung, am Reich Gottes teilhaben und ganz mit Jesus zusammenleben zu können. In dieser Ausrichtung auf die transhistorische Heilsvollendung realisiert die Hoffnung beides: sowohl den qualitativen Abstand zwischen der Gegenwart und der Zukunft, den das Jüngste Gericht ermessen läßt, als auch die Begründung der endzeitlichen Rettung im Tod und in der Auferstehung Jesu Christi.
Indem die Hoffnung sich in der Gegenwart auf das zukünftige Heil richtet, wendet sie sich zu Gott (vgl. 5,24) und zum Kyrios Jesus (1,3.10; 5,9). Gott hat die Glaubenden zum eschatologischen Heil berufen (1,4; 2,12; 5,9f); der auferstandene Kyrios wird mit seiner Wiederkunft (2,19; 3,13; 4,15; 5,23) die Heilsvollendung einleiten (1,9f; 4,16f; 5,9f). Ähnlich wie Pistis ist Elpis Ausdruck einer personalen Bindung an Gott und an den Kyrios Jesus Christus, die von Vertrauen getragen wird und auf Gottes Gnadenerweis antwortet.
Eine besondere Intensität gewinnt die Hoffnung durch die Naherwartung, in deren Zeichen der Erste Thessalonicherbrief steht. Paulus nimmt an, daß der Kyrios in nächster Zeit wiederkommen wird. Daß Christen vorher sterben, hält er für die Ausnahme, für die Regel aber, daß sie bei der Parusie noch leben werden (4,15.17). Die Gegenwart steht bereits ganz und gar im Zeichen des andrängend Kommenden; sie ist die Zeit unmittelbar vor dem Ende. Eben dies realisiert die Hoffnung.

b) Hoffnung auf die Rettung der Gestorbenen (4,13–18)

Besondere Brisanz gewinnt die eschatologische Erwartung durch die Befürchtung der Thessalonicher ob des Geschicks der verstorbenen Christen (4,13–18).[141] Paulus greift das Problem der Gemeinde als Frage nach ihrer Hoffnung auf (4,13). Es geht ihm nicht nur darum, die Angst der Glaubenden zu bannen, sie selbst könnten vor der Parusie sterben und deshalb des eschatologischen Heiles verlustig gehen. Weit wichtiger ist, den Thessalonichern die Sorge wegen des Heiles ihrer verstorbenen Mitchristen zu nehmen.

Paulus versucht dies durch einen Rekurs auf das elementare christliche Credo: das Bekenntnis des Todes und der Auferweckung Jesu Christi (4,14). Die These des Apostels lautet: Weil Jesus gestorben und auferstanden ist, wird Gott nicht nur die bei der Parusie noch lebenden, sondern auch die bereits entschlafenen Christen retten. Das Argument ist nicht so sehr christozentrisch als vielmehr theozentrisch.[142] Es besteht aber nicht nur darauf, daß Gott durch die Auferweckung Jesu seine Macht unter Beweis gestellt habe, Tote zu erwecken. Es setzt vielmehr beim Grundgeschehen des Todes wie der Auferweckung Jesu selbst an: Nach 1,9ff und 5,9f manifestiert sich in ihm unüberbietbar der Wille Gottes, (nicht nur die Juden, sondern auch) die Heidenvölker zu retten, indem er sie in seine Ekklesia (1,5) und nach dem Jüngsten Tag in seine Basileia (2,12) beruft. 4,14 besagt: Dieser Heilswille Gottes kommt durch den Tod, den Christen vor der Parusie erleiden müssen, nicht an eine Grenze; er ist stärker als der Tod. Wie die Rettung der „Toten in Christus" geschieht, führt 1Thess 4,15ff mit Berufung auf ein „Herrenwort" aus.[143] Der Gedanke, der für die

---

[141] Zur Einzelexegese vgl. neben den Kommentaren *P. Hoffmann*, Die Toten in Christus 207–238; *U. Luz*, Geschichtsverständnis 318–331; *W. Marxsen*, Auslegung von 1Thess 4,13–18: ZThK 66 (1969) 22–37; *W. Harnisch*, Existenz 16–51; *F. Laub*, Verkündigung 123–131; *J. Baumgarten*, Paulus und die Apokalyptik. Die Auslegung apokalyptischer Überlieferungen in den echten Paulusbriefen (WMANT 44), Neukirchen-Vluyn 1975, 91–98; *J. Becker*, Auferstehung 46–54; *ders.*, Paulus 148–153; *G. Lüdemann*, Paulus I 220–263; *H.-H. Schade*, Christologie 157–172; *G. Sellin*, Auferstehung 37–49; *J. Kremer*, Auferstehung der Toten in bibeltheologischer Sicht, in: ders. – G. Greshake, Resurrectio mortuorum, Darmstadt 1986, 5–161: 16–23; *H. Merklein*, Der Theologe als Prophet. Zur Funktion prophetischen Redens im theologischen Diskurs des Paulus: NTS 38 (1992) 402–429.

[142] In 1Kor 15 fällt dem Wirken des erhöhten Kyrios weit mehr Gewicht zu (vgl. 15,20–28. 43–48).

[143] Ob sich das Herrenlogion in 4,16f findet (so *W. Harnisch*, Existenz 40f; *R. F. Collins*, Studies 159; *G. Lüdemann*, Paulus I 242–247; *G. Sellin*, Auferstehung 42) oder in V. 15b (so *E. v. Dobschütz*, 1Thess 193; *O. Hofius*, „Unbekannte Jesusworte", in: P. Stuhlmacher [Hg.], Das Evangelium und die Evangelien [WUNT

paulinische Argumentation entscheidend ist: Im Zuge der Parusie werden die Toten auferstehen[144], um dann zusammen mit den noch Lebenden zur Begegnung mit dem Kyrios geführt zu werden.

Zusammengenommen: Die Hoffnung auf die Rettung der Toten gründet im Geschehen des Todes und der Auferweckung Jesu – weil Gott hier seinen universalen Heilswillen eschatologisch manifestiert hat. Deshalb setzt Hoffnung den Glauben an den Tod und die Auferweckung Jesu voraus – wie umgekehrt überall dort keine Hoffnung besteht, wo dieser Glaube fehlt.[145] Der Inbegriff der Elpis ist nach 1Thess 4,13–18 das im Tod und in der Auferweckung Jesu begründete Zutrauen in die Macht Gottes, um der Heraufführung des vollendeten Heiles willen den Tod zu überwinden.

c) *Hoffnung in der Bedrängnis*

Die Hoffnung wird durch den Leidensdruck, dem die Thessalonicher ausgesetzt sind, zugleich herausgefordert und bewährt. Die Nachstellungen begreift Paulus als endzeitliche Bedrängnisse.[146] Sie sind ihrerseits Anzeichen des nahen Endes, deshalb zugleich von besonderer Qualität: Nach 3,5 hat bei ihnen der Satan seine Hand im Spiele (vgl. 2,18; 1Kor 7,5); er beschwört die Situation einer Versuchung herauf, in der die Glaubenden von Gott abfallen würden und damit dem Tode preisgegeben wären (vgl. 1Kor 10,1–11), wenn nicht Gott selbst für sie eintreten würde.[147]

Die Hoffnung entsteht nicht jenseits, sondern inmitten dieser Bedrängnis. Sie ist Hoffnung wider den Augenschein. Auf der einen Seite verstärkt sich

---

28], Tübingen 1983, 355–382: 359; *T. Holtz*, 1Thess 184f; *H. Merklein*, a.a.O. 412f), kann hier ebenso offenbleiben wie die Frage, ob hinter dem „Herrenwort" ein Logion des Irdischen (*O. Hofius*, a.a.O.) oder der Spruch eines urchristlichen Propheten, gar des Apostels selbst (*H. Merklein*, a.a.O. 413) steht.

[144] Mit dem Gedanken der Totenerweckung rekapituliert Paulus apokalyptisches Glaubenswissen, das ihm schon aus seiner pharisäischen Zeit vertraut gewesen sein dürfte und das im Urchristentum, christologisch transformiert, weit verbreitet gewesen ist. Vgl. *G. W. E. Nickelsburg*, Resurrection, Immortality and Eternal Life in Intertestamental Judaism, Cambridge – London 1972; *H. C. Cavallin*, Leben nach dem Tode im Spätjudentum und im frühen Christentum. I. Spätjudentum: ANRW II 19/1 (1979) 240–345.

[145] Für den 1Thess ist es kaum zweifelhaft, daß nur die Christen Grund zur Hoffnung haben, nicht hingegen die Heiden (4,13) und auch nicht die Juden (soweit sie nicht Christen werden; vgl. 2,16); vgl. *T. Holtz*, 1Thess 181; anders *E. v. Dobschütz*, 1Thess 188; *P. Hoffmann*, Die Toten in Christus 209ff. Die wesentlich modifizierte Sicht von Röm 9–11 darf in den 1Thess nicht eingetragen werden.

[146] Das folgt aus der Kennzeichnung als θλῖψεις in 1,6; 2,14ff; 3,3.4.7; vgl. *H. Schlier*, Art. θλίβω, θλῖψις: ThWNT 3 (1938) 139–148: 144f.

[147] Vgl. *T. Holtz*, 1Thess 130.

so die Intensität der Erwartung: Rettung ist tatsächlich allein bei Gott zu suchen, der in seiner Treue (5,23f) eschatologisch handeln wird. Auf der anderen Seite kann die Hoffnung immer nur als Standhaftigkeit und Geduld gelebt werden (1,3.10).[148] In der Ausrichtung auf die Zukunft Gottes hält sie den Gegendruck aus, der durch die faktischen Verhältnisse ausgeübt wird. Angesichts des Widerstandes, den sie zu durchbrechen hat, wird sie nicht ungeduldig. Weil sie aus dem Vertrauen auf Gott erwächst, hat sie Ausdauer.

d) Zusammenfassung

Die Hoffnung richtet sich auf die Teilhabe der Christen an der endgültigen Rettung (5,9). Sie ist begründet im Sühnetod (5,9) und der Auferweckung Jesu (4,13–18; 1,10), in Gottes Erwählung der Glaubenden (1,2–10; 5,9), in seinem gegenwärtigen Beistand (3,11ff; 5,23f) und in der Rettung der Berufenen aus dem Zorngericht durch den Parusie-Christus (5,9; 1,10). Die Hoffnung der Christen besteht darin, im Vertrauen, daß die eschatologische Rettung nahe ist, auf den Tag des Herrn hin zu leben und in dieser Ausrichtung trotz der gegenwärtigen Widrigkeiten Standfestigkeit zu gewinnen und Zuversicht zu behalten. 1Thess 1,3 nimmt dies auf, wenn die Hoffnung als Quelle der Standhaftigkeit erscheint, 1Thess 5,8, wenn die Hoffnung zur christlichen Ausrüstung im eschatologischen Kampf gerechnet wird. Gerade die Hoffnung ist es, welche die futurisch-eschatologische Dimension des Heilshandelns Gottes realisiert und dem gegenwärtigen Leben der Christen von der Ausrichtung auf die Zukunft Gottes her Gestalt verleiht. Die Hoffnung weiß, daß die eschatologische Vollendung noch aussteht; sie ahnt, daß Gott als der je Größere das zukünftige Heil in einer Fülle Wirklichkeit werden läßt, die alle gegenwärtigen Vorstellungen unendlich überschreitet. Daraus schöpft sie ihre Fähigkeit zur Geduld. Hoffnung ist das Vertrauen auf den *Deus semper maior*. Gerade deshalb nimmt die Elpis wahr, daß die Gegenwart der eschatologische Kairos ist, in dem sich Heil und Unheil, Leben und Tod entscheiden.
Kein Zweifel, daß Paulus seine Vorstellung der Hoffnung an frühjüdischen Texten geschult hat.[149] Dort ist ihm der Gedanke begegnet, daß sich die Hoffnung auf die Vollendung der Herrschaft Gottes richtet und daß sie sich in der Anfechtung bewährt. Dieses Vor-Verständnis kann Paulus in den christlichen Kontext übersetzen. Dabei gewinnt die Hoffnung insofern eine neue Gestalt, als ihr primärer Bezugspunkt weder eine einmal ergan-

---

[148] Vgl. *H. Schlier*, Drei 63f.
[149] Einige Bemerkungen zu ihnen finden sich o. S. 48.

gene Verheißung Gottes in der Geschichte Israels ist[150] noch die geheimnisvolle Offenbarung eines Sehers, sondern das Grundgeschehen des Todes und der Auferweckung Jesu. Gerade hier erweist sich Gott unüberbietbar und irreversibel als derjenige, der einen ganz neuen Anfang setzt, indem er allen Völkern das Heil vermitteln will (2,16). Und gerade deshalb ist Hoffnung nach Paulus nur als Ausdruck einer lebendigen Christusbeziehung möglich – ist doch der Kyrios gerade derjenige, durch den Gott sich selbst mitteilt.

6. Der Zusammenhang von Glaube, Liebe und Hoffnung nach dem Ersten Thessalonicherbrief

Wie gehören Glaube, Liebe und Hoffnung nach dem Ersten Thessalonicherbrief zusammen, so daß sie in den triassischen Formulierungen als Einheit erscheinen? Paulus hat keine direkte Auskunft gegeben. Dennoch läßt sich eine Antwort erschließen, wenn man auf den theologischen Gehalt und die pragmatischen Dimensionen des Glaubens, der Liebe und der Hoffnung achtet.

a) Der Zusammenhang von Pistis und Elpis

Die große semantische Nähe von Elpis und Pistis im Ersten Thessalonicherbrief läßt sich nicht verkennen. Sie ist im hellenistischen Frühjudentum und wohl auch im hellenistischen Judenchristentum vorgegeben. Glaube und Hoffnung sind von innen heraus miteinander verbunden und auf einander bezogen.[151] Beide fundieren auf dem Evangelium. Beide sind Grundvollzüge des christlichen Gottesverhältnisses. Beide sind im Kern Vertrauen auf das eschatologische Heilswirken des „lebendigen und wahren Gottes" (1,9). Dennoch bleiben Unterschiede. Der Elpis fehlt das Moment des ausdrücklichen Bekenntnisses, das in der Pistis immer mitgedacht wird. Andererseits ist das Zentrum der Elpis gerade die geduldige und beharrliche Ausrichtung auf die Heilsvollendung, insofern sie zwar verheißen ist, aber noch aussteht. Dieses Moment schwingt zwar in der Pistis mit, aber nicht als Dominante.
In ihren unterschiedlichen Akzentuierungen sind Glaube und Hoffnung wechselseitig aufeinander bezogen. Der Glaube bildet dabei insofern die Basis, als er das Evangelium annimmt und im gesamten Lebensvollzug der

---

[150] Im 1Thess scheint jeder Blick für die Erwählungs- und Verheißungsgeschichte Israels zu fehlen – anders später im Röm!
[151] Anders *A. Pott*, Hoffen 116.

Christen festhält. Umgekehrt kann er nur in Verbindung mit der Hoffnung gelebt werden. Denn die Erwartung zukünftiger Rettung ist im Evangelium selbst begründet; sie hilft, die gegenwärtige Situation mitsamt den ihr innewohnenden Aufgaben richtig einzuschätzen; und vor allem verleiht sie die Kraft, durch alle Drangsal hindurch die Treue zum Bekenntnis und der ihm entsprechenden Praxis zu bewähren.

b) Die Beziehungen der Agape zur Pistis und zur Elpis

Bereitet es kaum Probleme, den Zusammenhang von Glaube und Hoffnung zu erkennen, so liegt der Fall bei der Liebe schon schwieriger. Dennoch gibt es genügend Hinweise. Sie ergeben sich einerseits vom Agape-, andererseits vom Pistis- und Elpis-Verständnis des Briefes her.
Auf der einen Seite sind Glaube und Hoffnung nach dem Ersten Thessalonicherbrief jene Haltungen, in denen sich der Christ als Glied der Ekklesia in seiner ganzen Existenz, sowohl in seinem Vertrauen auf Gottes Treue als auch in seinem Warten auf eschatologische Rettung, vom Evangelium bestimmen läßt. Der ethische Anspruch, den er dann vor sich sieht, ist aber schon nach dem Ersten Thessalonicherbrief vor allen Dingen der Anspruch der Liebe.
Auf der anderen Seite ist die Agape, die Paulus im Ersten Thessalonicherbrief anmahnt, nicht einfach Humanität und *Philanthropie*. Keine Frage: Das konkrete Handeln wird sich gleichen; und die inneren Einstellungen liegen nahe beieinander; Paulus rechnet damit in 1Thess 4,11f. Dennoch: Der Agape eignet essentiell ein theo-logisches und ein christologisches Moment. Sie ist im gleichen Maße theozentrisch und christozentrisch, wie sie sich radikal den Nächsten zuwendet. Agape ist nach dem Ersten Thessalonicherbrief zuerst Gehorsam gegen Gottes Willen (vgl. 4,1f.3–8) und Beherzigung dessen, was *er* die Christen (kraft des Geistes) lehrt (4,9). Agape läßt sich bestimmen und bereichern vom Heilswirken Gottes und des Kyrios (3,11ff; 5,23f); ohne den Erweis der Gnade könnte sie nicht praktiziert werden. Agape ist schließlich gelebte Erwartung der eschatologischen Vollendung, geeignet, die Herzen der Christen zu stärken, so daß sie bei der Parusie des Kyrios untadelig erfunden werden (3,11ff).
Diese theologischen Dimensionen der Agape werden durch ihre Zusammenstellung mit Pistis und Elpis in der Trias besonders stark hervorgehoben. Die Vorordnung des Glaubens (vgl. 3,6) zeigt, daß die Agape als christliche Bruder-, Fremden- und Feindesliebe in der Annahme des Evangeliums, im Vertrauen auf Gottes eschatologisches Heilshandeln und in der Treue zum Bekenntnis gründet. Die Verklammerung mit der Elpis zeigt, wie sehr die Agape aus der Erwartung der Zukunft Gottes wächst, die vollenden wird, was in Tod und Auferstehung Jesu grundgelegt ist. Agape

ist eine Haltung und Praxis der Christen, die sich aus ihrem Glauben und aus ihrer Hoffnung heraus auf die Parusie Jesu Christi vorbereiten, indem sie dem Willen Gottes gehorsam sind und sein wichtigstes Gebot erfüllen, den Nächsten zu lieben.

c) Die Struktur der Trias

Die innere Einheit der Trias kann nach dem Ersten Thessalonicherbrief nicht darin gesehen werden, daß Pistis die Dimension der Vergangheit, Agape die der Gegenwart und Elpis die der Zukunft christlichen Lebens erfasse.[152] Ohne Frage gibt es Anhaltspunkte für diese Deutung. Dennoch greift sie zu kurz. Alle drei Begriffe sind sowohl je für sich als auch in ihrer wechselseitigen Verbindung durch das eschatologische Handeln Gottes bestimmt.[153] Dieses Heilswirken erschließt sich in seiner vollen Dimension nur von der Zukunft her; aus ihr heraus bestimmt es aber den dynamischen Prozeß, der von Jesu Tod und Auferweckung her auf die futurische Vollendung hinstrebt. Im Zuge dessen wird der Gegenwart ein völlig neues Gesicht verliehen: Bestimmt durch die Nähe der Parusie, eingespannt in die eschatologische Dialektik zwischen der noch ausstehenden Vollendung und der bereits geschehenen Grundlegung des Heils im Tode und der Auferweckung Jesu Christi, ist die Gegenwart die Zeit der Erwartung und Bewährung, die Zeit aber auch der universalen Evangeliumsverkündigung und der Erfahrung des Geistes. Von diesem eschatologischen Gesamtgeschehen sind Glaube, Liebe und Hoffnung, ist auch die Trias als ganze bestimmt. Der Glaube erweist sich im Blick auf die Vergangenheit als Annahme des Evangeliums von Tod und Auferweckung Jesu, im Blick auf die Gegenwart als festes Standhalten in allen Bedrängnissen und als treuer Dienst Gottes (1,9f), im Blick auf die Zukunft aber als Erwartung des Sohnes Gottes als des endzeitlichen Retters aus den Himmeln (1,10). Die Liebe äußert sich in den jeweils konkreten zwischenmenschlichen Beziehungen; insofern sie aber durch das Wirken des Geistes möglich wird und die Erfüllung des eschatologischen Willens Gottes anstrebt, realisiert sie in ihren gegenwärtigen Vollzügen sowohl die Fundierung christlicher Existenz im Grundgeschehen des Todes wie der Auferweckung Jesu als auch die Ausrichtung christlicher Existenz auf die Zukunft Gottes (vgl. 3,12f).

---

[152] Anders die o. S. 21 Anm. 50 Genannten.

[153] *J. Becker* (Feindesliebe 12f) stellt zu Recht darauf ab, daß Glaube, Hoffnung und Liebe Antwort auf die widerfahrene Erwählung sind, bleibt aber in seinen Definitionen zu unbestimmt, wenn er Glaube als „Antwort auf das Evangelium", „Liebe als Konkretion der Heiligung" und „Hoffnung als Folge der Erwählung" erläutert.

Die Hoffnung schließlich besteht im Warten auf die eschatologische Rettung ebenso wie in der Geduld, die alle gegenwärtigen Widrigkeiten überwindet, und im Vertrauen darauf, daß aus der Grundlegung des eschatologischen Heils in Jesu Tod und Auferweckung die eschatologische Vollendung erwachsen wird.
Der enge Verweisungszusammenhang von Glaube, Liebe und Hoffnung schließt ein, daß jedes einzelne Glied jeweils auf seine Weise unter einem bestimmten Aspekt das Ganze des christlichen Lebens artikuliert: der Glaube, insofern er die gesamte Existenz im Vertrauen auf Gott festmacht und am Bekenntnis zum Evangelium ausrichtet, die Hoffnung, insofern sie aus der Erwartung der zukünftigen Vollendung die Kraft geduldigen Standhaltens schöpft, die Liebe, insofern sie das in Glaube und Hoffnung gesprochene Ja zum Evangelium in den zwischenmenschlichen, vor allem den innergemeindlichen Lebensvollzügen vollziehen und bewahrheiten will.
In wechselseitiger Differenzierung und Durchdringung werden Glaube, Liebe und Hoffnung zum Signum christlichen Lebens in der Ekklesia. Deshalb begründet Paulus mithilfe der Trias in 1,3 das Lob der Gemeinde und den Dank an Gott, während er sie in 5,8 zur entscheidenden Präzisierung der Forderung werden läßt, nüchtern und wachsam der Parusie des Kyrios entgegenzublicken.

V. Die Trias im Ersten Korintherbrief (13,13)

Im Ersten Korintherbrief bildet die Trias den Schlußsatz des „Hohenliedes der Agape" (13,13). Anders als im Ersten Thessalonicherbrief ist nicht die Hoffnung, sondern die Liebe das letzte Glied. Auf ihm liegt der Akzent. Durch die Aussage, die Agape sei von den Dreien am größten, wird sie eigens hervorgehoben. Damit stellt sich die Frage nach dem Gewicht, dem inneren Gefüge und dem Skopos der Trias neu.
Der Weg der Interpretation führt über die Analyse des situativen und literarischen Kontextes von 1Kor 13,13.

1. Der Kontext der Trias: Das „Hohelied der Liebe" im Rahmen von 1Kor 12–14

1Kor 13,13 gehört zu dem Abschnitt des Briefes, in dem Paulus auf eine schriftliche Anfrage aus Korinth wegen der Geistesgaben eingeht (12,1). Der Passus umfaßt die Kapitel 12–14. 1Kor 13[1] ist nicht erst von einem nachpaulinischen Redaktor eingeschoben worden, sondern ursprünglicher Bestandteil des Textes.[2]

a) Der Anlaß der Paraklese in 1Kor 12–14

Die Frage, die aus Korinth an den Apostel herangetragen wird, signalisiert ein Problem, das sich als Kehrseite der intensiven Geist-Erfahrungen in der Gemeinde darstellt. Der Apostel setzt sich mit der in Korinth weit verbreiteten Auffassung auseinander, nur diejenigen seien wirklich „Pneumatiker" (14,37; vgl. 3,1), die in außerordentlicher, geradezu spektakulärer Weise begabt sind, ihr Christsein auszudrücken: sei es durch verzücktes Zungenreden (vgl. 12,10.28.30; 13,1.8; 14,2.4ff.9 u.ö.), sei es durch die Kenntnis tiefer Christus-Mysterien, die anderen verborgen bleiben (13,2.8f; 14,2; vgl. 2,1.7), sei es durch Wundertaten (13,2; vgl. 12,9.28.29),

---

[1] Wichtige Gesamtdarstellungen sind *A. v. Harnack*, Lied; *E. Lehmann – A. Fridrichsen*, 1Kor 13; *K. Barth*, Auferstehung; *R. Bultmann*, Barth 49ff; *G. Bornkamm*, Weg; *H. Schlier*, Liebe; *C. Spicq*, Agapè II 53–120; *R. Kieffer*, Primat; *U. Schmid*, Priamel 118–138; *B. Gerhardsson*, 1Kor 13; *O. Wischmeyer*, Weg; *S. Pedersen*, Agape.

[2] Vgl. (mit den meisten) *H. Merklein*, Die Einheitlichkeit des ersten Korintherbriefes (1984), in: ders., Studien 345–375: 368f; gegen *J. Weiß* (1Kor 309ff.321) und einige andere, die ihm gefolgt sind. Das ausschlaggebende Argument ist die enge Verzahnung von 13,1–3 und 8–12 mit dem engeren Kontext.

sei es auch durch selbstlose Weggabe des gesamten Besitzes für die Armen und gar die Bereitschaft zum Martyrium (13,3). Diese Symptome eines pneumatischen Enthusiasmus führen zu nicht unerheblichen Problemen: Die scheinbar weniger begabten Gemeindeglieder werden unterschätzt und glauben am Ende selbst, nicht im Vollsinn Glieder der Ekklesia zu sein (12,15–19); die „Pneumatiker“ stehen in der Gefahr, sich von den anderen Christen zu isolieren, den Blick für die Realitäten zu verlieren und die Bedeutung der scheinbar weniger Begabten zu unterschätzen (12,20ff); der Gottesdienst gerät erheblich in Mitleidenschaft (Kap. 14).

Es wäre zu kurz gegriffen, wollte man das Problem, das der Apostel zu lösen hat, in moralischen Kategorien wie Hochmut, Stolz und Selbstüberhebung beschreiben. Daß die „Pneumatiker“ *bona fide* gehandelt haben, duldet kaum einen Zweifel. Was sie über die Geistesgaben und ihre Träger gedacht haben, ist in Korinth weithin akzeptiert worden. Tatsächlich hat sich der Apostel mit einer durchaus profilierten und faszinierenden Sicht christlicher Existenz auseinanderzusetzen. Das wird noch deutlicher, wenn man 1Kor 12–14 in den Kontext des gesamten Briefes stellt. Es zeigt sich dann, daß es in der Gemeinde eine starke Strömung gegeben hat, die klare Unterscheidungen trifft: zwischen einem unmündigen (vgl 3,1), „fleischlichen“ (3,1) und „schwachen“ (4,10; 8,7ff), deshalb defizienten Christsein auf der einen Seite und einem „vollendeten“ (2,6; vgl. 4,8), „starken“ (4,10; 10,22; vgl. 8,7ff) und pneumatischen (3,1; 14,37; vgl. 12,1), deshalb allein authentischen Christsein auf der anderen Seite.

Der korinthische Pneuma-Enthusiasmus weist, wie er in 1Kor 12–14 vorausgesetzt wird, vier Merkmale auf:

- Er neigt zu einer individualistischen Sicht christlicher Existenz (vgl. 12,12–27).
- Er vertritt eine spiritualistische Soteriologie, die aus einem Leib-Seele-Dualismus hervortritt (vgl. 6,13)[3] und sakramentalistisch eingefärbt ist (vgl. 10,1–13)[4].
- Er tendiert zu einer Identifizierung von Pistis und Gnosis (vgl. 13,1ff; auch 8,1ff).
- Er favorisiert eine präsentische Eschatologie, nach der es kraft des

---

[3] Vgl. *G. Sellin*, Auferstehung.

[4] Vgl. *H. v. Soden*, Sakrament und Ethik bei Paulus. Zur Frage der literarischen und theologischen Einheitlichkeit von 1Kor. 8–10 (1951), in: K.H. Rengstorf in Verbindung mit U. Luck (Hg.), Das Paulusbild in der neueren deutschen Forschung (WdF 24), Darmstadt 1982, 338–379: 361–364; *G. Bornkamm*, Herrenmahl und Kirche bei Paulus (1956), in: ders., Studien zu Antike und Christentum. Gesammelte Aufsätze II (BevTh 28), München [3]1970, 138–176; *H.-J. Klauck*, Herrenmahl und eucharistischer Kult. Eine religionsgeschichtliche Untersuchung zum ersten Korintherbrief (NTA 15), Münster [2]1986 ([1]1982), 257.283.296f.

Pneuma möglich sein soll, bereits in der Gegenwart die ganze Fülle des Heils zu erfahren (13,10).[5]

Die Phänomene erklären sich nicht zuletzt aus innerchristlichen Erfahrungen und Überzeugungen. Die Begeisterung der Anfangszeit spielt eine Rolle, das Phänomen reicher charismatischer Begabungen, auch die genuin paulinische Verkündigung des Geistes Gottes als Gnadengeschenk, das bereits gegenwärtig Heilserfahrungen möglich macht. Dennoch reicht es nicht aus, mit einer rein innergemeindlichen Weiterentwicklung paulinischer Themen[6] oder gar der Treue zu einem (angeblichen) frühpaulinischen Enthusiasmus[7] zu rechnen. Vielmehr spielt eine entscheidende Rolle, daß sich ein erheblicher Teil der Gemeinde von paganer Mysterienreligiosität, aber auch von hellenistisch-jüdischer Weisheitsspekulation und umgekippten apokalyptischen Erwartungen hat inspirieren lassen – im besten Glauben, dadurch einen vertieften Zugang zum Evangelium zu gewinnen.[8]

Für den Apostel ergibt sich aus der Situation in der Gemeinde eine große Aufgabe: Er muß nicht nur darauf dringen, daß die Korinther auch im Umgang mit ihren Geistesgaben und in ihrem Gottesdienst wieder eine christliche Gemeinschaft werden; er muß sich zugleich mit den theologischen Optionen auseinandersetzen, die zu der problematischen Praxis geführt haben. Deshalb ist 1Kor 12–14 nicht nur ethische Mahnrede, sondern zugleich theologische Reflexion über die Charismen (12,3–11.28ff) und die Ekklesia (12,12–27), den Gottesdienst (Kap. 14), das christliche Glaubensbekenntnis (12,5f.10) und den christlichen Lebensvollzug (Kap. 13).

[5] Vgl. *W. Schrage*, 1Kor I 56f; gegen *G. Sellin*, Hauptprobleme des Ersten Korintherbriefes: ANRW II 25.4 (1987) 2940–3044: 3001–3016 (der die eschatologische Dimension der korinthischen Theologie zu stark ausblendet).

[6] So indes *J. Becker*, Paulus 210.

[7] So jedoch *K. Berger*, Die impliziten Gegner. Zur Methode des Erschließens von „Gegnern" in neutestamentlichen Texten, in: G. Strecker – D. Lührmann (Hg.), Kirche 373–400: 389. Wie der 1Thess zeigt, hat es einen frühpaulinischen Enthusiasmus nie gegeben – wohl eine Hochschätzung pneumatischer Begabungen (5,19), an der sich nie etwas geändert hat.

[8] Einen guten Gesamtüberblick verschafft *W. Schrage*, 1Kor I 38–63.

b) *Die Stellung von 1Kor 13 im Kontext*

Innerhalb des Gedankenganges von 1Kor 12–14 hat das „Hohelied der Liebe" eine Schlüsselstellung inne.[9] Kapitel 12 bringt die theologische Klärung des Charisma-Begriffs: Paulus bestimmt die Herkunft der Gnadengaben (12,4ff.8–11) und ihren Ort innerhalb der als Leib Christi vorgestellten Ekklesia (12,12–27), ansatzweise auch ihre Rangordnung (12,28ff). In Vers 7 hat der Apostel bereits darauf hingewiesen, daß die Charismen gegeben sind, um anderen zu nützen, d. h. um andere in ihrem Christsein zu unterstützen. Kapitel 14 führt diesen Gedanken fort und exemplifiziert im Blick auf den christlichen Gottesdienst am Beispiel von Prophetie und Glossolalie, daß sich die Qualität der Charismen und des Umgangs mit ihnen allein an einem Kriterium bemessen läßt: Was tragen sie zur „Auferbauung" der Gemeinde bei? Inwieweit helfen sie Christen und Nicht-Christen (vgl. 14,22–25), das Wort Gottes zu verstehen und die ekklesiale Gemeinschaft als Ort der pneumatischen Wirksamkeit Gottes zu erfahren?

In 1Kor 13 verbindet sich das parakletische mit dem theologischen Interesse des Apostels. *Zum einen* gibt das Kapitel der Mahnung zum rechten Gebrauch der Charismen, der den gesamten Passus durchzieht, die genaue Richtung und die erforderliche theologische Tiefenschärfe. Mit 1Kor 13 stellt Paulus klar: Beim Problem, die angemessene Einstellung zu den Gnadengaben zu finden, geht es im Grunde um ein Problem der Agape. Ausdrücklich heißt es als Überschrift von Kapitel 14: „Jagt der Liebe nach!" (14,1).[10] Allein Agape kann die Gemeinde auferbauen (vgl. 1Kor 8,1). Allein Agape vermag anderen Nutzen zu bringen (vgl. 10,23 vor dem Hintergrund von 8,1ff). Sie ist der „höchste Weg" (12,31)[11], den die Korinther einschlagen müssen, wenn sie mit den ihnen verliehenen Gnadengaben anderen nützen wollen und nach „größeren" Gnadengaben su-

[9] Die paulinische Verfasserschaft läßt sich angesichts der Thematik, des Vokabulars und des Reflexionsgrades nicht bestreiten; gegen *E. L. Titus*, Did Paul Write I Corinthians 13? JBR 27 (1959) 299–302; auch *E. Lehmann – A. Fridrichsen*, 1Kor 13, S. 60. Letzerer hat allerdings später seine Ansicht revidiert: The Problem of Miracle in the Primitive Christianity (frz. 1924), Minneapolis 1972, 138f.

[10] Der Vers ist nicht sekundär, wie *J. Weiß* (1Kor z.St.), meint, der die Aufforderung „unerträglich matt" findet.

[11] Zur superlativischen Übersetzung von καθ' ὑπερβολὴν ὁδόν vgl. *C. Spicq*, Agapè II 65. Das ἔτι widerspricht dem nicht; anders *H. Conzelmann*, 1Kor 254 Anm. 53.

chen[12], die der Auferbauung der Ekklesia noch mehr dienen können.[13] *Zum anderen* führt der Apostel mit 1Kor 13 aber auch die theologische Erörterung der Charismen, die er in 1Kor 12 begonnen hat, einen entscheidenden Schritt weiter. In 13,1–3 stellt er klar, daß sie vor Gott nur in dem Maße Geltung haben, wie sie von Agape bestimmt sind. Das begründet die These von 12,7 und ermöglicht den parakletischen Duktus von 1Kor 14, stimmt aber auch zur ekklesialen Reflexion der Charismen in 1Kor 12,12–27 und zu ihrer Rückführung auf das Pneuma, wie Paulus es versteht: als Schöpfungsmacht Gottes, die gerade durch den auferweckten Gekreuzigten zum Ausdruck kommt. Damit ist der Auftakt des Hohenliedes zugleich Polemik gegen den korinthischen Pneumatismus[14]: Paulus nennt gerade die in der Gemeinde besonders hoch geschätzten Geistesgaben, die scheinbar schon aus sich heraus die Präsenz des Pneuma dokumentieren – um zu betonen, daß sie erst durch die Agape wirksam werden.
Auf derselben Linie liegt 13,8–12. Hier stellt Paulus klar, daß die Charismen Gegebenheiten des *jetzigen* Äons sind. Obwohl ohne Frage Gaben des Geistes, ermöglichen sie dennoch nicht mehr als eine änigmatische Wahrnehmung der Herrlichkeit Gottes und eine gebrochene Artikulation der Heilserfahrung. Deshalb werden sie aufhören, wenn die Vollendung kommt – anders als die Agape, die niemals vergeht (V. 8a). Auch 13,8–12 enthält eine scharfe Kritik des Pneuma-Enthusiasmus. Doch denkt Paulus nicht daran, die Charismen abzuqualifizieren.[15] Dadurch, daß er sie unter den eschatologischen Vorbehalt stellt, schafft er überhaupt erst die Voraussetzung dafür, daß sie als geschichtliche Individuationen der Gnadenmacht wahrgenommen und dann als Chance, dem Nächsten zu dienen, angenommen werden.
1Kor 13 ist also ein unverzichtbarer Bestandteil der paulinischen Argumentation und Paraklese in 1Kor 12–14. Durch seinen Kontext erhält das „Hohelied der Agape" eine starke polemische Note. Gleichzeitig weist es aber weit über den konkreten Anlaß der Erörterungen hinaus. Es erschließt

---

[12] 12,31a ist ein Imperativ, kein Indikativ; vgl. *H. Conzelmann*, 1Kor 254; *J. Kremer*, „Eifert aber um die größeren Charismen!" (1Kor 12,31a): ThPQ 128 (1980) 321–335: 327f; *M. Theobald*, Gnade 326; *O. Wischmeyer*, Weg 31ff; *F. G. Lang*, 1Kor 175; *A. Strobel*, 1Kor 197f; anders freilich *G. Iber*, Zum Verständnis von 1Kor 12,31: ZNW 54 (1963) 46–52; *Ch. Wolff*, 1Kor II 116; *W. Klaiber*, Rechtfertigung 218, Anm. 101. 12,31a entspricht der Intention nach Aussagen wie 14,1bc.5.12. Ein Widerspruch zu 12,29f besteht nicht, weil Vers 31a die Größe eines Charismas an paulinischen, nicht an korinthisch-enthusiastischen Maßstäben mißt.
[13] Vgl. *H. Schlier*, Drei 82.
[14] Vgl. *K. Barth*, Auferstehung 47.
[15] Vgl. *S. Pedersen*, Agape 175f.

in einem fundamentalen Sinn, was christliches Leben in der Ekklesia bestimmen kann und soll.[16]

c) Die Trias als Schlußsatz des „Hohenliedes"

1Kor 13 besteht aus drei Abschnitten. Die beiden Rahmenteile (13,1–3.8–12) dienen der Kritik des korinthischen Pneumatismus. Das theologische Zentrum liegt in den Versen 4–7. Sie vereinen eine Vielzahl von Prädikaten, die das Wesen und Wirken der Agape beschreiben. Sie weisen am weitesten über den konkreten Anlaß und die Thematik des engeren Kontextes hinaus. Gleichwohl sind sie Dreh- und Angelpunkt des gesamten Liedes. Sie begründen zum einen die These von 13,1–3, daß vor Gott ohne die Agape alles nichts ist, und zum anderen die Aussage von 13,8, daß die Agape mit dem Kommen der Vollendung nicht hinfällig wird, sondern bestehen bleibt. 13,4–7 trifft aber auch die parakletische Kernaussage der gesamten Kapitelfolge 12–14. Inwiefern die Agape der höchste Weg ist (12,31) und weshalb alles darauf ankommt, ihr nachzujagen (14,1), ergibt sich aus dem Mittelstück von 1Kor 13.
Die Trias bildet den betonten Schlußsatz des „Hohenliedes". Einerseits ist sie ein wenig vom Vorhergehenden abgesetzt. Das einleitende „nun aber" markiert einen neuen Einsatz. Vers 13 führt auch thematisch über das Bisherige hinaus: Neben der Agape spielen jetzt Pistis und Elpis eine Hauptrolle. Andererseits nimmt die Trias aber Motive auf, die das Hohelied schon zuvor hat anklingen lassen: Daß der Glaube und die Hoffnung genannt werden, weist auf Vers 7 zurück; daß Glaube, Hoffnung und Liebe „bleiben", auf die Verse 1–3 und 8a; daß die Agape aber doch die „größte" von ihnen ist, auf die Prädikationen in den Versen 4–7.
Das Interesse des Apostels gilt auch in 1Kor 13,13 vor allem der Agape. Um so wichtiger ist dann aber die Frage, weshalb er gleichwohl auf die Trias zurückgeht und neben der Liebe den Glaube und die Hoffnung nennt. Eine Antwort setzt die Untersuchung des Pistis- und des Elpis-Verständnisses im Ersten Korintherbrief voraus.

---

[16] In rhetorischer Hinsicht ist 1Kor 13 (ähnlich wie 1Kor 12,12–27) eine *digressio*; vgl. *B. Standaert*, Analyse rhétorique des chapitres 12 à 14 de 1 Co, in: L. de Lorenzi (Hg.), Charisma 23–34: 29. Das schließt jedoch nicht aus, daß das Kap. von zentraler theologischer Bedeutung für die Sequenz 1Kor 12–14 ist. Nach *H. Lausberg* (Handbuch § 341) sind *digressiones* „Exkurse, durch die die ‚quaestiones finitae' einen infiniten Hintergrund bekommen" (im Anschluß an Quint InstOrat 4,3,15).

2. Glaube und Hoffnung nach dem Ersten Korintherbrief

Vom Glauben ist im Ersten Korintherbrief recht häufig die Rede[17], nicht mit demselben Nachdruck wie später im Galater- und im Römerbrief, aber an einigen Stellen doch mit einiger Betonung und jedenfalls in charakteristischer Färbung[18]. Dagegen findet sich das Stichwort Elpis nur selten[19]; und dort, wo es theologisch betont wird, steht es immer in enger Verbindung mit dem Glauben: in 1Kor 13 ebenso wie in 1Kor 15. Deshalb ist es angezeigt, vom Verständnis der Pistis im Ersten Korintherbrief auszugehen und bei der Behandlung von Kap. 15 das paulinische Verständnis der Hoffnung mit in die Untersuchung einzubeziehen.

a) Pistis als konsequentes Festhalten am Evangelium

Wie der Erste Thessalonicherbrief bezeugt auch der Erste Korintherbrief die weit verbreitete Sprachregelung des hellenistischen Judenchristentums: Glaube ist eine umfassende Bestimmung des Christseins (1,21; 14,22); Glaube besteht grundlegend in der Annahme der christlichen Verkündigung und in der Bekehrung zum Evangelium (3,5; 15,2.11). Während aber der Erste Thessalonicherbrief vor diesem Hintergrund Pistis zentral als Glaubens*treue* verstanden hat, finden sich davon im Ersten Korintherbrief nur noch zwei schwache Reflexe.

Nach *1Kor 15,1f* gehört zum Glauben, im einmal angenommenen Evangelium, das die Manifestation der rettenden Kraft Gottes ist (15,1ff; vgl. 1,17f.21; Röm 1,16), festen Stand gewonnen zu haben (vgl. 1Thess 3,8). Paulus denkt freilich, wie der Kontext zeigt (15,14.17), weniger an Bedrängnisse von außen als an Gefährdungen von innen, die zu einer Unsicherheit *in rebus fidei* führen[20] (vgl. 10,12f; Phil 1,27; 4,1; Gal 5,1; Röm

---

[17] Das Substantiv steht in 2,5; 12,9; 13,2.13; 15,14.17; 16,13 (davon 12,9 und 13,2 in der Bedeutung charismatischer Glaubenskraft), das Verb in 1,21; 3,5; 9,17; 11,18; 13,7; 14,22; 15,2.11 (davon 9,17 in der Bedeutung „anvertrauen“ und 11,18 in der Bedeutung „für wahr halten“). Das Adjektiv bezeichnet die Treue Gottes in 1,9 und 10,15, die Zuverlässigkeit christlicher Verkündiger in 4,2.17, speziell des Apostels in 7,25.

[18] In den einschlägigen Arbeiten zum paulinischen Glaubensbegriff (s. o. S. 18, Anm. 42) sind nahezu durchweg die Gal und Röm-Stellen hermeneutisch leitend. Es ist aber durchaus fraglich, ob deren Glaubensbegriff, der entscheidend durch den Nomismus-Streit geprägt ist, auch im (zeitlich früher liegenden und situativ anders eingebundenen) 1Kor vorausgesetzt werden darf.

[19] Das Substantiv in 9,10 und 13,13, das Verb in 13,7; 15,19; und 16,7.

[20] Vgl. *A. v. Dobbeler*, Glaube 183.

11,20; 14,4). Zum Glauben gehört deshalb das Festhalten[21], das treue Bewahren und stete Bekennen des verkündeten Wortes.

Ähnliche Akzente setzt die Schlußmahnung *16,13*:

> Wacht,
> steht fest im Glauben,
> seid mannhaft,
> erstarkt.[22]

Die Imperative sind topisch und dennoch auf die korinthische Situation abgestimmt.[23] Ähnlich wie in 15,1f (vgl. 15,58) verbindet sich Pistis mit Standhaftigkeit. Der Zusammenhang mit den Mahnungen zur Wachsamkeit (vgl. 1Thess 5,1–11), zur Mannhaftigkeit und Stärke, der auch traditionsgeschichtlich eng geknüpft ist[24], läßt darauf schließen, daß es um die Bewährung des Christseins in der Bedrängnis geht. Allerdings ist im Ersten Korintherbrief vom Druck, den die Umwelt auf die Christengemeinde ausübt, nur wenig die Rede. Betrachtet man die Glaubensmahnung vor dem Hintergrund des gesamten Schreibens, zu dessen Zusammenfassung sie gehört, ergibt sich, daß Pistis die konsequente Orientierung am Evangelium meint, die sowohl das Credo als auch die Lebensführung betrifft[25] und besonders dort bewährt werden muß, wo die Korinther in der Versuchung zum Enthusiasmus und zum Pneumatismus stehen.

Seine besondere Färbung gewinnt der Glaubensbegriff des Ersten Korintherbriefes in den Kapiteln 1–4 durch den Bezug auf die Kreuzesbotschaft und in Kapitel 15 durch die Verbindung mit der Auferweckungstheologie.

b) Glaube als Bejahung der törichten Kreuzesbotschaft und Überwindung des falschen „Sich-Rühmens" (1Kor 1–4)

Auch wenn in 1Kor 1–4 vom Glauben nur relativ selten die Rede ist (1,21; 2,5; 3,5)[26], kommt ihm entgegen dem ersten Augenschein doch erhebliche Relevanz zu. Ein deutliches Signal ist, daß Paulus seinen ersten Argumen-

---

[21] Zu κατέχειν vgl. ausführlich *J. M. Gundry Volf*, Perseverance 271–277.

[22] V. 14 fährt fort: „Alles unter euch geschehe in Liebe".

[23] Vgl. *Ch. Wolff*, 1Kor II 224; *A. Strobel*, 1Kor 268f.

[24] Vgl. Ps 26,14^{LXX} (Mannhaftigkeit und Geduld); 30,25^{LXX} (Mannhaftigkeit und Hoffnung); ferner 2Reg(Sam) 10,12 sowie 1Reg(Sam) 4,9.

[25] Vgl. *A. v. Dobbeler*, Glaube 181f (der jedoch das Thema des eschatologischen Kampfes zu stark in den Text einträgt).

[26] Sachparallelen sind (1.) das Sich-Rühmen im Kyrios (1,31: Jer 9,22f) und (2.) die in 2,9 mit einem (apokryphen) Schriftzitat erwähnte Gottesliebe; vgl. *Th. Söding*, Gottesliebe 224–228.

tationsgang (1,1–2,5), der die entscheidende Orientierung bringt, mit dem Satz beschließt (2,4f):

4 Mein Wort und meine Verkündigung (bestand)
nicht in überredenden Worten der Weisheit,
sondern im Erweis des Geistes und der Kraft,
5 damit euer Glaube nicht in der Weisheit von Menschen (gründe),
sondern in der Kraft Gottes.

Der elementare Zusammenhang zwischen dem Evangelium und dem Glauben gewinnt in 1Kor 1–4 scharfe Konturen – entscheidend durch die Explikation des Evangeliums als „Wort vom Kreuz" (1,17f), dann durch die anthropologische Wendung der Kreuzestheologie in die Kritik des falschen Sich-Rühmens (1,29ff)[27]. Beides versteht sich vor dem Hintergrund des Problems, das Paulus in den ersten Kapiteln des Briefes behandelt[28].

(1) Der Ansatz der Kreuzestheologie in 1Kor 1–4

Paulus weiß darum, daß die Gemeinde sich zu spalten droht (1,10ff). Dafür macht er die Protagonisten einer forcierten Weisheitstheologie verantwortlich (vgl. 1,17–25; 2,6–16; 3,18ff), die im Hochgefühl pneumatischer Begabungen und spiritueller Stärken eine Eschatologie vertreten, die den eschatologischen Vorbehalt außer Kraft setzt (vgl. 4,8f), und einer Christologie das Wort reden, die auf den erhöhten „Herrn der Herrlichkeit" fixiert ist (2,8)[29]. Die Nähe zum Pneumatismus, den 1Kor 12–14 kritisiert, liegt auf der Hand.
Die Lösung des korinthischen Problems sieht Paulus in der konsequenten Darlegung des Evangeliums als „Wort vom Kreuz" (1,17f). Sie führt zu einer radikalen Konzentration der christlichen Verkündigung, die geeignet ist, die eschatologische Intensität der Proexistenz Jesu Christi (vgl. 1,13) und die schöpferische Kraft der Gnadenmacht Gottes (vgl. 1,26ff) sichtbar zu machen. Charakteristisch ist aber die scharfe Entgegensetzung zwischen der „Weisheit dieser Welt", die den Korinthern faszinierend erscheint, die

---

[27] Vgl. *W. Thüsing*, Rechtfertigungsgedanke 305.
[28] Zum Anlaß und zur Exegese der Kap. vgl. aus der kaum zu überschauenden Forschungsliteratur neben den Kommentaren *U. Wilckens*, Weisheit und Torheit. Eine exegetisch-religionsgeschichtliche Untersuchung zu 1Kor 1 und 2 (BHTh 26), Tübingen 1959; *ders.*, Zu 1Kor 2,1–16, in: C. Andresen – G. Klein (Hg.), Theologia crucis – signum crucis. FS E. Dinkler, Tübingen 1979, 501–537; *R. Baumann*, Mitte und Norm des Christlichen. Eine Auslegung von 1 Korinther 1,1–3,4 (NTA 5), Münster ²1986 (¹1968); *F. Froitzheim*, Christologie 66–77; *H. Weder*, Kreuz; *H. Merklein*, Bedeutung; *J. Becker*, Paulus 213–221; *J. Theis*, Paulus als Weisheitslehrer. Der Gekreuzigte und die Weisheit Gottes in 1Kor 1–4 (BU 22), Regensburg 1991; ferner *Th. Söding*, Kreuzestheologie 36–45.
[29] Vgl. *H. Conzelmann*, 1Kor 81; *W. Schrage*, 1Kor I 150f.

aber durch das „skandalöse“ (1,23) Heilshandeln Gottes im Kreuz Jesu Christi als Torheit erwiesen wird, und der „Torheit“ Gottes, die sich in der Auferweckung des Gekreuzigten als seine ganze Weisheit, als der Inbegriff seines Heilsratschlusses manifestiert (1,18–25). Deshalb ist Rettung nicht aus dem Vertrauen auf die sogenannte Weisheit, sondern nur aus dem Glauben an die törichte, gerade deshalb aber wirklich der Weisheit Gottes konforme Kreuzesbotschaft zu gewinnen (1,21).

(2) Glaube als Bejahung der törichten Kreuzesbotschaft

Die kreuzestheologische Qualifikation des Evangelium prägt den Glauben zutiefst. Sie präzisiert aber nicht nur den Inhalt seines Bekenntnisses. Sie bestimmt ihn auch seiner Struktur und seinem Vollzug nach. Glaube ist nach 1Kor 1f nicht anders zu denken denn als vollkommener Verzicht darauf, Gott an den Maßstäben menschlicher Erfahrungen zu messen, mögen sie noch so sehr mystisch vertieft oder metaphysisch überhöht sein. Glaube ist vielmehr das Wissen darum, daß Gottes Geheimnis letztlich unergründlich ist (2,1.7); Glaube ist die Erkenntnis, daß Gottes Handeln um der Durchsetzung des universalen Heiles willen die Destruktion aller menschlichen Vorstellungen Gottes voraussetzt; Glaube ist das Bekenntnis, daß Gott sich nirgends anders als im geschichtlichen Ereignis des schändlichen Kreuzestodes Jesu als er selbst mitgeteilt hat;[30] Glaube ist vor allem das Vertrauen, daß Gott sich im Kreuzestod Jesu absolut vorbehaltlos für die Rettung der Verlorenen engagiert (vgl. 1,26ff)[31], um durch den Tod und das Gericht hindurch Leben neu zu schaffen und in eschatologischer Fülle zu vollenden.[32]

---

[30] Vgl. *H. Weder*, Kreuz 150: „Der Glaube ist die Einstimmung darein, daß Gottes Macht in der Ohnmacht des Gekreuzigten sichtbar geworden und also die Weisheit der Welt an ihr Ende gekommen ist.“

[31] Vgl. *Th. Söding*, Welt.

[32] Nach *H. Weder* (Kreuz 165) ermöglicht die Kreuzesbotschaft den Glauben, insofern sie ihn „auf die Externität des Kreuzes (und darin auf die Macht Gottes) statt auf die Internität menschlicher Weisheit gegründet sein läßt“. Doch ist durchaus die Frage, ob die korinthischen „Weisen“ nicht das *extra nos* des Heiles bejaht haben – wenn auch auf *ihre* Weise. Paulus füllt es vom geschichtlichen Ereignis des Kreuzestodes Jesu her, das für ihn freilich nicht nur Ereignis der Vergangenheit, sondern als solches zugleich Ereignis der vom auferweckten Kyrios konstituierten Heils-Gegenwart und Heils-Zukunft ist; die korinthischen „Vollkommenen“ mögen das *extra nos* radikal vom Anwehen des Pneuma aus der Transzendenz Gottes her gefüllt haben – ohne jedoch die Identität des Gekreuzigten mit dem Auferweckten zu sehen. *Hier* liegt das Problem.

(3) Kritik des Selbst-Ruhmes

Polemischen, zugleich aber theologisch präzisen Ausdruck verschafft sich diese Sicht des Evangeliums und des Glaubens in der Kritik jeglichen menschlichen Selbst-Ruhmes vor Gott. Ihm steht als Alternative einzig das Sich-Rühmen im Kyrios gegenüber (1,29ff).[33] Im Gedankengang von 1Kor 1,26–31 erscheinen die Ausschaltung des Selbst-Ruhmes und die Weisung, sich allein im Herrn zu rühmen, geradezu als Ziel des schöpferisch-neuen Heilshandelns Gottes (1,26ff) – weil es Gott darum geht, den Hörern des Wortes eine Antwort zu ermöglichen, die sie seinen wirklichen Heilswillen erfahren läßt.

Sich zu rühmen meint bei Paulus, gegenüber anderen zu preisen, was das eigene Leben begründet, was seine Würde, seinen Wert, seine Hoffnung, seinen Sinn ausmacht.[34] Wenn der Apostel mit Vers 29 jeglichen Selbstruhm vor Gott ausgeschaltet wissen will, kritisiert er ein Selbstbewußtsein, das den Grund des Lebens letztlich nicht in Gott, sondern im eigenen Ich sieht und darauf das Verhältnis zu Gott gründen will. In diesem Selbst-Ruhm sieht Paulus nicht nur eine Versuchung, der jeder Mensch ausgesetzt ist: Gott nicht Gott sein zu lassen, sondern sich selbst vor Gott groß zu machen, um nicht radikal von seiner Gnade abhängig sein zu müssen.[35] Paulus sieht im Selbst-Ruhm auch und gerade eine spezifische Gefahr des korinthischen Weisheits-Pneumatismus. Wie die Parallelen 3,21 und 4,7 unterstreichen, begünstigt die korinthische Sophia-Theologie der „Vollkommenen" (2,6) ein Heils-Vertrauen, das auf eine besondere Bevorzugung oder Befähigung durch Gott setzt. Gerade dieses Selbstbewußtsein führt die Pneumatiker jedoch zu einer verhängnisvollen Fehleinschätzung sowohl ihrer eigenen Person als auch des Verhältnisses zu ihren Mitchristen und vor allem ihrer Gottesbeziehung. Indem sie sich selbst als Vollendete (2,6) rühmen, verkennen sie, daß sie keineswegs schon der ganzen Fülle des Heiles teilhaftig sind (4,6ff), sondern nach wie vor der Sünde Tribut leisten – wie einerseits die Streitigkeiten in der Ekklesia (3,3.21) und andererseits die libertinistischen Anwandlungen zeigen (5,6), beides unmittelbare Folgen ihres unkontrollierten Weisheitsenthusiasmus. Indem die „Vollendeten" eine singuläre Berufung (zur christlichen Weisheit) für sich reklamieren und einen unvergleichlichen Status vor Gott für sich beanspruchen (vgl.

---

[33] *H. Hübner* (Gesetz 91f) macht darauf aufmerksam, daß sich die Thematik des Rühmens im 1Kor nicht im Kontext der Rechtfertigungslehre erklärt.

[34] Neben 1Kor 1,29ff ist vom falschen Selbst-Ruhm noch in 3,21; 4,7; 5,6 die Rede, vom legitimen und notwendigen Sich-Rühmen im Kyrios noch in 9,15f und 15,31 (dort durchweg auf den Apostel bezogen).

[35] Auf dieser Ebene deuten *A. Strobel*, 1Kor 56 („Vermessenheit"; „Selbstüberheblichkeit"); *W. Schrage*, 1Kor I 213 („Eigenmächtigkeit und Leistungsstolz").

4,7a), die anderen Mitchristen aber als „Fleischesmenschen" (3,1) diskreditieren, verkennen sie, daß Gottes erwählender Ruf um der Rettung aller willen *creatio ex nihilo* ist und deshalb die Negierung eines jeden Willens und Anspruchs voraussetzt, der sich gegen dieses grundstürzende und neuschöpferische Handeln Gottes im gekreuzigten Jesus zu etablieren sucht (1,26ff).[36] Indem die „Vollendeten" schließlich ihre eigene Weisheit zum Gegenstand des Rühmens machen, realisieren sie nicht mehr, daß sich alles, was des Rühmens wert ist, Gott allein verdankt (4,7b)[37]; sie lösen die Gabe vom Geber; sie verstehen das Geschenk als Besitz; sie verkennen damit, wer Gott ist und was er für sie wie für die anderen Menschen im Kreuz Jesu getan hat und fortwährend tut.

(4) „Sich-Rühmen" im Kyrios

Die Alternative zum Selbst-Ruhm ist einzig und allein, sich im Kyrios zu rühmen (1,31). Um dies zu unterstreichen rekurriert Paulus in freier Form auf Jer 9,22f^LXX^. „Kyrios" meint in 1,31 Gott.[38] Sich in ihm zu rühmen, heißt, dankbar auszusprechen, daß sich das eigene Leben in allem, was es für gegenwärtige und zukünftige Heilserfahrung offen macht, d.h. in seiner wahren Identität allein dem gnädigen und treuen Gott (1,4–9) verdankt, der seine ganze Weisheit im auferweckten Gekreuzigten mitgeteilt hat (1Kor 1,24). So wenig Paulus in Abrede stellt, daß authentisches Christsein allen Rühmens Wert ist, so sehr ist er bemüht, die Korinther daran zu erinnern, daß es allein Gott ist, der personale Identität im Aufgeschlossensein für das Pneuma (und damit für den Nächsten) stiftet.
Beides, sowohl die Kritik des falschen Selbst-Ruhmes wie die Alternative, sich in Gott zu rühmen, ist christologisch begründet. Das sagt 1,30. Gottes Erwählung und Berufung der Menschen zielt darauf, daß sie „in Christus" leben: im Herrschaftsbereich des auferweckten Gekreuzigten. Denn Jesus Christus ist „von Gott" sowohl „Weisheit" (vgl. 1,24) als auch „Gerechtigkeit wie Heiligung und Erlösung". Durch die Häufung soteriologischer Schlüsselbegriffe in 1,30 soll den Korinthern in Erinnerung gerufen werden, daß es (allein) der auferweckte Gekreuzigte ist, durch den Gott sich in

[36] Vgl. *Th. Söding*, Welt.

[37] Vgl. *W. Schrage*, 1Kor I 337: „Es ist kaum anzunehmen, daß die Korinther ein λαμβάνειν bestritten haben ... Aber sie verstehen das λαμβάνειν nicht radikal und ziehen daraus nicht die rechten Konsequenzen."

[38] Vgl. *J. Weiß*, 1Kor 43; *E. Fascher*, 1Kor I 113. Zwar könnte man aus der Parallele zwischen dem „im Herrn" von V. 31 dem „in Christus" von V. 30 folgern, der Kyrios sei Jesus Christus. Dafür sprächen auch die Parallelen Phil 3,3 und Gal 6,14. Aber der gesamte Duktus in 1Kor 1–2 ist doch theozentrisch, auch die christologische Prädikation in 1,30.

schlechthin umfassender Weise als gnädiger und treuer Gott mitteilt, weshalb die Glaubenden allein „in Christus“ Anteil am Heil erlangen können, das in der eschatologischen Gemeinschaft „mit Christus“ und der durch ihn vermittelten Gemeinschaft mit Gott besteht. Jesus Christus kommt diese Schüsselrolle sowohl aufgrund seiner Sendung und Bevollmächtigung durch Gott zu als auch aufgrund seiner radikalen Proexistenz (1,13; vgl. 8,11; 15,3) und Theozentrik (3,23; vgl. 15,28), durch die er „das ‚Törichte‘ und ‚Schwache‘ Gottes nicht nur passiv an sich erlitten, sondern personal mitvollzogen hat“[39].
Daraus ergibt sich zweierlei. *Erstens* scheitert der korinthische Selbst-Ruhm nicht nur deshalb, weil er faktisch als Besitz reklamiert, was allein Gnade Gottes ist; er scheitert auch deshalb, weil er im Grunde nicht an der Schändlichkeit und Torheit des Kreuzestodes Jesu, an seiner radikalen Armut (2Kor 8,9) Anteil haben will. *Zweitens* ist das „Sich-Rühmen“ in Gott nicht anders denkbar denn als Teilhabe an der Proexistenz und an der Theozentrik Jesu, die im Kreuzestod kulminiert.[40]

(5) Zusammenfassung

Glaube ist nach 1Kor 1,21 und 2,5 die Bejahung der Kreuzesbotschaft, obwohl sie *allen* paganen und jüdischen, aber auch christlichen Vorstellungen pneumatistischer Provenienz strikt zuwiderläuft. Die geläufige hellenistisch-judenchristliche Vorstellung des Glaubens als Annahme des Evangeliums wird dadurch christologisch wie anthropologisch und ekklesiologisch entscheidend vertieft. Glaube ist nach 1Kor 1–4 das Sich-Gründen in der törichten Weisheit (1,18–25) als der rettenden Macht Gottes, die sich im Kreuz Jesu Christi erwiesen hat (1,17f.21.24; 2,5). Deshalb ist Pistis das Gegenteil, mehr noch: die Destruktion und Überwindung der „menschlichen“ Weisheit (1,20ff) und damit des Selbst-Ruhmes (1,29), und eben deshalb vermag dieser auf dem „Wort vom Kreuz“ (1,18) gegründete Glaube in der Gegenwart festen Stand zu verleihen (16,13; vgl. 1Kor 15,1f) und letztendlich zu retten (1,21; vgl. 15,1f).

c) Glaube und Hoffnung im Angesicht des Todes (1Kor 15)

In 1Kor 15, dem Kapitel über die Auferstehung der Toten, spielen sowohl der Glaube (15,2.11.14.17) als auch die Hoffnung (15,19) eine wichtige Rolle. Paulus begründet in 1Kor 15, wie Glaube und Hoffnung trotz des Todes möglich sind. Anders formuliert: Der Apostel zeigt, welche Gestalt der Glaube und die Hoffnung annehmen, wenn Gott sich entschlossen hat,

---

[39] *W. Thüsing*, Rechtfertigungsgedanke 310.
[40] Vgl. *W. Thüsing*, Gott II: Per Christum 17.

zur Aufrichtung seiner umfassenden Heilsherrschaft (15,20–28) auch den Tod in jeder Gestalt zu überwinden – und zwar durch Jesus Christus, den er von den Toten auferweckt hat (15,3–5).

Den Anlaß der Ausführungen bildet die These einiger Korinther, „die sagen: Eine Auferstehung der Toten gibt es nicht" (15,12). Dieser Satz signalisiert kaum noch einmal ein Problem, wie es die Thessalonicher gehabt haben.[41] Ebensowenig ist er Ausdruck eines grundsätzlichen Skeptizismus.[42] Vielmehr meldet sich mit ihm eben jener Pneumatismus zu Wort, der auch im Hintergrund von 1Kor 1–4 und 12–14 zu beobachten ist. Durch 1Kor 15,12 werden zwei seiner Aspekte in ihrer wechselseitigen Verbindung besonders deutlich: *zum einen* die überstarke präsentische Eschatologie, die mit der Taufe (1,13) und der Geistbegabung bereits die volle Zugehörigkeit zur Sphäre der eschatologischen Vollendung glaubt erlangt zu haben[43]; *zum anderen* eine spiritualistische Soteriologie, die das Heil (abgekürzt gesprochen) in der Rettung der Seele durch das Pneuma sieht und deshalb die Auferstehung *des Leibes* ablehnt[44]. Beides ist eng miteinander verbunden.[45] Es führt zu einer individualistischen Sicht der Erlösung; und es verweist auf eine Christologie, die sich in den Gedankengängen jüdisch-christlicher Weisheitsspekulationen verirrt, so daß sie die Identität des Pneuma-Christus (vgl. 15,45) mit dem Gekreuzigten nicht mehr zu sehen vermag.

Um die korinthische Position als irrig zu erweisen, muß Paulus in umfassender Weise den Grund, das Mittel und das Ziel der eschatologischen Heilsvollendung thematisieren. Das geschieht in 1Kor 15. Paulus bringt gegen die korinthischen Enthusiasten zum einen die *geschichtliche Realität* menschlichen Lebens zur Geltung: Auch die Glaubenden sind nach wie vor den Unheilsmächten des Todes und der Sünde (nach 1Kor 15,56 auch des Nomos[46]) ausgesetzt (15,30–34.42ff). Zum anderen führt der Apostel vor Augen, daß es der universalen Überwindung des Todes (durch die endzeit-

---

[41] So jedoch *A. Schweitzer*, Die Mystik des Apostels Paulus (UTB 1091), Tübingen 1981. Nachdr. der Ausg. v. 1930, 54.93f.

[42] So jedoch *W. M. L. De Wette*, 1Kor 128f; ähnlich *S. Heine*, Leibhafter Glaube. Ein Beitrag zum Verständnis der theologischen Konzeption des Paulus, Wien u. a. 1976, 193.

[43] Vgl. *J. Becker*, Auferstehung 74ff. Gnostische Weiterführungen der korinthischen Positionen belegen die Antithese von 2Tim 2,18; Rheg (NHC I 4/49,15f); EvPh 76.90 (NHC II 3/56,25f; 73,1–8).

[44] Vgl. *P. Hoffmann*, Die Toten in Christus 242f; *G. Sellin*, Auferstehung 30–37. Eine ähnliche Position verwirft später *Justin* Dial 80.

[45] Vgl. *W. Schrage*, 1Kor I 57–60; auch *F. G. Lang*, 1Kor 218.

[46] Vgl. *Th. Söding*, „Die Kraft der Sünde ist das Gesetz" (1Kor 15,56). Anmerkungen zum Hintergrund und zur Pointe einer gesetzeskritischen Sentenz des Apostels Paulus: ZNW 83 (1992) 64–74.

liche Auferstehung der Toten) bedarf, wenn Gott „alles in allem" sein will (15,20–28)[47]. Schließlich macht der Apostel damit ernst, daß dieses Heil nicht mythologisch in der Angleichung an den Archetyp eines Pneuma-Christus[48] begründet ist, sondern nur in einem schöpferischen Handeln Gottes durch den „zweiten Adam" Jesus Christus, der durch die Auferweckung von den Toten zu lebenschaffendem Pneuma geworden ist (15,45f).

Auf dieser theologischen Basis begründet Paulus *zuerst* (in 15,12–34), daß der Sieg über den Tod (15,55) immer nur durch das Sterben hindurch errungen werden kann, aber kraft der Auferweckung Jesu Christi von den Toten auch tatsächlich errungen wird (15,20–28), *sodann* (in 15,35–49), daß die Auferweckung nur als Auferweckung des Leibes gedacht werden kann und am Ende tatsächlich als Metamorphose des irdischen in einen pneumatischen Leib geschehen wird. Der entscheidende Grundgedanke, der die gesamte Argumentation trägt, ist der, daß die Auferweckung Jesu von den Toten das entscheidende Mittel zur Aufrichtung der universalen Heilsherrschaft Gottes ist und deshalb nicht in sich selbst ruht, sondern darauf zielt, daß der auferweckte Jesus Christus in der Kraft des Geistes umfassendes Heil für Lebende und Tote schaffen wird.

Vom Glauben ist in 1Kor 15 an zwei Stellen die Rede: in der *narratio* 15,1–11 und in der *refutatio* 15,13–19. Die *narratio* dient, vor allem mit dem *Credo* von 15,3–5, der christologischen Grundlegung der gesamten Argumentation[49]. Hier rekurriert Paulus auf das allgemeine hellenistisch-judenchristliche Glaubensverständnis, das Pistis als Annahme des Evangeliums versteht, und insistiert auf der Notwendigkeit, das einmal Bejahte auch durchzuhalten und durchzustehen (s. o.).

Daran knüpft der Apostel in der *refutatio* an. Sie weist die korinthische These (15,12) zurück, indem sie deren theologische Widersprüchlichkeit aufweist. Dies geschieht unter der – erst in 15,20–28 begründeten – Voraussetzung, daß es einen untrennbaren Zusammenhang zwischen der Auferweckung Jesu und der Auferweckung der Toten gibt. Der entscheidende Gedanke: Die Leugnung der endzeitlichen Totenerstehung läuft

---

[47] Vgl. *W. Thüsing*, Gott I: Per Christum 243–246.

[48] So die aus 15,45f zu erschließende Position der korinthischen Auferstehungs-Kritiker; vgl. *G. Sellin*, Auferstehung 90–181.

[49] Die Auferweckung Jesu braucht Paulus nicht gegen Gnostizismen neu zu begründen, anders *W. Schmithals*, Die Gnosis in Korinth. Eine Untersuchung zu den Korintherbriefen (FRLANT 66), Göttingen [3]1969 ([1]1956.[2]1965), 340ff. Es ist ihm auch nicht darum zu tun, die „Auferstehung Jesu als ein objektives historisches Faktum glaubhaft zu machen", wie *R. Bultmann* sagt (Barth 54f). Wohl aber hat es den Anschein, als müsse er unterschwellig beharrlich daran erinnern, daß Jesus *von den Toten* auferstanden ist.

faktisch auf die Leugnung der Auferstehung Jesu von den Toten hinaus. Ähnlich wie im Ersten Thessalonicherbrief setzt der Apostel nicht formal bei der Möglichkeit Gottes an, Tote zum Leben zu erwecken[50], sondern bei der soteriologischen Relevanz, die der Auferweckung Jesu kraft der in ihr aufgipfelnden Liebe Gottes zukommt[51].
In diesem Kontext redet Paulus vom Glauben und von der Hoffnung der Korinther. In *Vers 14* sagt er:

> Wenn Christus nicht auferweckt worden ist,
> ist unsere Verkündigung leer
> und leer auch euer Glaube.

Und in *Vers 17* heißt es ähnlich:

> Wenn Christus nicht auferweckt worden ist,
> ist euer Glaube nichtig,
> und ihr seid immer noch in euren Sünden.

Paulus behauptet: Würde die korinthische These zutreffen und könnte deshalb nicht mehr wirklich die Auferstehung Jesu proklamiert werden, wäre ebenso wie das Kerygma auch die Pistis „leer" (V. 15): Sie wäre ihres eigentlichen Inhalts beraubt. Dann aber wäre sie auch „nichtig" (V. 17): Sie könnte das Heil Gottes nicht mehr vermitteln, für das in Vers 17b die Vergebung der Sünden steht. Der Glaube hätte weder Inhalt noch Wirkung; er würde sich in nichts auflösen.
Auf der Kehrseite dieser negativen Aussagen steht zweierlei. Zum einen bestätigt sich die Prägung des Glaubens durch das Grundbekenntnis zum Tode und zur Auferweckung Jesu Christi als dem eschatologischen Heilsgeschehen, das zur universalen Aufrichtung der Heilsherrschaft Gottes (15,28) führt. Zum anderen erweist sich der Glaube als eine Haltung radikalen Vertrauens auf den totenerweckenden Gott, die nicht nur weiß, daß das eigene Heil und das der anderen allein von Gottes Gnade abhängt, sondern auch erkennt, daß die Dynamik des Heilsgeschehens, das in der Auferweckung Jesu von den Toten begründet ist, alle Engführungen und Begrenzungen aufbricht, die von Seiten der Menschen, nicht zuletzt der Glaubenden, aufgerichtet werden.

In ähnliche Zusammenhänge führt es hinein, wenn Paulus in *Vers 19* von der Hoffnung spricht:

> Wenn wir nur in diesem Leben auf Christus gehofft haben,
> sind wir erbarmungswürdiger als alle Menschen.

---

[50] So *H.-H. Schade*, Christologie 193ff.
[51] Vgl. *H. Conzelmann*, 1Kor 313f; *G. Sellin*, Auferstehung 257f.

Dieser Satz[52] bildet das Resümee der *refutatio*. Er setzt nicht voraus, daß die Hoffnung der korinthischen Enthusiasten rein innerweltlich ausgerichtet wäre. Er führt vielmehr deren letzte Konsequenz vor Augen: Die These von 15,12 liefe darauf hinaus, daß man seine Hoffnung nur auf Diesseitiges richten könnte. An der Grenze des Todes würde sie enden. Das Ergebnis wäre, daß die Christen noch mehr zu bedauern wären als die anderen Menschen, die nach 1Thess 4,13 ohnedies „keine Hoffnung haben": nicht nur, weil sie um ihres Christusglaubens willen Entbehrungen auf sich nehmen[53], sondern mehr noch, weil sie mit ihrem Vertrauen auf Gott einer Illusion verfallen wären. Wahre Hoffnung würde sich hingegen gerade auf die Macht Gottes richten, die Grenze des Todes zu durchbrechen und eben dort neues Leben zu schaffen, wo das gegenwärtige ans unausweichliche Ende gekommen ist.

Zusammengenommen:
Glaube und Hoffnung ruhen auf dem Evangelium des Todes und der Auferweckung Jesu Christi (15,3–5). Weil die Auferweckung Jesu Christi aus den Toten die *endzeitliche* universale Totenerweckung impliziert (15,20–28), kann die Hoffnung der Korinther, anders als die Enthusiasten es verstehen, nicht in ihren gegenwärtigen Lebenszusammenhängen aufgehen, und mögen diese noch sehr von der Präsenz des Pneuma-Christus durchleuchtet erscheinen. Fehlt die Perspektive der zukünftigen Vollendung und der universalgeschichtlichen Eschatologie, würde sich die Heilsmacht Gottes in der Gegenwart erschöpfen und nur auf die Erlösung besonders ausgezeichneter Charismatiker gerichtet sein. Dann aber wäre nicht nur der Glaube leer (15,14.17), auch die Hoffnung wäre trügerisch (15,19); beide wären letztlich Chiffren einer Erlösungsideologie, die über die Realität des Todes hinwegtäuscht. Dagegen setzt Paulus sein vom Evangelium her entwickeltes (15,3–11) Pistis- und Elpis-Verständnis. Wie sich der Christ im Glauben rückhaltlos in Gott festmacht, der den Gekreuzigten von den Toten erweckt und darin seinen Willen zur universalen Auferstehung der Toten manifestiert hat, so richtet sich der Christ im

[52] Die Protasis ist voller philologischer Probleme. μόνον bezieht sich nicht auf „hoffen", sondern, wie der Anschluß an V. 18 zeigt, auf „Leben"; vgl. *H. Conzelmann*, 1Kor 315f; *K.M. Woschitz*, Elpis 471; *Ch. Wolff*, 1Kor II 176; anders *U. Luz*, Geschichtsverständnis 336 Anm. 72; *G. Sellin*, Auferstehung 259f. ἐν Χριστῷ ist Objektangabe, nicht Umstandsbestimmung; vgl. *H. Conzelmann*, 1Kor 311; *B. Spörlein*, Die Leugnung der Auferstehung. Eine historisch-kritische Untersuchung zu 1Korinther 15 (BU 7), Regensburg 1971, 69; anders *F. Neugebauer*, In Christus 101; *W. Harnisch*, Existenz 38f; *G. Nebe*, Hoffnung 45.
[53] Vgl. *F. G. Lang*, 1Kor 221.

Hoffen ganz auf die Zukunft Gottes aus und damit auf die Möglichkeit der Rettung nicht nur der eigenen Existenz, sondern auch des Lebens aller anderen Glaubenden.

3. Liebe nach dem Ersten Korintherbrief

Worin die Liebe besteht, die nach 1Kor 13,13 zusammen mit dem Glauben und der Hoffnung „bleibt“ und sogar „am größten“ ist, erhellt vor allem aus 13,4–7[54]:

4 Die Liebe ist langmütig,
gütig ist die Liebe.
Sie ereifert sich nicht,
sie prahlt nicht,
sie bläht sich nicht auf,
5 sie ist nicht schamlos,
sie sucht nicht das Ihre,
sie läßt sich nicht reizen,
sie rechnet das Böse nicht auf.
6 Sie freut sich nicht über das Unrecht,
sie freut sich mit an der Wahrheit.
7 Alles erträgt sie,
alles glaubt sie,
alles hofft sie,
allem hält sie stand.

[54] Für die Agape-Thematik im 1Kor ist darüber hinaus 1Kor 8(–10) wichtig. Dort sind die Antithese zur (aufblähenden) Gnosis, die enge Verbindung mit der Liebe zu Gott (8,3) und der Rekurs auf den Sühnetod Jesu signifikant (8,11). Vgl. dazu *Th. Söding*, Liebesgebot, Kap. C I.

Die Verse, ebenso poetisch wie theologisch, sind die umfangreichste und dichteste Kennzeichnung der Agape aus dem Munde des Apostels.[55] Sie werfen eine Fülle von Fragen auf[56]: Von welcher Liebe ist die Rede? Welche Einstellung und welches Handeln ist ihr eigen? In welchen Situationen gewinnt sie Statur?

Die Aussagen, die 13,4–7 trifft, sind prinzipieller Art. Sie sollen die Agape in ihren Motiven und Wirkungen so charakterisieren, daß ihr *Wesen* erkennbar wird. Zugleich zielen die Verse aber genau auf die Probleme der korinthischen Gemeinde. Bei der Interpretation ist deshalb immer zum einen die grundsätzliche Aussage über die Liebe und zum anderen die aktuelle Stoßrichtung gegen die Mißstände des Enthusiasmus zu bedenken.

a) Agape als eschatologische Macht

Die Liebe, die Paulus in 13,4–7 preist, ist die Nächstenliebe der Christen, die das gesamte Verhalten innerhalb und außerhalb der Ekklesia bestimmen soll (vgl. 16,14). Das ergibt sich aus dem Kontext (12,31; 14,1), ebenso aus allen Prädikaten in 13,4–7a. Dennoch würde man zu kurz greifen, wollte man die Agape in 1Kor 13 *nur* als Grundvollzug der Glaubenden verstehen. Denn einige Prädikate, die der Agape verliehen werden, sind genuin Gottes-Prädikate (13,4ab.5d.6).

---

[55] Die Frage der Gattung muß hier offenbleiben. *G. v. Rad* qualifiziert den Text mit Hinweis auf Dtn 26,13f; 1Sam 12,3 und Hiob 31 sowie TestBenj 6 und Iss 4 als „Bekenntnisreihe“: Vorgeschichte der Gattung von 1Kor 13,4–7 (1953), in: ders., Gesammelte Studien zum Alten Testament (ThB.AT 8), München [4]1971, 281–296; vgl. *U. Schmid*, Priamel 125; *O. Wischmeyer*, Der höchste Weg 182–185.210–213. Doch ist 1Kor 13,4–7 wie TestBenj 6 (über den Willen des guten Mannes) zusammen mit Sap 6 (über die Weisheit), 3Esr 4 (über die Wahrheit), Tyrtaios Fr. 9 (über die Tugend; ed. Diehl Anthologia Lyrica Graeca I) und Plato Sym 197cff sowie MaxTyr 20,2 (über den Eros) besser der (hellenistischen) Gattung der Ekphrasis zuzurechnen; vgl. *K. Berger*, Formgeschichte des Neuen Testaments, Heidelberg 1984, 212f.222.

[56] Für eine Einzelexegese, die an dieser Stelle nicht zu leisten ist, vgl. neben den Kommentaren *C. Spicq*, Agapè II 63–120; *R. Kieffer*, Primat 56–63; *O. Wischmeyer*, Weg 92–116.

Wenn Paulus von der Liebe sagt, sie sei „langmütig" (V. 4a)[57] und gütig (V. 4b)[58] und „rechne das Böse nicht an" (V. 5d)[59], spricht er ihr Qualitäten zu, die in der Tradition biblischer Sprache zuerst Gott eignen und seine Hilfe gegenüber den Armen, seine Geduld mit dem sündigen Israel und seine Bereitschaft zur Vergebung der Sünden bezeichnen. Wenn es von der Liebe heißt, sie freue sich nicht über die Ungerechtigkeit, sondern freue sich mit der Wahrheit (V. 6), steht im Hintergrund, daß *Gott* alle Ungerechtigkeit haßt[60] und der Wahrheit zum Durchbruch verhilft.[61] Und wenn der Apostel davon redet, daß die Agape „niemals fällt" (V. 8a), sondern „bleibt" (V. 13), läßt sich dies nur von der alttestamentlichen Vorstellung der Ewigkeit und der unaufhörlichen Treue Gottes her verstehen.[62]

---

[57] Vgl. bei Paulus selbst Röm 2,4; 9,22, im Neuen Testament noch Lk 18,7 1Petr 3,20; 2Petr 3,9.15 (christologisch: 1Tim 1,16), in der Septuaginta Ex 34,6f und Num 14,18; 2Esr 19,17; Ψ 24,6–10; 30,20; 84,11ff; 85,5.15; 102,4–8; Jon 4,2; 2Makk 15,1ff; Sap 15–19; Sir 2,11 S sowie 4Esr 7,33.

[58] Vgl. bei Paulus selbst Röm 2,4; 11,22; deuteropaulinisch: Eph 2,7; Tit 3,4, im Neuen Testament noch Lk 6,35; in der LXX Ψ 20,4; 24,7; 30,20; 33,9; 67,11; 68,17; 105,1; 108,21; 118,65.68; 135,1 u. ö.; Dan 3,84; Na 1,7; 1Esr 5,58; PsSal 5,13f; 9,7; 18,1f; überdies Philo LegAll 3,73; Det 46.146; Mut 253.

[59] Die Aussage von V. 5fin liegt auf der Linie von V. 4ab; λογίζεται versteht sich von *haschab* her, wie auch die Anspielung an Sach 8,17 zeigt. Vgl. bei Paulus 2Kor 5,19; Röm 4,7f (Ψ 31,1f), aus der Septuaginta vor allem Ψ 31,2, aus frühjüdischer Literatur TestSeb 9,7. Wo von entsprechenden Aufforderungen an Menschen gesprochen wird (Sach 8,17; Sir 28,2; Test Gad 6,7; Seb 8,5 [ἀγάπη]; TestBenj 4,2; 1QH 10,17f), steht zumeist das Motiv der *imitatio Dei* im Hintergrund.

[60] Dies ist ein geläufiger Topos alttestamentlicher und frühjüdischer Theologie (vgl. *G. Schrenk*, Art. ἄδικος.: ThWNT 1 [1933] 150–163: 155f), der sich auch sonst bei Paulus findet: Röm 1,28; 2,8.

[61] Wahrheit ist für Paulus grundlegend ein theozentrischer und offenbarungstheologischer Machtbegriff: die geschichtlich manifestierte eschatologische Selbsterschließung (2Kor 4,2; 6,7; Gal 5,7; Röm 1,18.25; 2,20) des verheißungstreuen (Röm 3,3f; 15,8) Gottes, die sich endgültig durch Christus (Röm 15,8; vgl. 2Kor 11,10) bzw. im Evangelium von Tod und Auferweckung Jesu und der Rechtfertigung des Gottlosen aus Glauben erweist (2Kor 4,2; 7,14; Gal 2,5.14; 4,16); dieses Offenbarungshandeln deckt – wie vor allem der Röm betont – die ganze Misere der von Ungerechtigkeit und Unwahrheit beherrschten Menschenwelt auf (Röm 1,18; 2,2.20; 3,4.7), allerdings auch die Fülle der schon gegenwärtig erahnbaren Heilswirklichkeit Gottes (Röm 15,8). Gerade darin erweist sich die Macht dieser Wahrheit: im Gericht über „alle Gottlosigkeit und Ungerechtigkeit" (Röm 1,18; 2,2; 3,4–7) und, komplementär überbietend, in der Aufrichtung der universalen Doxa Gottes (3,7; 15,8). *Von daher* kann ἀλήθεια dann auch Wahrhaftigkeit meinen, zu der die Menschen, zumal die Christen, verpflichtet sind (vgl. 1Kor 5,8; 13,6; Phil 1,18). Vgl. *R. Bultmann*, Art. ἀληθής κτλ.: ThWNT 1 (1933) 239–251: 243f; *H. Hübner*, Art. ἀληθής κτλ.: EWNT 1 (1980) 138–145: 142f.

[62] Diesen Topos, der sich noch Röm 16,2.6 findet, belegt die LXX etwa in Gen 21,33; Jes 26,4; 40,28; Sus 42; 2Makk 1,25 und bezieht ihn ähnlich wie die übrige frühjüdische Literatur häufig auf bestimmte Attribute Gottes: z. B. Sir 24,9 und Sap 9,9 auf die Weisheit, Sir 17,12 auf den Bund (vgl. Gen 9,16; 17,17; Ex 31,16; Lev 24,8; Hebr 13,20), 4Esr 4,38 auf die Wahrheit, Dan 9,24 auf die Gerechtigkeit

Andere Aussagen lassen deutlich genug christologische Konnotationen erkennen.

An der Textoberfläche treten sie nicht zutage.[63] Dennoch sind sie von Paulus vorausgesetzt.[64] Die Aussagen, daß die Agape nicht das Ihre sucht (V. 5b), sondern alles trägt (V. 7a)[65], sind in dem Kontext, in den Paulus sie stellt, christologisch aufgeladen: Sie erinnern an die freiwillige Erniedrigung und Lebenshingabe Jesu Christi[66], in der sich die Agape Gottes ausgeprägt hat.

Überdies erscheint die Agape in 1Kor 13 nicht nur als Personifikation einer Tugend, sondern als eine Macht, die man „hat" oder „nicht hat" (13,1ff), der man „nachjagt" (14,1) und die das Handeln von Menschen bestimmt (13;4–7). Daraus folgt: Die Agape, die 1Kor 13 thematisiert, ist *im Grunde* die eschatologische Macht der Liebe Gottes, die durch Jesus Christus das Leben der Glaubenden von der Wurzel her und in allen nur denkbaren Dimensionen bestimmt.[67] Genauer noch: Die Liebe, die 13,4–7 preist, ist die Nächstenliebe der Glaubenden, *insofern* sich in ihr die Agape auswirkt, die Gott „durch den heiligen Geist, der uns gegeben ist, in unsere Herzen ausgegossen hat" (Röm 5,5).[68]

(vgl. Bar 4,8.10); weitere Stellen bei *H. Sasse*, Art. αἰών, αἰώνιος: ThWNT 1 (1933) 197–209: 200ff.

[63] Das erklärt die Reserve *H. Conzelmanns*, 1Kor 261.

[64] Vgl. *E. Walter*, Glaube, Hoffnung und Liebe 171; *H. Schlier*, Liebe 191f; *H.-D. Wendland*, 1Kor 107f; *R. Kieffer*, Primat 51; *B. Gerhardsson*, 1Kor 13, S. 208; *O. Wischmeyer*, Weg 115.144.229; *R. Schnackenburg*, Botschaft I 217; *B. Standaert*, 1 Corinthiens 13, in: L. de Lorenzi (Hg.), Charisma 127–139: 132ff; auch *G. Bornkamm*, Weg 111; *F. G. Lang*, 1Kor 181f.

[65] Zur Bedeutung des Verbs s. u. S. 126.

[66] Aufschlußreich sind Phil 2,6 in Verbindung mit 2,3f (vgl. *Th. Söding*, Erniedrigung 24f), 2Kor 8,8f, überdies Gal 6,2, vor allem aber Röm 15,1–13 als theologischer Abschluß der gesamten Paraklese Röm 12–15, die vom Agape-Motiv dominiert wird, schließlich auch 1Kor 8,11 vor dem Hintergrund von 8,1; 10,23f. Vgl. *S. Pedersen*, Agape 171f; auch *Ch. Wolff*, 1Kor II 122.

[67] Diese Differenzierung kommt in den Auslegungen von 1Kor 13 bei *A. v. Harnack* (Lied); *E. Lehmann – A. Fridrichsen* (1Kor 13) und *C. Spicq* (Agapè II 63–120) zu kurz. Vgl. aber *G. Bornkamm*, Weg 110: „So ist die Liebe der Gnadenbereich Gottes, eine Lebensmacht, die in gewissem Sinn eher da ist als die Glaubenden ..."; *ders.*, Paulus 223 („göttliche Macht"); weiter *H.-D. Wendland*, 1Kor 107f; *O. Merk*, Handeln 144f; *O. Wischmeyer*, Weg 115; *S. Pedersen*, Agape 164.181; *F. G. Lang*, 1Kor 181f; *R. Schnackenburg*, Botschaft I 217; *A. Strobel*, 1Kor 199f.

[68] Eine weitere Stütze liefert der Kontext: 1Kor 13 steht inmitten eines Abschnitts, der die Geistesgaben behandelt. Kriterium für den rechten Gebrauch der Charismen kann die Agape aber wohl nur dann sein, wenn sie selbst eine pneumatische Größe ist, die sich der Gnadenmacht Gottes verdankt.

b) Die Praxis der Agape nach 1Kor 13,4–7

In 1Kor 13,4–7 arbeitet Paulus die Fähigkeit der Agape heraus, das Böse zu überwinden – in jeder Form, in der es sich ihr entgegenstellt: sei es als Fehlverhalten anderer, sei es als Versuchung, die im Glaubenden selbst begründet ist, sowohl in seinen persönlichen Schwächen als auch in seinem religiösen Eifer. Dem entspricht das Engagement der Agape für die Realisierung des Guten – wiederum sowohl hinsichtlich des Nächsten als auch hinsichtlich der Person des Liebenden selbst.

(1) Die Agape angesichts der Schuld anderer Menschen

Gegenüber den Verfehlungen anderer erweist sich die Liebe als langmütig und großherzig (13,4a; vgl. 1Thess 5,14; Gal 5,22): Sie kann Schuld ertragen und verzeihen (vgl. 2Kor 2,8)[69] – gerade dann, wenn dies Ausdauer und Geduld erfordert. Auf eben diese Weise zeigt die Liebe ihre Güte (13,4a; vgl. 2Kor 6,6; Gal 5,22): Von sich aus entschlossen, dem Nächsten zu geben, was er braucht, hat sie die Kraft, das Böse, das andere denken und tun, durch das Gute zu überwinden (vgl. Röm 12,21).[70] Langmut und Güte erweist die Liebe nicht zuletzt dadurch, daß sie darauf verzichtet, dem schuldig Gewordenen seine Fehler vorzurechnen (vgl. 13,5d).
In der Situation der korinthischen Gemeinde ist die Vergebung in den Auseinandersetzungen zwischen den vermeintlich „Starken" und tatsächlich „Schwachen" gefragt. Durch seinen Brief läßt der Apostel die Verfehlung der „Pneumatiker" an den scheinbar weniger Begabten (vgl. 12,12–27) ebenso wie die Versündigung der „Starken" an den „Schwachen" im Götzenopferstreit (vgl. 1Kor 8) und die Schuld der Freigeister (1Kor 6,12) an ihrer eigenen Leiblichkeit (vgl. 1Kor 5–6) zutage kommen.
1Kor 13,7a sagt, wie die Agape handelt, wenn sich Konflikte durch die Bereitschaft zur Versöhnung nicht entschärfen lassen. Paulus denkt an die vielfältigen Belastungen, die sich aus dem Christsein ergeben: an den Druck, den die pagane Umwelt auf die Gemeinde ausübt[71], aber auch an die Widrigkeiten, die sich aus innergemeindlichen Problemen ergeben.[72] Die

---

[69] Zum Stichwort „Langmut" (μακροθυμέω) s. o. S. 123 Anm. 57.

[70] Zum Stichwort χρηστεύω vgl. Ψ 111,5 und Philos Tugendkataloge Sacr 27; Virt 84; VitMos 1,249; dazu *C. Spicq*, Notes II 975f.

[71] Auch wenn der 1Kor davon direkt nichts widerspiegelt, dürften sie zur Erfahrungen der Christen Korinths ebenso wie der in Thessalonich und Rom gehört haben. Im „Hohenlied" sind sie an vielen Stellen vorausgesetzt (13,4ab.5d.6a). Vgl. zum Thema *Th. Söding*, Widerspruch.

[72] Symptomatisch ist, was Paulus in der Parallele 1Kor 9 am Beispiel der eigenen Person aufzählt. Die Bandbreite reicht von den Mühen körperlicher Arbeit und

Liebe hat die Kraft, alles zu „ertragen“.[73] Auch dort, wo ihr Wille zur Versöhnung nicht erwidert wird, zahlt sie nicht mit gleicher Münze heim, sondern durchbricht den Regelkreis von Gewalt und Gegengewalt, indem sie das Unrecht, das ihr entgegenschlägt, auf sich nimmt. Die Liebe hat die Kraft, sich ihm auszusetzen, ohne von ihm bezwungen zu werden. Sie kann es annehmen, um es zu überwinden: und sei es (wie Jesus) durch Leiden und Sterben.[74]

(2) Die Agape angesichts der Versuchung zum Bösen

Die Agape hat aber nicht nur die Kraft, die Schuld *des Nächsten* zu überwinden; sie ermöglicht es den Glaubenden auch, das Böse in ihren eigenen Herzen zu besiegen: Sie durchkreuzt die Fixierung der Menschen auf sich selbst und schärft den Blick für das Recht und mehr noch für die Identität des Nächsten, die letztlich darin besteht, daß ihm durch Jesus Christus die Liebe Gottes gilt. Weil die Agape dies bejaht, verhindert sie ein „Sich-Ereifern“ (13,4c)[75], das aus einem fanatischen Überzeugtsein von der Richtigkeit der eigenen Auffassungen erwächst und deshalb weder eine Unterscheidung zwischen der Sache Gottes und der eigenen Absicht trifft noch den guten Willen und die richtigen Einsichten der anderen wahrnimmt.[76] Im Parteienstreit (vgl. 1Kor 3,3) ist dies von besonderer Relevanz.[77] Ebensowenig wie sie sich ereifert, läßt sich die Agape zum Zorn reizen (13,5c): So sehr sie das Böse verurteilt (und so wenig ihr deshalb „heiliger Zorn“ fremd ist), so stark stemmt sie sich gegen den natürlichen Hang, sich durch Ungerechtigkeit derart aufbringen zu lassen, daß die

---

der Sorge für den eigenen Lebensunterhalt (9,6) bis zur Ablehnung, auf die sein Verzicht auf das Unterhaltsrecht eines Apostels in Korinth stößt (vgl. 9,3).

[73] στέγειν heißt in 13,7a ausweislich der Parallele 1Kor 9,12 „ertragen“; vgl. *H. Conzelmann*, 1Kor 265; *Ch. Wolff*, 1Kor II 124; *O. Wischmeyer*, Weg 104f; *A. Strobel*, 1Kor 204. Hingegen plädieren *A. v. Harnack* (Lied 147), *J. Weiß* (1Kor z.St.), *G. Bornkamm* (Weg 102), *H. Schlier* (Liebe 191), *C. Spicq* (Agapè II 92; Notes II 830) für „verschweigen“, *W. Kasch* (Art. στέγω: ThWNT 7 [1965] 585–587: 587) und *F. G. Lang* (1Kor 185) für „bedecken“, *Ch. K. Barrett* (1Kor 304; mit Verweis auf Abot 1,2) votiert für „unterstützen“.

[74] Vgl. *H. Schlier*, Liebe 191.

[75] Wie 1Kor 3,3 zeigt, versteht sich ζηλόω in 13,4c wie das Substantiv ζῆλος in den Lasterkatalogen 2Kor 12,20, Gal 5,20 und Röm 13,13. Die von *J. Weiß* (1Kor 304) vertretene Deutung, Paulus warne vor einer Jagd nach „größeren“ Charismen, scheitert daran, daß weder 12,31a noch 14,1b eine korinthische Parole zugrundeliegt.

[76] Vgl. *H. Schlier*, Liebe 189 (freilich mit der problematischen Auskunft, das Sich-Ereifern sei „eine spezifisch jüdische Neigung“); *A. Strobel*, 1Kor 203.

[77] Vgl. *Ch. Wolff*, 1Kor II 123; *F. G. Lang*, 1Kor 184.

Maßstäbe verzerrt werden[78] und der Zorn sich am Ende gegen (den scheinbar ungerechten) Gott richtet[79]. Schließlich widersteht die Agape auch der Versuchung, durch Prahlerei (13,4d)[80] und Aufgeblasenheit (13,4e; vgl. 8,1; auch 5,2) die eigene Größe herauszustellen. Ganz deutlich zielt Paulus hier auf das Überlegenheitsgefühl derer, die durch besondere rhetorische Fähigkeiten (vgl. 13,1), durch Einsichten in tiefe Glaubensgeheimnisse (vgl. 13,2.8–12) oder durch ekstatisches Zungenreden (vgl. 13,1.8b) meinen glänzen zu können und eben deshalb die anderen, die sie für unmündig (vgl 3,1) und „schwach" (4,10; 8,7ff) halten, mißachten, selbst aber vergessen, daß alles, was des Rühmens wert ist, allein von Gott stammt und allein zum Dienst am Nächsten geschenkt wird.[81]

(3) Die Agape als Engagement für das Gute

Mit der Überwindung des Bösen geht das Engagement für das Gute einher. Vers 6 sagt: So wie der Liebe das Unrechte mißfällt, so findet sie ihre Freude an der Wahrheit[82]. Der erste Versteil stellt klar, daß die Agape das Schlechte weder übersieht noch relativiert, geschweige gutheißt. Im Gegenteil: da sie an seiner Überwindung arbeitet, nimmt sie es in seiner ganzen Unheilsschwere wahr (ohne von ihm erdrückt zu werden). Der zweite Versteil spricht vom Engagement der Agape für jene Gerechtigkeit[83], die in der Wahrheit, d.h. in der Identität Gottes begründet ist, wie sie durch Jesus Christus in Erscheinung tritt[84]. Die Freude der Agape an Gottes Wahrheit zeigt ihre tiefe Übereinstimmung mit seinem Willen. Die Liebe findet Gefallen an dem, was Gott will, weil sie sieht, daß seine Gerechtigkeit das Heil bedeutet.

---

[78] Vgl. *H. Schlier*, Liebe 190 (Die Liebe „kennt nicht das gereizte Wesen, nicht das bittere, nicht das zornige, nicht das wütende Wesen derer, deren Selbstsucht überfordert wird."); *F. G. Lang*, 1Kor 184; auch *A. Strobel*, 1Kor 204.

[79] Diese theozentrische Dimension kommt im Lichte von Num 14,11; 16,30; Dtn 9,7.8; 31,20 und Ps 9,25 herein; vgl. *O. Wischmeyer*, Weg 98f (die jedoch nur diesen Aspekt würdigt).

[80] Vgl. *H. Braun*, Art. περπερεύομαι: ThWNT 6 (1959) 92ff, der zu Recht auf 1Kor 1,17; 2,1; 4,13; 4,19f, die in 1Kor 12.14 vorausgesetzte „schwärmerische" Überschätzung der Glossolalie und auch auf 2Kor 10,10; 11,6 verweist.

[81] Die enge thematische Verwandtschaft mit 1,29ff und 4,7ff ist nicht zu übersehen.

[82] Eine lockere Verbindung zwischen Agape und Wahrheit stellt auch 2Kor 6,6f (innerhalb eines Tugendkataloges) her. Im Frühjudentum ist der Zusammenhang häufig belegt; vgl. nur TestGad 3ff; Jub 7,20.30f.34; 20,2ff.7; 30,3ff.7f; 1QS 1,1–5.9ff; 5,4; 8,2ff.

[83] Der Gegensatz zu ἀδικία zeigt, daß Paulus in 13,6b am *Tun* der Wahrheit, also an der Gerechtigkeit interessiert ist (vgl. *Ch. Wolff*, 1Kor II 124), ohne jedoch deren Fundierung in der Wahrheit Gottes zu übersehen (vgl. *H. Schlier*, Liebe 190f).

[84] Zum theozentrischen und offenbarungstheologischen Begriff der Wahrheit bei Paulus s. o. S. 123 Anm. 61.

Eben deshalb handelt die Liebe nicht schamlos (13,5a). Die Parallelen 1Kor 7,36 und Röm 1,27 zeigen, daß Paulus an das Geschlechtsleben denkt. Von 1Kor 5–6 her geurteilt, liegt es nahe, daß er den sexuellen Libertinismus bei einzelnen Gemeindegliedern kritisiert, der sich zwar die Freiheit eines Christenmenschen zurechnet, aber mit dem Willen Gottes auch sich selbst und den Nächsten verfehlt.[85] In 13,5a geht es aber kaum nur um diese aktuelle Problemstellung. Paulus sagt, daß die Agape prinzipiell und in jeder Situation tut, was „anständig" ist (vgl. 1Thess 4,12). „Anständig" ist für ihn nicht das, was nach herrschender Auffassung als sittlich gut *gilt*[86], sondern das, was gemäß dem Evangelium tatsächlich gut *ist*[87]. Paulus will nicht sagen, daß sich die Agape selbstlos den geltenden Konventionen anpaßt[88]; er sagt, daß die Liebe engagiert die Sache des sittlich Guten vertritt (speziell in der Sexualmoral).
Das setzt voraus, daß die Agape nicht das Ihre sucht (13,5b).[89] Die Kritik am Individualismus und Spiritualismus der Enthusiasten ist nicht zu überhören. Gemeint ist nicht nur, daß die Liebe das Gegenteil jeder Form eines noch so sublimierten Egoismus ist. Gemeint ist vielmehr auch, daß der Liebe ihrem innersten Wesen nach nichts wichtiger ist, als zu verstehen und nach Kräften zu fördern, was für den Nächsten gut ist – auch dann, wenn dadurch die Interessen der eigenen Person zurückstehen müssen.[90] Aber mehr noch: Die Agape will noch nicht einmal *als Liebe* groß sein; vielmehr ist sie als Liebe gerade dann ganz bei sich, wenn sie ganz beim anderen ist. *Darin* findet die Agape der Glaubenden zur Konformität mit der Proexistenz Jesu Christi.[91]

c) Die Nächstenliebe in ihrer Beziehung zu Gott

Die Prädikate in 13,7b–d lenken den Blick direkt auf die (in 13,5c.6 schon implizierte) Gottesbeziehung der Nächstenliebe. Freilich ist die Wendung, daß die Liebe alles glaube und hoffe, nicht ganz klar. Im Lichte von 13,13

---

[85] Vgl. *Ch. Wolff*, 1Kor II 123f; *O. Wischmeyer*, Weg 96f.
[86] So aber *F. G. Lang*, 1Kor 184: „Anstand und Sitte".
[87] Der Gegenbegriff εὐσχημόνως bezeichnet in griechisch-römischer Philosophie das moralisch Gute schlechthin.
[88] So aber *H. Schlier*, Liebe 190.
[89] *S. Pedersen* (Agape 169) sieht in diesem Prädikat nicht ohne ein gewisses Recht das theologische Zentrum von 13,4–7 und der gesamten paulinischen Gemeindebelehrung in 1Kor 12–14.
[90] Auf derselben Ebene liegen 1Kor 10,24 und 10,33: Konkretisierungen der Agape im Kontext des Götzenopferstreits.
[91] S. o. S. 124.

erhellt, daß Paulus vom theologisch gefüllten Begriff des Glaubens[92] und der Hoffnung ausgeht. Er sagt also nicht, daß die Agape dem Nächsten jenseits seiner Verfehlungen immer vertraue und sich von der Hoffnung leiten lasse, er werde sich letztlich zum Guten entscheiden.[93] Dann wäre Liebe wohl allzu naiv. Paulus sagt vielmehr, daß die Agape den Glauben an das Evangelium und die Hoffnung auf Gott ohne jeden Abstrich bejaht: Sie glaubt alles, insofern sie im Dienst am Nächsten reine Offenheit für den Willen Gottes und rückhaltloses Vertrauen auf seine Gnade ist; sie hofft alles, insofern sie im Widerstand gegen die Versuchung zum Bösen, in der Bereitschaft zur Versöhnung und im Engagement für das Gute, das letztlich in der Wahrheit Gottes besteht, die eschatologische Vollendung antizipiert, in der sich Gott von Angesicht zu Angesicht sehen läßt, um sich in seiner Liebe als er selbst zu offenbaren (13,12).[94]
Eben dieses Vertrauen auf Gott ermöglicht es der Liebe dann, allem standzuhalten (13,7d). Gemeint ist das geduldige Harren auf Gott und das standhafte Festhalten an der Hoffnung auf endgültige Rettung trotz aller gegenwärtigen Bedrängnisse.[95] Wie in Vers 7a („Alles erträgt sie") geht es um das Verhältnis der Agape zum Leiden, das die Christen als Christen zu erdulden haben. Doch während dort der Blick auf die Fähigkeit zum Ertragen der Belastungen gerichtet war, geht es jetzt direkt um die aus der Leidenserfahrung wachsende Gottes- und Christusbeziehung. Beides gehört freilich auf das engste zusammen und befruchtet sich wechselseitig. Wenn die Agape fähig und bereit ist, alles zu ertragen, was sie belastet, gewinnt sie auch die Kraft, durch alle Bedrängnisse hindurch geduldig auf das Kommen der Vollendung zu warten. Und indem sie so allen Bedrückungen geduldig und voller Hoffnung standhält, gewinnt sie wiederum Kraft, das Leiden auf sich zu nehmen.

---

[92] In 13,2 heißt Pistis zwar wie in 12,9 (wunderwirkende) Glaubenskraft. Doch paßt diese Bedeutung nicht zum Verb in Vers 7.

[93] So indes *Ch. Wolff*, 1Kor II 125; ähnlich zu V. 7b *F. G. Lang*, 1Kor 185; vgl. auch *J. B. Lotz*, Liebe 204.

[94] Vgl. *W. Thüsing*, Christologie 298 Anm. 112.

[95] Bei dieser Deutung ist allerdings die grammatikalische Konstruktion schwierig. Der Hinweis auf den seltenen Fall des acc. lim. (*Bl.-Debr.-Rehk.* § 160; *Mayser* II/2, 327ff), den *J. Weiß* (1Kor 317 Anm. 2) gibt, ist indes nicht erforderlich; vgl. Jak 1,12 und Herm (v) II 27. πάντα στέγει gibt das Verständnis des Objekts für den gesamten Vers vor; vgl. *O. Wischmeyer*, Weg 107f. Sachlich entspricht 1Kor 13,7d also Röm 12,12. Denkbar ist auch die Übersetzung „ertragen"; vgl. *H. Conzelmann*, 1Kor 265; *Ch. Wolff*, 1Kor II 125; *F. G. Lang*, 1Kor 185. V. 7d wäre dann – nach der hier vertretenen Interpretation – als Variante von V. 7a zu verstehen. Doch sind bis auf Röm 2,7 alle paulinischen Belegstellen zu ὑπομονή und ὑπομένειν vom Gedanken der eschatologischen Hoffnung geprägt. Überdies liegt es traditionsgeschichtlich nahe, ὑπομένειν in enger Verbindung mit πιστεύειν und ἐλπίζειν zu deuten; s. o. S. 73.

In die Situation der korinthischen Gemeinde hineingesprochen, haben die Aussagen in 13,7b–d eine kritische Funktion.[96] Das geht aus der Verbindung mit den ersten drei Versen des „Hohenliedes“ hervor. Nicht das Zungenreden, nicht die Prophetengabe, nicht das Wissen um letzte Geheimnisse, nicht der bergeversetzende Glaube, nicht die Hingabe allen Besitzes und selbst des eigenen Lebens – die Agape allein ist es, welche die von Gott durch Jesus Christus eröffneten Möglichkeiten eines geglückten Lebens ganz zum Ausdruck kommen läßt.

Durch diese anti-enthusiastische Frontstellung hindurch treffen die Verse jedoch auch eine grundsätzliche Aussage über die Agape: Ihr Engagement für die Sache des Nächsten steht in untrennbarer Verbindung mit ihrer Christozentrik und Theozentrik. Agape ist im Sinn des Paulus nicht schon Humanität oder *Philanthropie*; sie ist auch nicht eine Tugend im Sinn der Stoa; sie ist in der Hinwendung zum Nächsten ein qualifizierter Ausdruck der Gottes- und der Christusliebe.[97] Agape ist die Bejahung des Nächsten, die in der von Jesus Christus vermittelten Bejahung Gottes wurzelt. Indem sie dies klarstellen, bilden die Aussagen über die Liebe in 13,7 das Pendant zur Basis-Aussage des „Hohenliedes“: daß die Agape pneumatische Partizipation an der Liebe Gottes in Jesus Christus ist.

d) *Die Agape als Hinwendung zum Nächsten in der Hinwendung zu Gott und zu Jesus Christus*

Auch wenn Paulus den Zusammenhang im „Hohenlied der Liebe“ nicht ausdrücklich reflektiert: Zu fragen ist, weshalb für ihn die Hinwendung zum Nächsten, um Agape zu werden, im Zuge der Hinwendung zu Gott und zu Jesus Christus geschehen muß. Die Auskunft, daß der Apostel eben alles, was er über das Denken und Handeln der Liebe sage, im Willen Gottes begründet sieht, bleibt formal.

Eine Antwort kann vielleicht mit Blick auf das Wesen und das Handeln der Liebe selbst gegeben werden. Grundsätzlich gilt: Sie ist Antwort auf die zuvor erwiesene und sie in all ihren Dimensionen prägende Liebe, die Gott durch Jesus Christus den Menschen erweist. Diese Antwort authentisch zu geben, setzt aber eine nicht nur implizite, sondern explizite, mehr noch: eine personal integrierte Gottes- und Christusbeziehung voraus – eben das,

---

[96] Sie wird gut herausgearbeitet von *O. Wischmeyer*, Weg 108f.

[97] Das ist weithin anerkannt. Vgl. *A. v. Harnack*, Lied 159; *K. Barth*, Auferstehung 47; *A. Schlatter*, Paulus, der Bote Jesu Christi. Eine Deutung seiner Briefe an die Korinther, Stuttgart 1934, 333; *H. Schlier*, Liebe 186; *H.-D. Wendland*, 1Kor 107f; *C. Spicq*, Agapè II 108–111; *R. Kieffer*, Primat; *E. Quinten*, Liebe 107; *Th. Söding*, Gottesliebe 232ff.

was Paulus als Glaube und als Hoffnung, gelegentlich auch als Gottes- und Christusliebe bezeichnet.

Aber auch *in concreto* erweist sich, daß die Liebe zum Nächsten nach Paulus die Liebe zu Gott und zu Jesus Christus voraussetzt. Es kennzeichnet die Agape, daß sie die Schuld des Nächsten verzeiht. Das kann und darf die Liebe aber nur deshalb, weil sie sich inspiriert und gehalten weiß von jener Liebe, die Gott durch den gekreuzigten Jesus Christus den Schwachen (1Kor 8,11; vgl. 1,26ff) und Sündern (1Kor 15,3ff; vgl. 2Kor 5,21; 8,9; Röm 5,1–11) schenkt. Der Umgang mit der Schuld des Nächsten, den die Agape pflegt, ist nicht von der Relativierung des Bösen bestimmt, sondern von der Überzeugung, daß Gottes Gnade die Macht hat, *alles*, was ihr entgegensteht, zu überwinden, indem sie es schöpferisch verwandelt: letztlich vom Tod zum Leben. Indem die Liebe der Glaubenden kraft des Geistes an Gottes Sünder- und Feindesliebe teilhaben kann, gewinnt sie die Fähigkeit, mit den Fehlern anderer so umzugehen, daß auch für sie, die schuldig geworden sind, der Heilswille Gottes transparent werden kann. Das setzt die Offenheit für Gott voraus und die Bereitschaft, seinen Willen zu tun.

Ähnlich verhält es sich beim Kampf der Agape gegen die Versuchungen, denen die Glaubenden sich selbst aussetzen, vor allem dadurch, daß sie ihre Fähigkeiten und Begabungen zur Sicherung eigener Identität gegenüber Gott und dem Nächsten mißbrauchen: Die Möglichkeit, Identität gerade im Dienst am Nächsten und im Dienst Gottes zu finden, erschließt sich nur im Glauben daran, daß sich das eigene Leben mitsamt seiner Hoffnung einem schöpferischen Handeln Gottes verdankt, der „erwählt hat, was nichts ist, um das, was etwas ist, zunichte zu machen“ (1Kor 1,28) – weil nur so universales Heil sich realisieren kann.[98]

Nicht anders schließlich das Engagement der Agape für die Realisierung des Guten (V.5a), namentlich der Gerechtigkeit (V. 6): Die Frage, worin das Gute besteht und was Gerechtigkeit meint, beantwortet sich für den Apostel nur dann, wenn der Blick auf Jesus Christus, den Gekreuzigten und Auferweckten gerichtet ist, der nach 1Kor 1,30 die aus Gott stammende Weisheit und Gerechtigkeit nicht nur personifiziert, sondern sie auch den Glaubenden vermittelt.

Vor allem jedoch: Agape ist nach 1Kor 13 die Bejahung des Nächsten, auch des Feindes, als dessen, dem immer schon in Jesus Christus die Liebe Gottes gilt. Agape ist Zustimmung zu der Liebe, mit der Gott durch Jesus Christus den Nächsten liebt.[99] Deshalb kann der Nächste nur dann als er selbst geliebt werden, wenn er als der von Gott Geliebte bejaht wird. Die

---

[98] Vgl. *Th. Söding*, Kreuzestheologie 44f.

[99] Vgl. *W. Thüsing*, Theologien I 291–301.

Liebe zum Nächsten setzt mithin die Bejahung Gottes, anders gesagt: den Glauben und die Hoffnung voraus – wie diese umgekehrt gerade dadurch zur Liebe finden, daß sie sich Gott öffnen.

e) Die soteriologische Relevanz der Agape

Die Agape, die 1Kor 13 preist, ist die von Gott selbst ermöglichte und getragene Hinwendung zum Nächsten aus der Hinwendung zu Gott und zu Jesus Christus. Diese Liebe hat Heilsbedeutung. Das geht aus den Eingangsversen des Liedes hervor. In rhetorisch gesteigerten Negationen, die sich gegen den korinthischen Pneumatismus richten, sprechen sie davon, was die Agape für die Gemeinde und für das „Ich“ eines jeden Charismatikers *coram Deo* bedeutet. Den ersten Aspekt nennt 13,1. Wie immer es um die Begabung bestellt sein mag, nicht nur in Menschen-, sondern auch in Engelszungen zu reden - wer sich nicht von der Liebe bestimmen läßt, kann zwar viele Worte machen, hat aber nichts zu sagen und vermag deshalb anderen auch nichts wesentliches mitzuteilen. Dieses Thema wird Paulus in Kap. 14 weiter entfalten. Anders als die Enthusiasten glauben, ist nicht schon die charismatische Begabung als solche, sondern erst ihre Indienstnahme für den Aufbau der Ekklesia das, was ihren Wert begründet (vgl. 12,7).
In 13,2f spricht Paulus aber nicht mehr von der kommunikativen Kompetenz, sondern von der soteriologischen Relevanz der Agape.[100] Vers 2 sagt, ohne die Liebe sei der Charismatiker schlechthin „nichts“. Nach Ausweis der Parallelen[101] geht es um das, was in den Augen Gottes zählt[102], um das also, was Gott bejaht und als relevant ausweist, weil es um des Heiles der Menschen willen wichtig ist. Positiv gewendet, sagt Vers 2: Das „Sein“, das Gott gutheißt, die personale Identität, die vom ihm bejaht (und dadurch erschaffen) wird, besteht in der Liebe. Christliche Existenz wird anders, als man in Korinth glaubt, gerade nicht schon durch die Charismen der Prophetie, der Gnosis und der wunderbaren Pistis, sondern nur durch die Liebe konstituiert.
Vers 3 knüpft daran an. Paulus urteilt, ohne die Agape würden dem Charismatiker all seine Anstrengungen nichts „nützen“, selbst nicht die Verteilung all seines Besitzes für die Armen und die Hingabe seines Lebens

---

[100] Indessen deuten *Ch. Wolff* (1Kor II 121f) und *F. G. Lang* (1Kor 182f) durchweg auf die Relevanz der Agape für die Gemeinde.

[101] 1Kor 7,19 (Beschnittenheit und Unbeschnittenheit im Gegensatz zum Halten der Gebote Gottes); 2Kor 12,11 (der Apostel in all seiner Begabung und Arbeit); Gal 6,3

[102] Vgl. *B. Gerhardsson*, 1Kor 13, S. 189.

in das Martyrium. Wie die Parallelen zeigen[103], denkt Paulus an den soteriologischen Nutzen, also an das, was kraft des Geistes das eschatologische Heil vermittelt.[104] Nur dann, wenn das Ich des Charismatikers von der Liebe bestimmt ist, kann er gerettet werden.

Wenn Paulus der Agape in 1Kor 13 Heilsbedeutung zuerkennt, setzt das zweierlei voraus: zum einen, daß sie in der Liebe zum Nächsten die Liebe zu Gott und zu Jesus Christus mit umfaßt, und zum anderen, daß sich in ihr die eschatologische Macht der Liebe *Gottes* Ausdruck verschafft. Da aber die Liebe nach 1Kor 13 tatsächlich pneumatische Partizipation an der Liebe Gottes in Jesus Christus ist, ist es nur folgerichtig, ihr soteriologische Kraft zuzuerkennen. Mehr noch: Daß Paulus auf die *Heils*bedeutung der Agape zu sprechen kommt, ist in der Auseinandersetzung mit den Enthusiasten Korinths geradezu zwingend. Deren Einschätzung der Geistesgaben und deren Verhalten gegenüber den „Schwachen“ (vgl. 12,22ff) läßt sich nur unter der Voraussetzung erklären, daß sie den ihnen verliehenen Charismen (zumindest faktisch), Heilsbedeutung zuerkannt haben.[105] Dieses Fehlurteil muß Paulus korrigieren. Er muß klarstellen, daß nicht etwa die Fähigkeit zur Glossolalie, zur Prophetie und zur Gnosis, auch nicht die Fähigkeit zu bergeversetzendem Glauben und selbstloser Aufopferung die pneumatisch konstituierten Voraussetzungen des Heiles sind, sondern daß der soteriologische „Nutzen“ an die Liebe gebunden ist, weil durch sie Gott seine ureigene Liebe in singulärer Weise zur Wirkung kommen läßt.

Die soteriologische Relevanz der Agape steht nicht im Widerspruch zu der festen Überzeugung des Apostels, daß es der Glaube ist, durch den das Heil vermittelt wird. Diese Auffassung, die Paulus in der Rechtfertigungslehre als Grundsatz der gesamten Soteriologie ausarbeitet, ist ihm schon im Ersten Thessalonicherbrief und im Ersten Korintherbrief gegenwärtig. Durch Kap. 13 wird sie nicht relativiert. Vielmehr ist die Liebe ja nach Vers 7 dadurch gekennzeichnet, daß sie ihrerseits den Glauben umfassend bejaht. Freilich zeigt sich, daß Paulus das Heilsgeschehen in 1Kor 13 aus einem anderen Blickwinkel als in 1Kor 1–4, in 1Kor 15 und später im Galaterbrief betrachtet. Im Kontext der Kreuzestheologie und der Auferweckungstheologie geht es ebenso wie dann im Kontext der Rechtfertigungslehre darum, sicherzustellen, daß Rettung allein aus der gehorsamen Bejahung des Wortes Gottes und aus dem rückhaltlosen Vertrauen auf seine Gnade erhofft werden darf. Deshalb stellt Paulus alles

[103] Gal 5,2; Röm 2,25; 3,1; vgl. Hebr 4,2; 13,9; Mk 8,36 par; Joh 6,63 sowie zur alttestamentlichen Vorprägung Jes 48,17.

[104] Vgl. *H. Schlier*, Drei 85f; *O. Wischmeyer*, Weg 88f.90.

[105] Vgl. *Th. Söding*, Leib Christi 142.144.

auf den Glauben ab (ohne jedoch in Gal 5,6 den Hinweis zu versäumen, daß dieser seine Wirksamkeit, das Leben der Gerechtfertigten zu gestalten, durch die Liebe entfaltet). 1Kor 13 hat hingegen ein anderes Thema: Es geht um die Wirkmächtigkeit der Gnade Gottes in den Lebensvollzügen der Christen, vor allem in den Beziehungen der Gemeindeglieder untereinander und zu den Nicht-Christen; und es geht deshalb in der kritischen Auseinandersetzung mit dem korinthischen Pneuma-Enthusiasmus immer zugleich um die Frage, wie sich authentisches Christsein im Kraftfeld der Gnade Gottes darstellt. Deshalb spricht Paulus in 1Kor 13 von der Heilsbedeutung der Agape (ohne in Vers 7 den Hinweis zu versäumen, daß sie „alles glaubt und alles hofft").

4. Das „Bleiben" von Glaube, Hoffnung und Liebe (1Kor 13,13a)

Zum Abschluß des „Hohenliedes" sagt Paulus, daß es nur eines gibt, das „bleibt": Glaube, Hoffnung, Liebe (13,13a). Der Sinn der Sentenz ist freilich umstritten.

„Bleiben" kann entweder als „ausharren" im Gegensatz zu „flüchten" verstanden werden oder als „andauern" im Gegensatz zu „vergehen". *Im ersten Fall* wird der Vollzug des Glaubens, Hoffens und Liebens angesprochen. Es kann dann entweder gedeutet werden, die Liebe widerstehe der Vergänglichkeit, weil sie sich am Unvergänglichen orientiere[106]; oder es kann interpretiert werden, Pistis, Elpis und Agape würden in einzigartiger Weise die Endlichkeit der Gegenwart, ihre Begrenzung durch das Eschaton, wahrnehmen und gerade so Stand gewinnen[107].
Im zweiten Fall wird ein theologisches Werturteil über „diese drei" gefällt. Auch dann ergeben sich zahlreiche Interpretationsmöglichkeiten. Will Paulus sagen, in der Zeit bis zum Ende bleibe es bei der Aufforderung zum Glauben, Hoffen und Lieben, da nichts wichtiger sei als eben dies?[108] Will er sagen, allein „diese drei" seien von Dauer, während die in 13,8b–12 genannten Charismen eher spontanen Charakter hätten?[109] Will er herausstellen, daß Glaube, Hoffnung und Liebe (im Gegensatz zu den Charismen) unveränderlich seien?[110] Will er sagen, „diesen dreien" eigne *coram Deo* ein einzigartiger Wert, weil sie eben die authentischen und soteriologisch suffizienten Weisen des Christseins sind?[111] Will er ausdrükken, Pistis, Elpis und Agape würden von Gott im Endgericht als authentische

---

[106] So *R. Guardini*, Liebe 18: „Nun wird der letzte Maßstab deutlich, an welchem Paulus die Äußerungen des christlichen Lebens mißt: an der Kraft, der Vergänglichkeit zu widerstehen; an der Nähe zur Ewigkeit."

[107] So *H. Jonas*, Gnosis II/1 47.

[108] So *C. Spicq* (Agapè II 105); ähnlich *E. Walter*, Glaube, Hoffnung und Liebe 177 mit Anm. 34 (S. 200ff); *E. Miguens*, 1Cor 13, S. 94ff; *W. Marxsen*, „Bleiben" 228.

[109] So *W. Marxsen*, a.a.O. 229 (mit Blick auf V. 8a).

[110] So *F. Hauck*, Art. μένω κτλ.: ThWNT 4 (1943) 578–593: 579f.

[111] So *J. A. Bengel*, Gnomon II 206; *W. Grossouw*, espérance 517.

Antwort auf sein Heilshandeln bestätigt werden?[112] Oder will er sagen, daß sie noch in der eschatologischen Vollendung andauern werden?[113]
Eine Entscheidung fällt nicht leicht. Über ein Wahrscheinlichkeitsurteil wird man nur schwer hinauskommen.

Bereits das einleitende νυνὶ δέ wird kontrovers ausgelegt. Ist es kausal („nun aber")[114] oder temporal („jetzt aber")[115] zu deuten?[116] Eine zweifelsfreie Antwort läßt sich nicht geben. Die Grammatik läßt beide Möglichkeiten zu; beide sind bei Paulus andernorts bezeugt. Den Ausschlag muß der Kontext geben. Die eschatologische Begrenzung der Prophetie, Glossolalie und Gnosis wird in Vers 12 durch die Opposition „jetzt – dann" (ἄρτι – τότε) ausgedrückt. Das spricht für ein logisches Verständnis des νυνὶ δέ. Denn zum einen ist nach 13,8–12 die Jetzt-Zeit durch Vergänglichkeit gekennzeichnet; Glaube, Hoffnung und Liebe „bleiben" aber, so wie nach 13,8a die Liebe „niemals fällt". Zum anderen steht für „jetzt" in Vers 12 ἄρτι; selbstverständlich ließe sich die Wahl des Wortes νυνί in Vers 13, sollte es temporal zu verstehen sein, aus Gründen stilistischer Abwechslung erklären; näher liegt es aber, daß sich νυνί von ἄρτι auch semantisch unterscheidet. Daß Glaube, Hoffnung und Liebe „bleiben", ist mithin das Resümee, das der Apostel aus den bisherigen Prädikaten der Agape angesichts des Vergehens von Prophetie, Glossolalie und Gnosis zieht.
Was aber heißt „bleiben"? Das Wort selbst ist vieldeutig.[117] Wiederum kann nur der Kontext die Entscheidung bringen. Vers 8 sagt, daß die Liebe „niemals fällt", während Prophetie, Glossolalie und Gnosis „vernichtet werden" (vgl. 13,10.11) bzw. „aufhören", wenn „die Vollendung kommt" (V. 10). Diese Thematik wird in den Versen 9–12 weitergeführt. Prophetie,

---

[112] So *O. Wischmeyer*, Weg 154; vgl. *Ch. Wolff*, 1Kor II 128.

[113] So bereits *Irenäus* Adv Haer II 28,3; von den neueren Exegeten nachhaltig *R. Bultmann*, Art. ἐλπίζω 529; *ders.*, Art. πιστεύω 223; *ders.*, Das Urchristentum im Rahmen der antiken Religionen, Zürich – München ²1986 (¹1949), 227f; überdies *H. Lietzmann – W. G. Kümmel*, 1Kor 66; *G. Bornkamm*, Weg 108f; *M. F. Lacan*, Troi; *F. Dreyfus*, Maintenant la foi, l'espérance et la charité demeurent toutes les trois (1Cor 13,13), in: Studiorum Paulinorum Congressus Internationalis Catholicus 1961 (AnBib 17/18) I, Rom 1963, 403–412; *F. Neirynck*, De grote drie: bij een nieuwe vertaling van 1Cor., XIII,13: EThL 39 (1963) 595–615: 605–610; *Ch. K. Barrett*, 1Kor z.St.; *K. Maly*, Gemeinde 196f; *G. Nebe*, Hoffnung 165f; auch *H. U. v.Balthasar*, Glaube, Hoffnung, Liebe 283ff.

[114] So *H. Conzelmann*, 1Kor 272; *A. Strobel*, 1Kor 210; auch *Ch. Wolff*, 1Kor II 128.

[115] So *C. Spicq*, Agapè II 104, Anm. 2.3; *R. Kieffer*, Primat 68f; *O. Wischmeyer*, Weg 153f.

[116] Im zweiten Fall wäre klar, daß Paulus eine Aussage über die eschatologische *Gegenwart* träfe, im ersten bliebe offen, auf welchen Zeitraum das „Bleiben" sich bezieht; eindeutig wäre nur, daß Paulus eine Schlußfolgerung aus dem zuvor Gesagten ziehen will.

[117] Ersten Aufschluß gibt *H. Hübner*, Art. μένω: EWNT 2 (1981) 1002ff.

Glossolalie und Gnosis werden von Gott selbst beendet werden, sobald er sich „von Angesicht zu Angesicht" sehen läßt (V. 12).[118] Daß im Gegensatz dazu von der Agape gesagt wird, sie falle niemals[119], heißt also, Gott werde sie am Ende der Zeit nicht aufhören lassen, sondern ihr auch in der eschatologischen Vollendung Bestand gewähren.[120] Eben diese positive Aussage, die in Vers 8a keimhaft angelegt ist, wird in Vers 13 expliziert und auf die gesamte Trias ausgeweitet: Das „Bleiben" von Glaube, Hoffnung und Liebe meint ihre von Gott gegebene Bestätigung und von Gott konstituierte Beständigkeit in der eschatologischen Gegenwart *und* in der eschatologischen Zukunft.

Wie ließe sich denken, daß Glaube, Hoffnung und Liebe auch in der kommenden Vollendung „bleiben"? Am leichtesten scheint eine Antwort für die Liebe möglich zu sein. Freilich ist zu bedenken, daß sich ihre Gestalt radikal wandeln muß. Sie wird ja nichts mehr zu ertragen, nichts mehr zu erdulden, nichts mehr zu vergeben und zu verzeihen haben. Wenn sie beim Kommen des Endes „bleibt", dann so, daß all das umfassend Wirklichkeit geworden ist, was sie intendiert: Sie kann sich ungebrochen als Bejahung des Nächsten entfalten – und wird zugleich von allen, denen sie sich zuwendet, unbedingt angenommen.

Wie aber steht es mit dem Glauben und der Hoffnung? Einige Texte weisen tatsächlich darauf hin, daß die Vollendung im Frühjudentum durchaus als Zeit des Glaubens und Hoffens vorgestellt werden konnte.[121] Gleichwohl ist es nicht ohne weiteres möglich, diesen Gedanken auf 1Kor 13,13 zu übertragen. 2Kor 5,7 und vor allem Röm 8,24f bilden ein zu starkes Gegengewicht.

2Kor 5,7 heißt es in einer Parenthese:

> Denn durch den Glauben wandeln wir, nicht durch das Schauen.

---

[118] καταργηθήσεται ist theologisches Passiv.

[119] πίπτειν ist bei Paulus an vielen Stellen eschatologisch geprägt, sowohl im Blick auf das zukünftige Gericht (Röm 11,11; 14,4f; vgl. Apk 18,2) als auch im Blick auf die vom kommenden Gericht geprägte Gegenwart (1Kor 10,12; Röm 11,22). So entspricht es dem Sprachgebrauch der LXX (vgl. Sir 2,7; Ψ 19,9; 35,13; PsSal 1,5; ferner Ψ 9,16; Dan 2,44) und des apokalyptisch beeinflußten hellenistischen Frühjudentums (vgl. Test Isaak 8,19; äthHen 5).

[120] Vgl. *W.F. Orr – J.A. Walther*, 1Kor 296f; *Ch. Wolff*, 1Kor II 125f; *O. Wischmeyer*, Weg 123f; *F.G. Lang*, 1Kor 186; *A. Strobel*, 1Kor 208f; anders *A. Deissmann*, Paulus 163 („Die Liebe bricht niemals zusammen."); *W. Michaelis*, Art. πίπτω κτλ.: ThWNT 6 (1959) 161–174: 166f; *K. Maly*, Gemeinde 194 („Die Liebe unterliegt nie."); *W. Marxsen*, „Bleiben" 229. Doch gehört V. 8a formal zum folgenden; vgl. *U. Schmid*, Priamel 127 Anm. 116.

[121] *G. Nebe* (Hoffnung 165f) führt die LXX-Versionen von Hos 2,20; Ez 28,26 und 34,27f an.

Und Röm 8,24f führt aus:

[24] Denn auf Hoffnung hin sind wir gerettet worden.
Eine Hoffnung aber, die man sieht, ist keine Hoffnung.
Denn was einer sieht – was hofft er (darauf)?
[25] Wenn wir aber auf das hoffen, was wir nicht sehen,
so erwarten wir es in Geduld.

Beide Texte wollen den eschatologischen Vorbehalt zur Geltung bringen. Sie kommen darin überein, daß nicht schon die eschatologische Gegenwart, sondern erst die eschatologische Zukunft durch die unmittelbare Anschauung der Herrlichkeit Gottes geprägt ist (vgl. 1Kor 13,12). Dieser Skopos zeigt die Problematik des geläufigen Urteils, durch die *visio beatifica* würden Glaube und Hoffnung *abgelöst*. Stellt man die Sätze in den Kontext der gesamten paulinischen Theologie, erhellt nämlich, daß sich in der futurisch-eschatologischen Schau Gottes das Glauben und das Hoffen *erfüllen*. Glauben heißt nach dem Ersten Korintherbrief, das Kreuz Jesu Christi in all seiner Anstößigkeit als Inbegriff der rettenden Weisheit Gottes zu bejahen und das ganze Leben in nichts anderem als der Gnade des totenerweckenden Gottes zu gründen; eben dies, worauf der Glaubende sein ganzes Vertrauen setzt, wird in der *visio beatifica* schlechthin die Wirklichkeit, wenn anders die eschatologische Vollendung darin besteht, daß Gott in allen in Bezug auf alles herrscherlich wirksam ist und die Geretteten mit Jesus Christus, der sich selbst dem Vater unterordnet, in schlechthin heilshafter Relation zu Gott leben (15,28; vgl. 13,12).[122] Hoffen heißt nach dem Ersten Korintherbrief, Gott als den zu bejahen, der in der schöpferischen Kraft seiner Liebe universales Heil ermöglichen wird, indem er den Tod in jeder Erscheinungsform überwindet (15,20–28); ebendies, worauf der Hoffende sich wider alle Hoffnung verläßt, wird in der *visio beatifica* schlechthin Wirklichkeit, wenn anders die eschatologische Vollendung darin besteht, daß Gott sich ihm in ganzer Fülle als Gott erschließt und ihm das Geschenk seiner Rettung macht.[123] Wenn also Gott am Ende der Zeit und für die eschatologische Vollendung nicht nur die Liebe, sondern auch den Glauben und die Hoffnung bestätigt und beständig sein läßt, dann gerade in jener vollkommenen Erkenntnis, die durch die Schau Gottes „von Ange-

[122] Zur Deutung von 1Kor 15,28 vgl. *W. Thüsing*, Gott I: Per Christum 239–254.

[123] Da der Unterschied zwischen Gott und Mensch in der eschatologischen Vollendung nicht aufgehoben wird, ist sie nur als ein Prozeß zu verstehen, in dem der Überfluß der Gnade, der Gottes Handeln kennzeichnet, insofern er der *Deus semper maior* ist, nicht etwa aufhört, sondern in seiner ganzen Dynamik wirksam wird.

sicht zu Angesicht" möglich wird (13,12). Glaube und Hoffnung „bleiben" in der seligen Anschauung Gottes.[124]

Weshalb aber sind es gerade Glaube, Hoffnung und Liebe, die „bleiben", anders als Prophetie, Glossolalie und Gnosis? Die Antwort läßt sich aus 13,9–12 erschließen. Gott bewirkt das Ende der drei Charismen, weil (selbst) sie seine Wirklichkeit nur fragmentarisch und änigmatisch wahrnehmen können. Die Kritik am korinthischen Pneumatismus ist unüberhörbar. Für ihn gibt es ja schon gegenwärtig authentische Gnosis und mit der Glossolalie ein schlechthin adäquates Sprechen zu Gott. Gerade dieses Urteil will der Apostel als irrig erweisen. Wenn er aber dann vom eschatologischen „Bleiben" des Glaubens, Hoffens und Liebens spricht, dann nicht deshalb, weil in ihnen der eschatologische Vorbehalt außer Kraft gesetzt wäre. Im Gegenteil: Gerade im Glauben, Hoffen und Lieben erfahren die Christen nicht nur die Gegenwart des Pneuma, sondern auch die Ausständigkeit der Vollendung. Gerade „diese drei" sind in ihrer Einheit die von Gott gegebene und eschatologisch bestätigte Weise, *in der Zeit* zu leben – aus Gottes Gnade und auf seine Zukunft hin, im Wissen um das Geschenk des neuen Lebens und im Wissen um die Begrenzung der Jetzt-Zeit durch das Kommen der Vollendung.[125] Eben deshalb „bleiben" sie – der Glaube und die Hoffnung im ungetrübten Schauen, die Liebe in der vollendeten Agape.

Zusammengefaßt: Vers 13 baut einen Kontrast zwischen Pistis, Elpis und Agape einerseits und Glossolalie, Prophetie und Gnosis andererseits auf. Während diese mit dem Ende der Geschichte und dem Kommen der Vollendung aufhören werden (13,8–12), werden jene von Gott bestätigt werden. Dieser Gegensatz ist nicht allein in einem möglichen oder tatsächlichen enthusiastischen Mißbrauch der drei (und anderer) Charismen begründet. Dann würde die Pointe darin bestehen, daß Paulus nur ein weiteres Mal den eschatologischen Vorbehalt einklagte. Aber von Fehlformen des Umgangs mit Geistesgaben hat 13,1–3 gesprochen; 13,8–12 hingegen handelt von den eschatologischen Grenzen, die *eo ipso* sogar der Prophetie, der Gnosis und der Glossolalie gesetzt sind, auch wenn sie entsprechend ihrem Geber angenommen und geübt werden. Der Gegensatz, den Vers 13 aufbaut, ist prinzipiell. Paulus will gegen die korinthischen Enthusiasten festhalten, daß die Fülle des Christseins, wie es in der Zeit zu leben ist, gerade nicht durch herausragende Geistesgaben, auch nicht durch eine Kombination von ihnen ausgeschöpft werden kann,

---

[124] Ähnlich spricht einerseits 1Kor 3,14 vom „Bleiben" eines guten Werkes, 2Kor 3,11 vom „Bleiben" des neubundlichen Dienstes der Versöhnung, andererseits 2Kor 9,11 (mit Ps 111,9) von „Bleiben" der Gerechtigkeit „bis in Ewigkeit".

[125] Vgl. *H. Jonas*, Gnosis II/1 47.

sondern nur durch Glauben, Hoffen und Lieben. Damit bindet er den Überschwang der Pneumatiker an die Realität der Geschichte zurück. Gleichzeitig stellt er klar, daß sich die Identität des Christseins allein dort finden läßt, wo die Kraft Gott durch Jesus Christus sowohl zur Bejahung des Kreuzes als des Inbegriffs der Weisheit Gottes als auch zur Bejahung des Nächsten als des von Gott durch Jesus Christus Geliebten führt. Insofern aber diese Bejahungen im Glauben, Hoffen und Lieben tatsächlich geschehen, haben „diese drei" durch Gott nicht nur in der eschatologischen Gegenwart, sondern auch in der eschatologischen Vollendung Bestand: der Glaube und die Hoffnung als Schauen der Herrlichkeit Gottes, die Liebe als erfüllte Partizipation an der Agape Gottes und Jesu Christi, alle drei als jene Weisen, in denen sich das vollkommene Erkennen Gottes vollzieht – weil sie ihrerseits vom eschatologischen Erkannt-Sein durch Gott hervorgerufen werden (13,12).

5. „Am größten aber ist die Liebe" (1Kor 13,13b)

Nachdem Paulus in Vers 13a das eschatologische „Bleiben" von Glaube, Hoffnung und Liebe angesprochen hat, stellt er zum Schluß des „Hohenliedes" eigens die besondere Größe heraus, die der Agape selbst noch einmal innerhalb „dieser drei" zukommt. Gemeint ist die Bedeutung, die *Gott* ihr beimißt. Die entscheidende Frage lautet: Weshalb ist für Paulus nach 1Kor 13,13 die Liebe „am größten"?

Seit Jahrhunderten ist die Antwort umstritten. Weil die Liebe in der Gegenwart am wichtigsten ist?[126] Weil sie die Heilswirklichkeit der Vollendung schon der Gegenwart erfahrbar macht?[127] Weil auch der Glaube die Liebe bejaht?[128] Weil sie den Glauben und die Hoffnung befruchtet?[129] Weil der Glaube nur einen Aspekt, die Liebe aber das Ganze des echten Gottesverhältnisses erfaßt?[130] Weil die Menschen nur sie mit Gott gemein haben?[131] Weil ohne die Liebe der Glaube und die Hoffnung (und präsentierten sie sich noch so orthodox) wertlos bleiben?[132] Weil die Liebe zwar im existentiellen Vollzug dem Glauben und der Hoffnung nachfolgt, in der Hierarchie der eschatologischen Vollkommenheit aber den Primat hat?[133] Weil sie in der eschatologischen Vollendung Liebe bleibt, während

---

[126] So *C. Spicq*, Agapè II 107; *E. Miguens*, 1Cor 13:8–13, S. 96.
[127] So *G. Bornkamm*, Weg 108f.
[128] So *G. Ebeling*, Dogmatik II 538.
[129] So *F.-M. Lacan*, Troi 330; *K. Maly*, Gemeinde 198.
[130] So (kein katholischer Autor, sondern) *W. Lütgert*, Liebe 215.
[131] So die Kappadokier und *Johannes Chrysostomus* (vgl. *Ph. Delhaye*, Art. Theologische Tugenden 76).
[132] So *Augustinus*, Enchiridion 117; vgl. 67.
[133] So *Thomas von Aquin*, S.Th. I–II 62,1; De spe 3,1.

der Glaube ins Schauen und die Hoffnung in die Erfüllung verwandelt werden?[134]

Paulus formuliert sehr knapp. Eine Erläuterung gibt er nicht. Deshalb fällt eine Antwort schwer. Es läßt sich (wieder) nur ein Wahrscheinlichkeitsurteil fällen. Daß jede der vorgestellten Interpretationen den paulinischen Gedanken zum Teil oder zur Gänze erfassen *könnten*, kann schwerlich bezweifelt werden. Dennoch gibt es Gründe, eine neue Erklärung zur Diskussion zu stellen.

Beim Versuch einer Antwort ist zu berücksichtigen, daß Paulus die Trias recht unterschiedlich gewichten kann. Hat in 1Thess 1,3 und 5,8 die Hoffnung den Akzent getragen, so wird in Gal 5,5f der Glaube betont sein. Der Vorrang, den 1Kor 13,13 der Liebe zuerkennt, ist nicht ohne weiteres auf die Parallelstellen zu übertragen. Er bringt zwar ein zentrales Element des paulinischen Agape-Verständnisses zur Sprache, ist aber speziell dem theologischen Horizont, dem thematischen Zusammenhang und dem Situationsbezug des „Hohenliedes" verpflichtet.

Dieser Kontext beeinflußt die Aussage von 1Kor 13,13 in doppelter Hinsicht. *Zum einen* betont Paulus die Agape nicht zuletzt in parakletischer Absicht. Der Vers bereitet die unmittelbar anschließende Mahnung vor, der Liebe nachzujagen (14,1a), mit der Paulus das gesamte folgende Kapitel überschreibt. Die Liebe ist, von daher betrachtet, deshalb am größten, weil sie in der Situation der korinthischen Gemeinde am wichtigsten ist: Die vielfältigen Probleme, die entstanden sind, können nur mit ihrer Hilfe gelöst werden. Doch kann die parakletische Intention allein die Aussage von Vers 13b nicht decken. Sie verlangt eine Erklärung ihrer theologischen Basis.

Deshalb ist *zum anderen* die Thematik des „Hohenliedes" zu berücksichtigen. 1Kor 13 betrachtet das Christsein in einer ganz bestimmten *Perspektive*: Es geht weder um die Entscheidung für das Evangelium noch um die Authentizität des Bekenntnisses, weder um die Standhaftigkeit in Versuchungen noch um die Geduld des Wartens; es geht auch nicht explizit um die Art und Weise der Beziehung zu Gott und zu Jesus Christus (wiewohl implizit durchaus). 1Kor 13 thematisiert vielmehr die Wirkmächtigkeit der Agape Gottes in jener Liebe, die Christen (durch Jesus Christus) anderen Menschen erweisen. Vers 13b trifft eine Aussage über die Bedeutung, die einer mit Glaube und Hoffnung verbundenen Liebe dort zukommt, wo Gottes Liebe durch Jesus Christus im gesamten Leben der Christen zur

[134] So schon *Clemens von Alexandrien*, Quis Div Salv 38,3; *Augustinus*, De doctrina christiana 42; sodann *R. Guardini*, Liebe 18f; *K. Barth*, KD IV/2 953; *H. Schlier*, Liebe 196; *J. B. Lotz*, Liebe 206f; *O. Wischmeyer*, Weg 114; *F. G. Lang*, 1Kor 188; weniger präzise auch *E. Quinten*, Liebe 106f.

Geltung kommt. In dieser Hinsicht erscheint tatsächlich die Agape am „größten". Denn sie partizipiert *so* an der Liebe Gottes und Jesu Christi, daß sie diese sowohl in der Beziehung zu Gott und Jesus Christus *als auch* im Verhältnis zu den anderen Menschen als sie selbst, als Agape Gottes und Jesu Christi, zur Wirkung kommen läßt.

Die anthropologische Kehrseite kommt durch Vers 7 in den Blick: In der für 1Kor 13 entscheidenden Hinsicht umfaßt die Agape den Glauben und die Hoffnung: insofern sie nämlich in der Beziehung zum Nächsten gleichzeitig die authentische Gottes- und Christusbeziehung zur Geltung bringt, aus der heraus sie überhaupt nur bejahen kann, worauf Gottes Heilswille in Jesus Christus aus ist. Zwar sind auch Pistis und Elpis von grundlegender Bedeutung für die Entwicklung einer authentischen christlichen Praxis. Aber sie umfassen sie doch nicht selbst schon mit. Die Agape hingegen ist nach 1Kor 13 jene Nächstenliebe, die immer schon in einer (pneumatisch gewirkten) Spannungseinheit mit der Liebe zu Gott (und zu Jesus Christus) steht. „Größer" als Glaube und Hoffnung ist sie dann insofern, als sie auch das zur Geltung bringt, was Glaube und Hoffnung zwar implizieren, aber nicht selbst schon umfassen: die Weitergabe der Liebe Gottes. Sie setzt deren Annahme (in Glaube, Hoffnung und Gottesliebe) voraus und vollzieht sich nach 1Kor 13 so, daß *einerseits* in der Liebe zum Nächsten immer zugleich die Liebe Gottes und die Proexistenz Jesu Christi bejaht werden und *andererseits* in der Ausrichtung auf Gott (die durch Jesus Christus vermittelt wird) immer zugleich die (wiederum: durch Jesus Christus vermittelte) Forderung der Nächstenliebe entdeckt wird.

In der theologischen Perspektive des „Hohenliedes" erweist sich die Aussage von der besonderen Größe der Agape als durchaus stimmig. Sie ist keinesfalls geeignet, die soteriologische Bedeutung des Glaubens (und der Hoffnung) zu relativieren. Sie läßt sich auch nicht ohne weiteres auf die anderen Triaden übertragen. Sie erklärt sich aber dann, wenn auch Glaube und Hoffnung gegeben sind und die Frage gestellt wird, wie die Liebe Gottes durch Jesus Christus nicht nur in der Gottes- und Christusbeziehung der Glaubenden, sondern auch in ihren Beziehungen zu den anderen Menschen wirksam wird. Vers 13b dient Paulus dazu, zum Abschluß des Liedes – durchaus in parakletischer Absicht – die theologische Qualität der Agape zu akzentuieren und dadurch die vorausgehenden Prädikationen ins rechte Licht zu setzen.

1Kor 13,13 ist die Spitzenaussage des „Hohenliedes". Vergleichbare Qualifizierungen der Agape finden sich m. W. weder im paganen Hellenismus noch im Alten Testament und im Frühjudentum. Gerade wenn man die Texte heranzieht, die 1Kor 13 am engsten verwandt sind, wird dies deutlich. In der Weisheitsliteratur und der Apokalyptik wird die eschatologische Größe der Weisheit, der Erkenntnis und der Wahrheit betont – durchweg in enger Beziehung zur Gabe des

Gesetzes[135]. *Plato* (Symp 197c ff) und *Maximus Tyrius* (20,1 Hobein [26 Dübner]) preisen die Kraft des Eros: Der Unterschied zwischen Eros und Agape wird dadurch nur um so klarer.
Allerdings ist festzuhalten, daß 1Kor 13 sich nicht gegen frühjüdische oder hellenistische Ethik richtet, sondern gegen den korinthischen Enthusiasmus[136]. Und es muß erneut angemerkt werden, daß sich die engsten Parallelen zum paulinischen Agape-Verständnis und zu 1Kor 13 eben doch im hellenistischen Judentum finden, insbesondere in den TestXII.[137] Dennoch ist die Theologie der Agape in 1Kor 13, soweit die Quellen diesen Schluß erlauben, weder aus dem paganen Hellenismus noch aus dem Alten Testament und dem Frühjudentum ableitbar.

Die Hervorhebung einerseits der Trias und andererseits noch einmal besonders der Liebe entspringt genuin paulinischer Theologie. Sie steht in engem Zusammenhang mit der kreuzestheologischen Akzentuierung der Evangeliumsverkündigung. Wie Paulus in Röm 5 und Röm 8 explizieren wird, ist es gerade diese Liebe Gottes zu den ihm feind gewordenen Menschen, die vom Geist in „unsere Herzen ausgegossen“ (Röm 5,5) wird. Deshalb „bleibt“ die Liebe, mit dem Glauben und der Hoffnung verbunden, und ist sogar im Vergleich mit ihnen „am größten“.

6. Der Zusammenhang von Glaube, Hoffnung und Liebe nach dem Ersten Korintherbrief

Zwischen dem Ersten Thessalonicherbrief und dem Ersten Korintherbrief besteht im Verständnis des Glaubens, der Liebe und der Hoffnung elementare Übereinstimmung. Pistis ist nach beiden Schreiben grundlegend die Annahme des Evangeliums und der vertrauensvolle Gehorsam gegenüber Gottes Willen, der zur Grundbewegung des gesamten Lebens wird; Agape ist nach beiden Schreiben die vorbehaltlose Annahme und tatkräftige Unterstützung des Nächsten, auch wenn er als schuldig Gewordener begegnet und nicht zur christlichen Gemeinde zählt; Elpis schließlich ist nach beiden Schreiben die existentielle Ausrichtung auf die Zukunft, in der Gott die Realisierung vollendeten Heiles zugetraut wird.
Auch der Zusammenhang zwischen Glaube, Hoffnung und Liebe stellt sich nach dem Ersten Korintherbrief in den Grundzügen ähnlich dar wie nach dem Ersten Thessalonicherbrief. Er ist entscheidend durch das eschatologische Heilshandeln Gottes in Jesus Christus konstituiert: Weil sich

---

[135] Vgl. nur Weish 7; äthHen 5,8; 92,10; 1QM 10,10–15; 3Esr 4,34–40.
[136] Eine sprechende (Kontrast-)Parallele aus der späteren Gnosis ist EvVerit 21,3.
[137] Das gilt sowohl formal (vgl. TestIss 4: ἁπλότης; TestBenj 6: ἀγαθὴ διάνοια; TestJos 1,5f; Test Iss 7) als auch hinsichtlich der Bedeutung der Agape.

der Glaube kraft des Geistes in Gott festzumachen sucht, der durch Jesus Christus futurisch-eschatologisch und im Vorgriff auf seine Zukunft bereits präsentisch-eschatologisch umfassendes Heil schafft, ist er aus sich heraus einerseits mit der Hoffnung und andererseits mit der Liebe verbunden. Weil die Hoffnung nicht die Realisierung eigener Wunschvorstellungen und Utopien erwartet, sondern sich von der Dynamik des eschatologischen Heilshandelns Gottes auf die kommende Vollendung ausrichten läßt, ist sie aus sich heraus mit dem Glauben und der Liebe verbunden. Und weil die Liebe den Nächsten als den bejaht, dem Gott in Jesus Christus seine Liebe zuwendet, ist sie aus sich heraus mit dem Glauben und der Hoffnung verbunden.

Freilich: Dadurch, daß sich gegenüber dem Ersten Thessalonicherbrief einige Verschiebungen im Indikativ des Evangeliums ergeben, wandelt sich auch die Gestalt der Trias. Unterschiede zum Ersten Thessalonicherbrief bestehen vor allem in vier Punkten. *Erstens:* Ohne daß die futurische Eschatologie ihren Primat verlöre und die Naherwartung wesentlich abgeschwächt würde, erhält die präsentische Eschatologie ein deutlich größeres Gewicht.[138] *Zweitens:* In einer Radikalisierung seiner früheren Verkündigung rückt Paulus die Kreuzestheologie in die Mitte des Evangeliums und erklärt sie zum Kriterium aller Theologie; dadurch macht er sowohl die Intensität der Proexistenz Jesu als auch die schöpferische Kraft der Liebe Gottes deutlicher sichtbar als zuvor.[139] *Drittens:* Im Zuge der kritischen Auseinandersetzung mit der *christologia gloriae* seiner korinthischen Gemeindeglieder findet Paulus zu einer Dynamisierung der Erhöhungsvorstellung, deren Spitze darin liegt, daß Paulus die Herrschaft des auferweckten Gekreuzigten mit der Wirkmacht des Pneuma identifiziert (1Kor 15,45; vgl. 2Kor 3,17).[140] *Viertens:* Im Zuge der kreuzestheologischen und pneumatologischen Reflexion auf das Grundgeschehen des Todes und der Auferweckung Jesu entfaltet Paulus zugleich eine Anthropologie, die einerseits die universale Unheilsherrschaft der Sünde und des Todes, andererseits mit der Leiblichkeit die Geschichtlichkeit und Relationalität des Menschen zur Geltung bringt.[141]

Alle vier Punkte wirken sich auf die Trias aus: auf die Bedeutung der drei Glieder ebenso wie auf ihren Zusammenhang. Werden im Ersten Thessalonicherbrief Glaube, Hoffnung und Liebe einzig Gott verdankt, so erschei-

---

[138] Vgl. *J. Becker*, Auferstehung 150ff. Anders urteilt, kaum zu Recht, *A. Lindemann*, Paulus und die korinthische Eschatologie. Zur These einer „Entwicklung" im paulinischen Denken: NTS 37 (1991) 373–399.

[139] Vgl. *Th. Söding*, Thessalonicherbrief 186; *ders.*, Kreuzestheologie 36–45.

[140] Vgl. *W. Thüsing*, Gott I: Per Christum 291; *ders.*, Christologie 265f.

[141] Vgl. *U. Schnelle*, Entstehung.

nen sie nach dem Ersten Korintherbrief – ohne jede Relativierung der Theozentrik – stärker als Wirkungen der Gnadenherrschaft Jesu Christi. Sind Glaube, Hoffnung und Liebe nach dem Ersten Thessalonicherbrief ganz auf die Parusie des Menschensohnes hingeordnet, so sind sie im Ersten Korintherbrief an die eschatologische Dynamik zurückgebunden, die durch die gegenwärtigen Unheils- und Heilserfahrungen hindurch in die Heilsvollendung hineinführen wird, die alle gegenwärtigen und geschichtlich möglichen Heilserwartungen noch einmal qualitativ übersteigen wird. Ist der Glaube im Ersten Thessalonicherbrief Treue in der Bedrängnis, so nach dem Ersten Korintherbrief Zustimmung zur paradoxalen Weisheit Gottes im gekreuzigten Jesus Christus und deshalb radikaler Verzicht auf den Selbstruhm. Ist die Hoffnung nach dem Ersten Thessalonicherbrief das Sehnen nach dem Ende der Bedrängnis, so nach dem Ersten Korintherbrief die zuversichtliche Erwartung, daß Gott sich im endgültigen Sieg über den Tod als Schöpfer eines eschatologisch-neuen Lebens erweisen wird. Ist die Liebe nach dem Ersten Thessalonicherbrief die gehorsame Befolgung des Willens Gottes gemäß der Weisung des Geistes, so nach dem Ersten Korintherbrief pneumatische Partizipation an jener Liebe, die Gott durch den gekreuzigten und auferweckten Jesus Christus den verlorenen Menschen erweist.[142]

Der Zusammenhang zwischen Glaube, Hoffnung und Liebe ist nach 1Kor 13 kreuzestheologisch, pneumatologisch, eschatologisch und anthropologisch neu begründet: Es ist Gottes Selbstmitteilung im Kreuzestod und in der Auferweckung Jesu Christi, die nicht nur den paulinischen Begriff des Glaubens, der Hoffnung und der Liebe je für sich bestimmt, sondern auch die Einheit „dieser drei“ konstituiert.

[142] In allen Fällen wird man keinen Widerspruch konstruieren; die Differenzen bleiben gleichwohl zu beachten.

VI. Die Trias im Spiegel des Galaterbriefes (5,5f)

Im Galaterbrief findet sich zwar keine regelrechte Trias. Daß sie dem Apostel vor Augen gestanden hat, läßt die Formulierung von Gal 5,5f aber deutlich genug erkennen. Die Verse zeigen, wie sich für Paulus das Verhältnis von Glaube, Hoffnung und Liebe im Kontext der Rechtfertigungslehre darstellt.

Im folgenden kann es freilich nicht darum gehen, die Theologie der Rechtfertigung nachzuzeichnen, die der Galaterbrief erstmals entwickelt.[1] Die Aufgabe kann nur sein, in der gebotenen Kürze den Stellenwert und die Pointe von Gal 5,5f zu skizzieren. Was heißt dort Pistis, was Elpis, was Agape? Welcher Zusammenhang besteht zwischen den dreien? Wie verhält sich Gal 5,5f zur grundlegenden Rechtfertigungsthese in 2,16?

1. Anlaß und Intention des Galaterbriefes

Paulus schreibt seinen Brief an die galatischen Gemeinden, weil er davon gehört hat, daß sie geneigt sind, der Verkündigung nomistischer Missionare zu folgen (1,7), die eine Synthese von Christusglauben und Gesetzesfrömmigkeit propagieren.[2] Genauerhin fordern sie die Beschneidung (5,2f; 6,12) als Zeichen der Zugehörigkeit zum Gottesvolk der Abrahamskinder (vgl. Gen 17,1–27); und sie fordern Gesetzesbefolgung als Ausweis des Gehorsams gegenüber dem Willen Gottes, wie er Mose am Sinai geoffenbart worden ist (vgl. 4,21–31). Dabei denken sie jedoch kaum an eine strenge Observanz pharisäischer Provenienz (vgl. 5,3; 6,13), sondern an die Beachtung eines Festkalenders[3], den sie (bzw. die Galater) mit dem Dienst der „Weltelemente“ in Verbindung bringen (4,9–12)[4], an die Einhaltung von Speise- und Reinheitsvorschriften (vgl. 2,11–16)[5] und an die Befolgung der ethischen Tora-Gebote (vgl. 2,17). Dem Apostel werfen die Nomisten vor, mit seiner Proklamation der Gesetzesfreiheit das Evangelium der Jerusalemer Urgemeinde verfälscht, um leichterer Missionserfolge willen die

[1] Vgl. dazu *K. Kertelge*, Art. δικαιοσύνη/δικαιόω; ferner (mit weiterer Lit.) *Th. Söding*, Kreuzestheologie.

[2] Zur Abfassungssituation vgl. *Th. Söding*, Gegner (Lit.).

[3] Vgl. *D. Lührmann*, Tage, Monate, Jahreszeiten, Jahre (Gal 4,10), in: R. Albertz u. a. (Hg.), Werden und Wirken des Alten Testaments. FS C. Westermann, Göttingen–Neukirchen–Vluyn 1980, 428–445.

[4] Vgl. *E. Schweizer*, „Elemente“; *ders.*, Altes und Neues.

[5] Vgl. *H. Hübner*, Gesetz 26.

christliche Botschaft aufgeweicht (vgl. 1,10.11)[6], ethischem Libertinismus Vorschub geleistet (2,17)[7] und eben dadurch die heidenchristlicher Galater um ihre eschatologische Hoffnung betrogen zu haben.

Für Paulus steht mit der Mission der Nomisten die „Wahrheit des Evangeliums" auf dem Spiel (2,5.14; 4,16; vgl. 1,6–9). Deshalb sieht er sich als Apostel (vgl. 1,1) in der Verantwortung, die Gemeinde vor der Zustimmung zu jenem „anderen Evangelium" (1,6) seiner Gegner zu bewahren, „das in Wahrheit keines ist" (1,7), und sie wieder für das zu gewinnen, was sie vom Apostel gehört haben (vgl. 1,6–9; 3,1–4; 4,12–20; 5,7–12; 6,17). Die entscheidende theologische Aufgabe sieht Paulus darin, die Galater davon zu überzeugen, daß die Rechtfertigung, weil sie allein im Grundgeschehen des Todes wie der Auferweckung Jesu Christi begründet liegt und ausschließlich Gottes Gnade verdankt wird, keineswegs aus Werken des Gesetzes, sondern nur aus dem Glauben an Jesus Christus erwartet werden kann (2,16). Im Gefolge dessen muß Paulus aber auch zeigen, welche ethische Perspektive seine Rechtfertigungslehre öffnet[8]: daß sie weder moralische Orientierungslosigkeit verursacht noch die sittlichen Weisungen der Tora mißachtet, sondern im Gegenteil die Erfüllung des Gesetzes möglich macht, weil sie das Liebesgebot als den alles entscheidenden Willen Gottes entdecken läßt (5,13f; vgl. Röm 13,8ff).[9]

Aus der Disposition des Briefes, die sich dieser Problemstellung anpaßt, erhellt, welchen Stellenwert im Gedankengang des Briefes Gal 5,5f hat.

---

[6] Vgl. *H. Schlier*, Gal 15; *P. Stuhlmacher*, Das paulinische Evangelium I. Vorgeschichte (FRLANT 95), Göttingen 1968, 67; *F. Mußner*, Gal 12.63f; anders *G. Lüdemann*, Paulus I 68–73.

[7] Gal 2,17 ist ein Realis; vgl. *A. Oepke*, Gal 92; *H. Schlier*, Gal 58f; *F. Hahn*, Gesetzesverständnis 53 Anm. 76; *J. Becker*, Gal 30; *H. D. Betz*, Gal 46.223ff; *J. Lambrecht*, The Line of Thought in Gal 2,14b–21: NTS 24 (1978) 484–495; anders *R. Bultmann*, Zur Auslegung von Gal 2,15–18 (1952), in: ders., Exegetica 394–399; *F. Mußner*, Gal 176f; *U. Borse*, Gal 115. Der Vers weist den Vorwurf zurück, Gesetzesfreiheit führe zum Libertinismus; vgl. *H. D. Betz*, Gal 223f; auch *H. Schlier*, Gal 58f.

[8] Vgl. *Th. Söding*, Gegner 319f.

[9] Im ganzen erweist sich die These von *H. D. Betz* (Gal) als richtig, den Brief unter Gesichtspunkten der Rhetorik als apologetisches Schreiben zu qualifizieren (wenngleich einige Einzelurteile hinsichtlich der Gliederung, der vorausgesetzten Situation und der paulinischen Intention kritisch überprüft werden müssen). Allerdings ordnet sich die ausführliche Paraklese nur schwer in das Schema einer gerichtlichen Verteidigungsrede ein. Sie lehnt sich stärker an deliberative Rhetorik an; vgl. *W. Harnisch*, Einübung 286f; auch *H. D. Betz*, Gal 2.432–435. Dennoch geht es nicht an, den Gal insgesamt diesem *genus* zuzuordnen; gegen *J. Smit*, The Letter of Paul to the Galatians: a Deliberative Speech: NTS 35 (1989) 1–26. Paulus

2. Der nähere Kontext der Trias: Gal 5,1–12

Den näheren Kontext der Trias bilden die Verse 1–12. Sie stehen an der Schwelle vom indikativischen Teil des Briefes zur Paraklese. Obwohl sie bereits mahnenden Charakter haben, gehören sie nicht schon zur *exhortatio*[10]. Diese beginnt vielmehr erst unmittelbar im Anschluß mit Vers 13.[11] 5,1–12 bildet hingegen die *recapitulatio* der *argumentatio*, die Paulus in 3,1–4,21 zur Begründung seiner These 2,15–21 entwickelt. In 5,1–12 nennt der Apostel die unmittelbaren praktischen Konsequenzen, die sich aus der Rechtfertigungslehre ergeben, und er faßt zur Begründung noch einmal einige *essentials* seiner Argumentation zusammen.

Die praktischen Konsequenzen bestehen vor allem darin, daß die Galater sich keinesfalls beschneiden lassen sollen und ebensowenig Heil aus Gesetzeswerken erwarten dürfen; sonst würden sie sich selbst „das Joch der Knechtschaft" auferlegen (5,1) und von Christus trennen (5,4). Um die Galater zu dieser Konsequenz zu bewegen, nennt Paulus in 5,1–6 einige theologische Gründe, während er in 5,7–11 *argumenta ad hominem* aufführt, die sich aus der Situation des Apostels und der Gemeinde ergeben.

Der erste Abschnitt (5,1–6) greift das Thema der Freiheit auf, das 4,21–31 eingeführt hat und das dann das Leitmotiv der Ethik sein wird (5,13).[12] Gemeint ist die Freiheit von der Unheilsmacht der Sünde und des Gesetzes, die im stellvertretenden Sühnetod Jesu (3,13f) begründet ist. Die Verse 1b–4 dienen dem Aufweis, daß die Beschneidung zur Übernahme des gesamten Gesetzes verpflichtet (5,3), unter das Joch der Nomossklaverei zwingt (5,1b) und aus der heilstiftenden Gemeinschaft mit Christus herausfallen läßt (5,2.4). Vers 5 formuliert das positive Gegenstück: daß die Hoffnung auf Gerechtigkeit (allein) aus Glauben erwartet werden kann. Vers 6 gibt dafür die Begründung und weist mit dem Stichwort Agape zugleich in die Paraklese voraus. Gal 5,5f ist deshalb von zentraler Bedeutung für die argumentative Entwicklung der Rechtfertigungslehre, namentlich für die Explikation ihrer praktischen Konsequenzen und ethischen Dimensionen.

---

kann nicht mehr damit rechnen, bei der Gemeinde als Autorität anerkannt zu sein. Die Verbindung apologetischer und deliberativer Passagen erklärt sich im Gal daraus, daß nicht nur die paulinische Soteriologie, sondern infolgedessen auch die paulinische Ethik umstritten ist. Gal 5,13–6,10 hat also *insoweit* argumentativen Charakter.

[10] Anders *H. D. Betz*, Gal 433–436.

[11] Vgl. *O. Merk*, Der Beginn der Paränese im Galaterbrief: ZNW 60 (1969) 83–104. – Anders *A. Suhl*, Der Galaterbrief – Situation und Argumentation: ANRW II 25.4 (1987) 3067–3134: 3119–3132 (die Paraklese beginne erst mit 6,1).

[12] Vgl. *K. Kertelge*, Gesetz; *ders.*, Freiheitsbotschaft.

Die theologischen Leitbegriffe heißen Pistis und Agape. Ihnen muß besondere Aufmerksamkeit gelten. Elpis ist hingegen weniger betont; sie ist dem Glauben auf das engste zugeordnet und deshalb dort zu behandeln, wo der Glaube als Grund der Erwartung zu thematisieren ist, die vollendete Gerechtigkeit zu erlangen.

3. Der rechtfertigende Glaube

Im Zuge der Auseinandersetzung mit den christlichen Nomisten erhält der Glaubensbegriff des Apostels neue Konturen.[13] Paulus setzt auch im Galaterbrief den gemeinchristlichen Sprachgebrauch voraus: Glaube ist grundlegend die Bejahung des christlichen Evangeliums (Gal 2,16; 3,3.5); er führt bei Heiden zur Abkehr vom Götzendienst und zur Erkenntnis des einzigen Gottes (4,8f). In Übereinstimmung mit großen Kreisen des Urchristentums sagt Paulus auch, daß der Glaube nicht nur die einmal getroffene Entscheidung des Anfangs ist, sondern als Gehorsam (vgl. 5,7) und Vertrauen zum Grundvollzug des gesamten Lebens „in Christus" wird. Signifikant ist freilich erst, wie diese Vorgaben im Kontext der Rechtfertigungslehre zur Geltung kommen und entwickelt werden.

a) Glaube als Partizipation an der Theozentrik des Gekreuzigten

Wie im Ersten Korintherbrief gewinnt der Glaubensbegriff im Galaterbrief theologisches Gewicht und existentielle Dichte durch den Rückbezug auf die Kreuzestheologie. Die Skandalösität des Todes Jesu (5,11) als Fluchtod (3,13f) steht im Galaterbrief ebenso klar wie im Ersten Korintherbrief vor Augen. Der rechtfertigende Glaube wird dadurch zutiefst bestimmt. Das ergibt sich vor allem aus Gal 2,19f.

[19] Denn ich bin durch das Gesetz dem Gesetz gestorben,
damit ich Gott lebe.
Mit Christus bin ich gekreuzigt.
[20] Ich lebe, aber nicht mehr ich,
es lebt in mir Christus.
Der ich aber nun im Fleisch lebe,
lebe ich im Glauben an den Sohn Gottes,
der mich geliebt
und sich für mich dahingegeben hat.

---

[13] Im Gal begegnen das Verb (neben 2,7) in 2,16b und 3,6 (Gen 15,6), das Partizip in 3,22, das Adjektiv (im Sinn von gläubig) in 3,9 und das Substantiv absolut in 1,23; 3,2.5.7.8.9.11(Hab 2,4).12.14; 3,23.24.25.26 („in Christus Jesus"); 5,5.6; 5,22 (Treue); 6,10 sowie in der Genitiv-Verbindung Pistis Christi (o. ä.) in 2,16.20; 3,22.

In Gal 2,19f kennzeichnet Paulus sein „Ich“, das paradigmatisch für das eines jeden Glaubenden steht[14], als zutiefst der Sphäre des Fleisches ausgesetzt, d.h. den Unheilsmächten der Sünde (vgl. 2,17) und des Todes unterworfen. Sofern es für dieses „Ich“ im Bereich des „Fleisches“ überhaupt Leben gibt, ist es Leben „im Glauben an den Sohn Gottes, der mich geliebt und sich für mich dahingegeben hat“. Dies setzt voraus, „mit Christus gekreuzigt“ worden zu sein (vgl. 6,14; Röm 6,3.6).[15] Gemeint ist, daß das „Ich“ Anteil am Heilstod Jesu gewinnt (V. 20fin), der nach Gal 3,13f am Kreuz stellvertretend den Fluch auf sich genommen hat, den das Gesetz über die Menschen *qua* Sünder verhängt. Dann aber ist das Subjekt des Lebens „in Christus“ gerade nicht mehr das eigene „Ich“, das der Sündenmacht unterworfen war, sondern der gekreuzigte und von den Toten erstandene Christus selbst, der in diesem „Ich“ lebendig ist und es neu erschafft (vgl. Gal 6,15).[16] Dieses eschatologische Geschehen prägt sich dem Vollzug des Glaubens ein: Wie er sich in seinem grundlegenden Anfang als Umkehr vollzieht (1Thess 1,9f; 2Kor 3,16; Gal 4,9), dem in der Taufe das Bekenntnis der Sünden entspricht, führt er den Gerechtfertigten zum Opfer der leibhaften Existenz (Röm 12,1). Darin bringt der Glaubende zum Ausdruck, daß er sich nicht sich selbst, sondern allein Gott verdankt. Weil das „Ich“, auch wenn es sich an das Gesetz hält, radikal der Macht der Sünde und des Todes unterworfen ist, kommt es nicht von selbst zum Glauben; Pistis kann nur dort entstehen, wo im Innersten des Menschen Christus lebt. Mithin wird der Glaube des mit Christus Gekreuzigten und dadurch Lebenden von Jesus Christus selbst gewirkt (und mit der Kraft zu rechtfertigen begabt).

Wodurch dies geschieht, deutet der Schlußteil von Vers 20 an. Die Proexistenz Jesu zielt darauf, die Menschen durch das Pneuma auf Gott hinzuordnen, weil im Leben auf Gott hin das Heil vollkommen erschlossen wird, futurisch-eschatologisch (1Kor 15,20–28), aber ansatzweise auch schon gegenwärtig (Gal 2,19f; Röm 6,1–11). Dies geschieht nach Gal 2,19f dadurch, daß der auferweckte Gekreuzigte eben dort, wo die Sünde ihre Herrschaft errichtet hat, im „Ich“ der Menschen, sich selbst als den zur Geltung bringt, der zur Abkehr vom alten Äon und zur ungeteilten Hinordnung auf Gott führt. Für Paulus ist aber die Lebenshingabe Jesu die Kehrseite seiner vollkommenen Hinordnung auf Gott. Das Leben des

---

[14] Vgl. *H. Schlier, F. Mußner* und *H. D. Betz* gegen *A. Oepke* und *U. Borse* (jeweils z. St.).

[15] Paulus greift urchristliche Traditionen der Tauftheologie auf, um sie zu radikalisieren; vgl. *K. Kertelge*, „Rechtfertigung“ 239–242.

[16] Vgl. *H. Schlier*, Drei 37.

auferweckten Gekreuzigten ist auf Gott gerichtet (Röm 6,10), so wie schon seine irdische Existenz von radikalem Gehorsam bestimmt worden ist (Röm 5,18f).[17] Deshalb ist der Glaube, den Jesus Christus als Ausdruck seiner Liebe in den sündigen Menschen bewirkt, Partizipation an seiner Theozentrik.

In Gal 5,5f hat Paulus diesen Zusammenhang nach wie vor im Blick. Das ergibt sich aus der engen Korrespondenz zwischen dem Glauben und dem „in Christus" (V. 6): Wie einerseits das Wirken des auferweckten Gekreuzigten auf den Glauben der Menschen zielt und ihn mit der Kraft der Rechtfertigung begabt, ist andererseits der Glaube das Sich-Unterstellen unter die Herrschaft des Kyrios und dadurch der Grund der Rechtfertigung, mithin auch der einzige Grund berechtigter Hoffnung auf Rettung. Wenn der Glaube Heil zu vermitteln vermag, dann deshalb, weil er eine Ausdrucksform der Herrschaft Gottes ist und dadurch das In-Christus-Sein wahrzunehmen in der Lage ist.

b) Glaube als Gegensatz zu den Werken des Gesetzes

Die Vorstellung des Glaubens als Partizipation an der Theozentrik des Gekreuzigten entspricht dem Pistis-Begriff des Ersten Korintherbriefs. Das daraus folgende Charakteristikum des Galaterbriefes (und hernach des Römerbriefes) ist die Antithese zu den „Werken des Gesetzes" (2,16). Unter ihnen versteht Paulus das, was Juden und Christen im Gehorsam gegenüber den Weisungen der Tora tun, *weil* sie dem Nomos und damit den Werken Heilsbedeutung zuerkennen.[18] Wer sein Heilsvertrauen auf Gesetzeswerke gründet, leistet nach Paulus zwar nicht *eo ipso* einem Lohn- und Verdienstlichkeitsdenken Tribut.[19] Wohl aber befindet er sich in einem grundlegenden Irrtum darüber, wie Gott tatsächlich zum Heil der Menschen eschatologisch gehandelt hat: Er relativiert die Heilsbedeutung des Todes Jesu (Gal 2,21); er nimmt nicht wahr, wie groß die Gnade Gottes und wie intensiv die Liebe Jesu Christi ist (Gal 2,19f; 3,13f); er mißversteht die wahre Aufgabe des Gesetzes, das nicht das Leben vermittelt, sondern den Sünder für die Folgen seiner Übertretungen haftbar macht (Gal 3,19–22); er unterschätzt die Macht der Sünde, weil er sie nur als Übertretung des Gesetzes begreifen kann, nicht aber in ihrer prägnantesten Manifestation:

---

[17] Vgl. dazu grundlegend *W. Thüsing*, Gott I: Per Christum in Deum.

[18] Vgl. *F. Mußner*, Gal 169f; *H. Hübner*, Was heißt bei Paulus „Werke des Gesetzes"? in: E. Gräßer – O. Merk (Hg.), Glaube und Eschatologie. FS W. G. Kümmel, Tübingen 1985, 123–133.

[19] So jedoch *R. Bultmann*, Röm 7 und die Anthropologie des Paulus (1932), in: ders., Exegetica 198–209. Ihm folgen viele.

als Verweigerung gegenüber dem eschatologischen Handeln Gottes in Jesus Christus. Wer nicht aus Glauben, sondern aus Werken des Gesetzes sein will, verkennt damit aber zugleich sich selbst, insofern er sich nicht, sei er Jude, sei er Heide, radikal als Sünder (Gal 2,15.17), als „Gottlosen" (Röm 4,5) und „Feind Gottes" (Röm 5,6) begreift, der unausweichlich, und sei er noch so sehr um Werke bemüht, vom Fluch des Gesetzes getroffen wird und der nur leben kann, wenn in ihm Christus lebt als der, der ihn geliebt und sich für ihn dahingegeben hat (Gal 2,20; 3,13f).[20]

Aus dem Gegensatz zu den „Gesetzeswerken" ergeben sich die Merkmale des rechtfertigenden Glaubens: Er bekennt den Kreuzestod und die Auferweckung Jesu als eschatologische Selbstmitteilung Gottes, in der allein das Heil beschlossen ist; er setzt seine ganze Heilshoffnung auf Gottes Gnade, wie sie in Jesus Christus Wirklichkeit wird; er erkennt im Lichte des Christusgeschehens die wirkliche Aufgabe des Gesetzes; er weiß darum, daß die Unheilsmacht der Sünde *ante Christum* alles korrumpiert, auch die Versuche der Gesetzeserfüllung und die Gesetzesfrömmigkeit; er sieht, daß authentisches, gottgefälliges Leben nur in der Anteilhabe an jenem Leben bestehen kann, das Jesus Christus auf Gott hin für die Menschen lebt; und er vertraut darauf, daß ihm die Möglichkeit dieses Lebens durch Gottes Heilshandeln in Jesus Christus tatsächlich eröffnet wird.

Der Widerspruch des Glaubens gegen das in Gesetzeswerken begründete Heilsvertrauen steht Gal 5,5f in aller Schärfe vor Augen: „In Christus" erweist sich, daß die soteriologische Dichotomie zwischen Beschnittenheit und Unbeschnittenheit nichtig ist. Die Parallele zwischen 5,6 und 6,15 führt vor Augen, daß der Glaube, der durch Agape wirksam ist, ganz der „neuen Schöpfung" Gottes zugehört. Er realisiert den Äonenwechsel, der mit dem Tod und der Auferweckung Jesu anbricht; und er verdankt sich selbst der Kraft Gottes, die eine neue Schöpfung heraufführt.

4. Liebe nach dem Galaterbrief

In Gal 5,6 spricht Paulus nicht, wie in der Alten Kirche und der Scholastik häufig gedacht worden ist, von der Liebe Gottes oder Jesu Christi, sondern nach Ausweis des Kontextes von der christlichen Nächstenliebe.[21] Sie ist nach 5,14 die Erfüllung des Gesetzes[22] in seiner Gesamtheit, insofern sie

---

[20] *H. Merklein* (Bedeutung 4f) betont, daß es der Blick auf den Gekreuzigten ist, der dem Apostel all dies erschließt.

[21] Vgl. *C. Spicq*, Agapè II 169f; *F. Mußner*, Gal 353f.

[22] Das Wort Nomos gebraucht Paulus in 5,14 nicht übertragen (so aber *R. Bultmann*, Theologie 260) oder ironisch gebrochen (so freilich *H. Hübner*, Gesetz 38),

annimmt und umsetzt, was von Jesus Christus her als Mitte des Anspruchs Gottes aufscheint.[23]

a) Die Praxis der Nächstenliebe

Im parakletischen Teil des Briefes (5,13–6,10) wird die Praxis der Agape paradigmatisch beschrieben. Die Ausführungen sind nicht unmittelbar auf die galatische Gemeindesituation gemünzt, sondern bleiben allgemein und usuell. Sie bewegen sich innerhalb des Rahmens, der sich schon im Ersten Thessalonicherbrief abzeichnet und im Ersten Korintherbrief (sowie in anderen Hauptbriefen) weiter ausgebaut wird. Neben den zahlreichen Lastern (5,19ff), die als Kontrastbegriffe, und den zahlreichen Tugenden (5,22f), die als Parallelbegriffe zur Agape aufgezählt werden, sind es vor allem zwei Verhaltensweisen, welche die Liebe charakterisieren. Nach *5,13* besteht sie darin, dem Nächsten zu dienen (δουλεύειν).[24] Dieser Knechtsdienst der Liebe meint, die eigenen Begabungen und Fähigkeiten ganz dem Nächsten zur Verfügung zu stellen, so daß er aus ihnen Nutzen ziehen kann. Das setzt Demut voraus: die Bereitschaft, um des Nächsten willen zurückzustecken (vgl. Phil 2,3); und es setzt die Glaubenseinsicht voraus, daß der Nächste derjenige ist, für den Jesus Christus seinerseits arm geworden ist (2Kor 8,9) und sich zum Sklaven gemacht hat (Phil 2,7).[25] Der Mahnung zum Dienen entspricht die Mahnung in *6,2*, die Last des anderen zu tragen.[26] Nach Ausweis von 6,1 denkt Paulus vor allem an die Verfehlungen des Nächsten.[27] Er soll ihretwegen zurechtgewiesen werden, aber nicht, um ihn zu beschämen, sondern „im Geist der Sanftmut": in freundlicher Zuwendung zu ihm, die daran interessiert ist, ihn zur besseren Einsicht zu führen (vgl. 1Thess 5,14; 1Kor 13,4ab.5d).[28] Vers 2 geht einen Schritt weiter. Die Verfehlungen zu „tragen", heißt, die Belastungen auf

---

sondern im eigentlichen Sinn; vgl. *F. Hahn*, Gesetzesverständnis 56f; *K. Kertelge*, Freiheitsbotschaft 206.

[23] Nähere Ausführungen zu diesem Punkt finden sich in meiner Habilitationsschrift über das Liebesgebot bei Paulus.

[24] δουλεύειν ist von διακονεῖν zu unterscheiden. Betont dieses Wort die solidarische Unterstützung des anderen (1Kor 12,5; Phlm 13; Röm 12,7; auch 1Kor 16,5; 2Kor 9,1.12.13; Röm 15,31), so jenes die umfassende Dienstbereitschaft, die nach dem Vorbild eines Sklaven (δοῦλος), obschon freiwillig, Erniedrigungen nicht scheut; vgl. *A. Weiser*, Art. δουλεύω κτλ.: EWNT 1 (1980) 844–852: 845ff.

[25] Vgl. *Th. Söding*, Erniedrigung 24f.

[26] βαστάζειν heißt bei Paulus nicht „ertragen", sondern „tragen". Somit bleibt ein Unterschied zu 1Kor 13,7a (στέγειν), wiewohl die Nähe der beiden Aussagen zu beachten ist.

[27] Vgl. *F. Mußner*, Gal 399; *O. Hofius*, Gesetz 70.

[28] Vgl. *H. Frankemölle*, Art. πραΰτης κτλ.: EWNT 3 (1983) 351ff: 353.

sich zu nehmen, die sie verursachen, und läuft darauf hinaus, die Schuld zu vergeben. Vers 2 weitet aber zugleich den Gesichtskreis über die Verfehlungen des Nächsten aus: Die Liebe ist dadurch gekennzeichnet, daß sie *alles* auf sich nimmt, was der Nächste an Belastungen verursacht, sei es durch persönliche Schuld, sei es auch durch eigene Begrenzungen, durch Unfähigkeit und Unfertigkeit, durch Schwäche und durch Not.[29]
Die spätere Parallele Röm 15,1ff versteht dieses „Tragen" als Konformität mit Christus, der „nicht sich selbst zu Gefallen gelebt hat". In Gal 6,2 wird dieser christologische Bezug durch das (paradoxe) Stichwort „Gesetz des Christus" angezeigt. Darunter versteht Paulus die Tora, so wie sie „in Christus" erscheint und vom Erhöhten selbst als verbindlicher Wille Gottes zur Geltung gebracht wird[30]: als Unheilsmacht abgetan; als „Zuchtmeister", Sklavenhalter und Gefängniswärter (Gal 3,19–29) abgesetzt; von der Überforderung entlastet, den Menschen rechtfertigen zu sollen; durch das Pneuma in eschatologisch-neuer Gestalt konstituiert (vgl. Röm 3,31; 8,2); dadurch im Liebesgebot konzentriert.[31] Wegen der Identität von Person und Geschick, von Wirken und Weisung Jesu ist das, was „das Gesetz des Christus" fordert, nicht nur im Wort, sondern auch im Verhalten des Irdischen wie des Auferweckten, des Sich-Entäußernden und Gekreuzigten wie des Erhöhten begründet, näherhin in seinem Gehorsam gegenüber Gott und seiner Liebe zu den Sündern (Gal 2,19f).[32] Damit ist das „Gesetz des Christus" Inbegriff der Weisung, die dem eschatologischen Heilshandeln Gottes im stellvertretenden Sühnetod und in der Auferwekkung Jesu Christi von den Toten entspricht.

b) Die Agape als Frucht des Pneuma (5,22)

Gal 5,22f stellt den „Werken des Fleisches", die der Lasterkatalog 5,19ff mit einigen Beispielen aufzählt, die „Frucht des Pneuma" gegenüber, für die Paulus eine kleine Reihe gleichfalls paradigmatischer Tugenden nennt.

---

[29] Das ergibt sich vor allem aus der Parallele Röm 15,1ff, die ihrerseits auf die Kontroverse zwischen den „Starken" und den „Schwachen" in Rom zurückgreift; vgl. *J. Becker*, Gal 75.

[30] Vgl. *U. Wilckens*, Zur Entwicklung des paulinischen Gesetzesverständnisses: NTS 28 (1982) 154–190: 175f.

[31] Anders urteilt *O. Hofius*, Gesetz 70ff. Für ihn ist das „Gesetz Christi" die Weisung des Gekreuzigten, der „zu einem Tun und Verhalten (ruft), das an der Heilstat Christi orientiert ist und sich dem gekreuzigten Kyrios verpflichtet und verantwortlich weiß" (71). So wenig dies zu bestreiten ist, so sehr bleibt zu fragen, ob die Interpretation gerade im Gal und zumal nach 5,13f tatsächlich vom Terminus Nomos absehen kann.

[32] Das betont *H. Schürmann*, Gesetz.

Diese Liste wird von der Agape angeführt.[33] So sehr sie einerseits mit den anderen Einstellungen und Verhaltensweisen, die vom Apostel aufgezählt werden, zusammengesehen werden muß, so sehr steht sie andererseits doch nicht von ungefähr an deren Spitze. Im Lichte von Gal 5,6 und 5,13f ist zu folgern, daß sie die erste und wichtigste „Frucht des Pneuma" ist und daß Paulus sie als Hyponym der im weiteren genannten Tugenden gesehen hat.

Wenn Paulus die Liebe in 5,22 als „Frucht des Pneuma" bezeichnet, kennzeichnet er sie als Gnade. Dies entspricht einem Wesenszug der Agape, der sich bereits im Ersten Thessalonicherbrief auszubilden beginnt und spätestens im Ersten Korintherbrief voll entwickelt ist, im Kontext der Rechtfertigungstheologie aber eine charakteristische Pointe gewinnt: Nur als Gnade kann die Liebe die „Energie" des rechtfertigenden Glaubens (5,6) und die „Erfüllung des Gesetzes" sein (5,13f); daß sie sich dem Pneuma verdankt, bewahrt sie davor, zum Gesetzeswerk im Sinne von Gal 2,16 zu werden. Gal 5,22 stellt fest, daß die Liebe aus derselben Bewegung des rettenden Heilswillens Gottes hervorgeht wie der Glaube. Ebenso wie der Glaube nicht aus den eigenen Kräften des Menschen wächst, sondern von Gott in Jesus Christus geschenkt wird, so auch die Liebe; und ebenso wie der Glaube gerade dadurch, daß er ganz Gnade ist, die freie, unvertretbare und verantwortliche Entscheidung, Haltung und Praxis der Christen werden kann, so auch die Liebe.[34]

Wenn aber einerseits die Agape als „Frucht des Pneuma" sich ganz der Gnade verdankt, heißt dies umgekehrt, daß die Glaubenden, wenn sie sich vom Geist Gottes zum Handeln bestimmen lassen, zur Agape geführt werden. Der Wandel im Geist, in dem sich das Leben nach dem Geist zeitigen soll (5,25), besteht in der Agape. Die innere Korrespondenz ist darin begründet, daß der Geist die Kraft der Liebe Gottes ist, die das gesamte Leben der Menschen bestimmen will und sie deshalb zur Nächstenliebe führt. Umgekehrt wird das Pneuma ähnlich wie durch den Glauben auch durch die Liebe zur bestimmenden Größe des Lebens derer, die durch Jesus Christus gerechtfertigt sind; wie der Glaube, so schließt auch die Liebe für die Wirklichkeit des eschatologischen Heiles auf: indem sie dem Nächsten dient, vermittelt sie nicht nur ihm, sondern auch dem Liebenden selbst Erfahrungen gelungener Kommunikation, die das „Sein-in-Christus" transparent werden lassen.

Im Licht von Gal 5,24 läßt sich dies staurologisch präzisieren. Die Kreuzigung des Fleisches, seiner Begierden und Leidenschaften, vollzieht sich

---

[33] Im religions- und traditionsgeschichtlichen Vergleich fällt auf, daß es m. W. nur zu ihr keine vorchristliche Parallele gibt. Das unterstreicht ihre Bedeutung.

[34] Vgl. die Korrespondenz von Gal 5,22 und Röm 6,22.

existentiell in der Agape, die durch das Pneuma zur Konformität mit dem gekreuzigten Jesus Christus führt. Die Liebe zum Nächsten ist geistgewirkte Teilhabe an seiner Proexistenz, in der Gott das Heil der Menschen begründet. Als solche realisiert sie die in Christus geschenkte Freiheit vom Gesetz gerade dadurch, daß sie gehorsam bejaht, was sie in Kreuz und Auferwekkung Jesu als Heilswille Gottes erkennt.[35]

5. Der Glaube und die Hoffnung der Gerechtigkeit (Gal 5,5)

Gal 5,5 spricht von der Hoffnung der Gerechtigkeit. Der Genitiv ist epexegetisch. Elpis ist das Hoffnungs*gut*. Der Rückbezug auf Vers 4 belegt, daß Paulus von der Gnade der Rechtfertigung spricht. Das Verb „erwarten" (ἀπεκδέχομαι) zeigt, daß sich der Blick auf die zukünftige Vollendung richtet, die mit der Parusie Jesu Christi eingeleitet wird.[36] Die Dikaiosyne erscheint mithin als Inbegriff des Heiles, wie es in der Zukunft Gottes Wirklichkeit werden wird. Sonst betont Paulus meistens das „Schon" der Rechtfertigung[37], dem das „Noch-nicht" der Rettung gegenübersteht[38]. Dennoch gibt es Parallelen zum Sprachgebrauch von Gal 5,5f[39]. Sie weisen zum einen auf die forensische Dimension des Rechtfertigungsgeschehens hin[40] und zum anderen auf die eschatologische Dynamik des Heilshandelns Gottes, die durch Jesus Christus über die gegenwärtige Befreiung von der Unheilsmacht der Sünde und des Gesetzes zur Erschließung vollkommener Gemeinschaft mit Gott in der transhistorischen Vollendung zielt.

Die Verbindung von Pistis und Dikaiosyne, die für die paulinische Rechtfertigungstheologie typisch ist, gewinnt durch die futurisch-eschatologische Perspektive von Gal 5,5 eine besondere Färbung. Der Glaube wird als jene Größe bestimmt, die allein die Erwartung zu begründen vermag, zukünftig vollends gerechtfertigt zu sein. Dies steht keineswegs im Widerspruch zu den präsentisch-eschatologisch ausgerichteten Parallelen, zeigt aber, daß der Glaube *letzt*gültig Heil zu vermitteln vermag, und antwortet damit auf die Sorge der Galater, sie müßten sich beschneiden lassen und Werke des Gesetzes erbringen, um der eschatologischen Rettung teilhaftig zu werden.

---

[35] Vgl. *K. Kertelge*, Freiheitsbotschaft.
[36] Vgl. 1Kor 1,7; Phil 3,20; Röm 8,19.23.25.
[37] 1Kor 6,11; Phil 1,11; 3,9; Gal 3,8; Röm 3,21–26; 4; 5,1.9.17; 8,30; 9,30.
[38] Röm 5,9f; 8,24; 10,9.
[39] Vgl. neben 1Kor 4,4 vor allem Röm 2,13 und 5,19 sowie 14,17, aber auch die futurischen Verbformen in Gal 2,16b und 16d (Ps 143,2) sowie Gal 3,11 (Hab 2,4; vgl. Röm 1,17), dann auch Phil 3,9ff.
[40] Vgl. *K. Kertelge*, „Rechtfertigung" 112–128.

Die Verbindung zwischen dem Glauben und der Hoffnung der Gerechtigkeit wird durch das Pneuma konstituiert, d. h. durch die eschatologische Schöpfungs- und Rettungsmacht Gottes selbst, die im Wirken des Erhöhten Gestalt gewinnt[41]. Die Verbindung von Geist und Glaube ist komplex. Grundlegend ist, daß die Pistis eine Wirkung des Pneuma ist.[42] Das entspricht ihrem Wesen als Gnade: Der Geist ermöglicht die angemessene Reaktion der Hörer auf das Wort Jesu Christi und verleiht dem so entstandenen Glauben rettende Kraft.[43] Umgekehrt wird auf diese Weise das Pneuma durch die Pistis zur bestimmenden Größe des gesamten christlichen Lebensvollzuges. Das entspricht ihrem Wesen als ganzheitlicher menschlicher Antwort auf das Evangelium: Der Glaube öffnet sich in Jesus Christus dem Wirken des Geistes Gottes und läßt den gesamten Menschen von der Dynamik des Heilsgeschehens bewegt werden.[44]

6. Die Wirksamkeit des Glaubens durch die Liebe (Gal 5,6)

Weshalb es der Glaube ist, der die Hoffnung der Rechtfertigung erwarten läßt, begründet Paulus noch einmal in Vers 6. Das Vermögen (ἰσχύειν), von dem der Apostel spricht, meint die „in Christus Jesus" gegebene Fähigkeit zu rechtfertigen.[45] Dieses Vermögen eignet nicht der Beschneidung (vgl. Gal 6,15), sondern allein dem Glauben. Das entspricht Gal 2,16. Freilich wird der rechtfertigende Glauben dadurch näher bestimmt, daß er durch Liebe „wirksam wird".[46]

„Wirksam werden" (ἐνεργέω) liegt in Gal 5,6 nicht auf einer Ebene mit

---

[41] Vgl. nur 1Kor 15,45 und 2Kor 3,17; zudem die Genitivverbindung „Geist des Sohnes" in Gal 4,6, überdies die Aufnahme des „im Geist" aus Gal 5,5 durch „in Christus" in 5,6.

[42] Vgl. *O. Hofius*, Wort 168f; gegen *R. Bultmann*, Theologie 331.

[43] Vgl. 2Kor 4,13; auch 1Kor 12,3; 1Thess 1,6; Röm 15,13.

[44] Vgl. dazu vor allem Gal 5,16–25 als erläuternde Fortführung von 5,13ff; vgl. aber auch Gal 3,1–5.

[45] Soteriologisch relevant sind auch die (allerdings etwas entfernten) Wortparallelen 1Kor 1,25.27 und Phil 4,13; auch Eph 1,19; 6,10; 1Petr 4,11; Jak 5,16 und Apg 19,20

[46] Nach *J. Becker* (Gal 62) greift Paulus in 5,6 eine antiochenische Tradition auf, die seiner eigenen Theologie nicht völlig entspreche und einen Gedanken eintrage, der mit 3,6 schwer vereinbar sei. Die Gründe für die literar- bzw. traditionskritische These sind jedoch nicht stichhaltig: Der Apostel rekurriert gewiß auf geprägte Wendungen („in Christus") und Motive (Beschneidung – Unbeschnittenheit), verleiht ihnen aber einen neuen und charakteristisch paulinischen Sinn. Die fragliche Partizipialkonstruktion weist keinerlei untypischen Sprachgebrauch auf. Der Apostel formuliert 5,6 insgesamt selbständig. Gal 5,6 bildet einen Kernsatz seiner (Rechtfertigungs-)Theologie.

„vermögen" (ἰσχύω). Der Partizipialsatz nennt nicht die Bedingung, unter welcher der Glaube zu rechtfertigen vermag, sondern die Folge, die er im Lebensvollzug der Christen zeitigt.[47] Gal 5,6 erweist sich nicht als Einschränkung[48], sondern als Explikation des *sola fide*. Wenn Paulus von der Rechtfertigung durch Glauben spricht, redet er der Sache nach immer schon von jenem Glauben, der durch Liebe wirksam wird.[49] In Gal 5,5f wird dies nur ausdrücklich gemacht. Pistis ist nach 5,6 – als gnadenverdankte Antwort auf das Evangelium – eine Kraft[50], die das gesamte Leben der Christen bestimmt. Diese pneumatische Energie kommt durch die Liebe zum Ausdruck.[51] Vorausgesetzt ist, daß die Agape „Frucht des Geistes" ist (5,22). Als solche kann die Liebe zu jener Haltung und Praxis werden, durch welche der Glaube zum bestimmenden Faktor des gesamten Lebensvollzuges wird.

Die innere Koinzidenz zwischen dem Glauben und der Liebe, die bereits im Ersten Thessalonicherbrief nachweisbar ist und sich im Ersten Korintherbrief unter dem Vorzeichen der Kreuzestheologie und der Pneumatologie verdichtet, wird im Lichte der Rechtfertigungslehre ausdrücklich thematisiert und theologisch weiter vertieft. *Zum einen* bestätigt und klärt sich, daß der Glaube der Christen von innen heraus auf die Liebe hindrängt und daß die Liebe den Glauben voraussetzt. Denn im Glauben erkennen die Hörer des Wortes, daß Jesus Christus sie liebt, daß sich in dieser Liebe die Barmherzigkeit Gottes äußert, daß sich ihr gesamtes Leben einzig dieser Liebe verdankt (Gal 2,19f)[52] und daß sie gleichzeitig mit ihnen allen Sündern gilt (vgl. Röm 5,5–11). Die Christen wären also immer schon aus dem Heilszusammenhang dieser Gnade herausgefallen, wenn sie nicht in der Konsequenz ihres Glaubens nach Wegen suchten, wie in ihren Beziehungen zu anderen Menschen zur Wirkung kommen kann, was sie selbst als Gnade erfahren haben.

Zum anderen erhellt aber auch, daß die Agape, von der Gal 5f spricht, den Glauben voraussetzt: Sie kann nur in jenem Reich der Freiheit (5,1.13)

---

[47] ἐνεργουμένη ist in Gal 5,6 nicht Passiv (wie bei einer Deutung von Agape auf die Liebe Gottes bzw. Jesu Christi zu folgern wäre), sondern intransitives Medium. Theozentrische Parallelen sind 1Kor 12,6.11; Gal 2,8; 3,5; Phil 2,13.

[48] So jedoch *F. Mußner*, Gal 353.

[49] Gal 5,6 expliziert, was in 2,16–21 impliziert ist, wenn das Leben der Gerechtfertigten als Leben auf Gott hin (V. 19) gekennzeichnet wird, das im Widerspruch zur Macht der Sünde steht; vgl. *H. D. Betz*, Gal 228. Noch deutlicher ist die Sachparallele Röm 6,1–11.

[50] Vgl. *H. D. Betz*, Gal 450; auch *U. Borse*, Gal 183.

[51] διά c. gen. ist im strengen grammatikalischen Sinn als *genitivus instrumentalis* zu verstehen; vgl. *St. Lyonnet*, Foi 215. Das grammatikalisch ebenfalls mögliche modale Verständnis (*F. Mußner*, Gal 354) bleibt zu offen.

[52] Vgl. *H. Schlier*, Gal 169; auch *H. D. Betz* (Gal 450f).

lebendig werden, das allein im Verzicht auf den Versuch der Rechtfertigung aus dem Gesetz erreicht werden kann (5,1–4), also nur im Vertrauen auf Rechtfertigung durch den gekreuzigten Jesus Christus.[53]

Das aber heißt: Zwischen Glaube und Liebe besteht ein intensives und vielschichtiges Wechselverhältnis (das durch das Medium ἐνεργουμένη grammatikalisch präzise angezeigt wird). Paulus denkt vom Glauben her zur Liebe hin. Mit der Gegenüberstellung von Voraussetzung und Folge wäre die Relation noch zu undifferenziert beschrieben.[54] So gewiß der Glaube die Voraussetzung der Liebe ist, so gewiß muß doch immer gleichzeitig mit dem Glauben die Liebe wachsen, wenn anders der Glaube das vertrauende Sich-Unterstellen unter die Herrschaft des auferweckten Gekreuzigten ist. Und so gewiß der Glaube in den kommunikativen Bezügen der Menschen seine Wirkung durch die Liebe entfaltet, so gewiß ist doch umgekehrt die Wirklichkeit der Agape durch den Glauben bestimmt, wenn anders sie jene Liebe bejahen will, die den Menschen von Gott her in Jesus Christus gilt. Zwar geht der Glaube nicht in der Liebe auf; aber ohne durch sie wirksam zu werden, wäre er nicht Glaube. Und zwar muß die Liebe vom Glauben unterschieden bleiben; aber ohne daß er ihre Energie wäre, könnte sie nicht Agape sein.

Der Zusammenhang zwischen Pistis und Agape ist im Rahmen der Rechtfertigungslehre letztlich christologisch-pneumatologisch bestimmt. Gal 2,19ff läßt den Glauben als Partizipation an der Theozentrik Jesu erkennen, „der mich geliebt und sich für mich dahingegeben hat". Daß der Glaube dann seiner inneren Dynamik nach in die Konformität mit der Proexistenz Jesu hineinführt, ist in der Person und im Wirken des Erhöhten selbst angelegt; denn sein Eintreten für die Menschen bildet eine dialektische Einheit mit seinem Leben auf Gott hin (vgl. 1Kor 3,22f; 15,28; Gal 2,19f; Röm 5,18f; 6,1–11; 8,31–38; 15,1–13). Umgekehrt ist die Agape dadurch gekennzeichnet, daß sie „Frucht des Pneuma" (5,22) ist und das „Gesetz des Christus" (6,2) erfüllt. Wenn aber die Liebe dergestalt durch die theozentrisch eingebundene Proexistenz Jesu Christi vorgegeben und ermöglicht ist, kann sie immer nur aus der Teilhabe an der Theozentrik Jesu heraus gelebt werden.

---

[53] Vgl. *St. Lyonnet*, Foi 220; *K. Kertelge,* Gesetz.

[54] *H. Schlier* (Gal 167) konzentriert sich auf dieses Moment, das zweifelsohne grundlegend wichtig ist: „Im Glauben hat die Liebe das, was sie möglich macht, in der Liebe hat der Glaube das, was ihn wirklich sein läßt".

7. Der Zusammenhang von Glaube, Hoffnung und Liebe nach dem Galaterbrief

Gal 5,5f zeigt, daß Paulus auch im Kontext der Rechtfertigungslehre die innere Zusammengehörigkeit von Glaube, Hoffnung und Liebe herausstellt. Welchen Stellenwert die drei Glieder der Trias haben und wie sich ihre Verbindung im Vergleich mit den triassischen Sätzen des Ersten Thessalonicherbriefes und des Ersten Korintherbriefes darstellt, soll abschließend kurz zusammengefaßt werden.

a) Glaube, Hoffnung und Liebe im Horizont der Rechtfertigungslehre

Durch Gal 5,6 wird der Glaube keineswegs in seiner soteriologischen Valenz von der Agape abhängig gemacht, so daß letztlich sie es wäre, die zur Rechtfertigung führte. Vielmehr liegt die Betonung auf dem Glauben. Ihm wird rechtfertigende Kraft zuerkannt. So wie er einerseits (V. 5) die Hoffnung auf eschatologische Rettung begründet, wird er andererseits (V. 6) durch die Agape in den kommunikativen Bezügen der Menschen wirksam. In Gal 5,6 stellt Paulus klar, was den rechtfertigenden Glauben immer schon auszeichnet: Er entfaltet seine Kraft, das Leben der Christen zu bestimmen, durch die Liebe. Dies will Paulus an der Schwelle zur Paraklese (5,13–6,10) besonders betonen. Er begegnet damit dem (direkten oder indirekten) Vorwurf seiner Gegner, das gesetzesfreie Evangelium entrate einer überzeugenden ethischen Orientierung. Er stellt klar, daß die Agape, die nach 5,13f das Gesetz erfüllt, allein aus jenem Glauben wächst, der den Gesetzeswerken diametral gegenübersteht. Gleichzeitig macht er auf die ethische Dimension des Rechtfertigungsgeschehens aufmerksam, die in den vorangegangenen Erörterungen nur von ferne angeklungen war, aber insofern zu seiner Substanz gehört, als die Dikaiosyne *umfassendes* Heil in Zukunft und Gegenwart bedeutet. Rechtfertigung impliziert ein Handeln, das dem Willen Gottes entspricht. Weil die Rechtfertigung der Glaubenden aber der Machterweis der Liebe Gottes in Jesus Christus ist (vgl. 2Kor 5,14–21; Gal 2,19f; Röm 5,5–11), muß dieses Handeln von Agape bestimmt sein. Wenn es also richtig ist, daß sich aus dem rechtfertigenden Handeln Gottes notwendig ein ethischer Imperativ ergibt, dann zielt er von vornherein auf das Liebesgebot (vgl. 5,13f). Die Agape realisiert in der Zuwendung zum Nächsten die Möglichkeiten gelingenden Lebens, die den Glaubenden durch das Geschenk der Rechtfertigung eröffnet sind. Wer diese Möglichkeiten nutzt, erfährt, worin eine essentielle Dimension des Seins „in Christus“ besteht, und kann diese Erfahrung auch anderen mitteilen.[55] Aber mehr noch: Insofern die Glaubenden in ihrer Agape

---

[55] Vgl. *W. Harnisch*, Einübung 288.

nichts anderes tun, als sich vom Pneuma führen zu lassen (5,16), gewinnt in ihren Beziehungen zu den anderen Menschen Gestalt, was das „In-Christus-Sein“ ausmacht. Dies zu betonen, redet Paulus in Gal 5,6 nicht einfach vom Glauben, sondern vom Glauben, der durch Liebe wirksam wird.
Diese Liebe ist ebenso wie der Glaube eine Gegebenheit der „neuen Schöpfung“ (vgl. Gal 6,15); ebenso wie der Glaube, nur auf andere Weise, realisiert sie, daß Gottes Heilshandeln in Jesus Christus allein in der Dimension einer Äonenwende zu beschreiben ist, die sich im Machtbereich des Kyrios antizipatorisch bereits gegenwärtig vollzieht; sie überwindet die Denkkategorien und Verhaltensmuster des „Kosmos“ (Gal 6,14) – auch dort, wo sie sich auf die Unterscheidung von Beschneidung und Unbeschnittenheit stützen; sie läßt in den konkreten Lebensvollzügen Wirklichkeit werden, daß in der Ekklesia die diskriminierenden Unterschiede zwischen Juden und Heiden, aber auch zwischen Sklaven und Freien und zwischen Männern und Frauen aufgehoben sind (vgl. Gal 3,28). Wenn der Glaube die durch Christus erwirkte Freiheit vom Gesetz als Geschenk der Gnadenmacht Gottes erkennt und annimmt, realisiert die Liebe die dadurch eröffnete Möglichkeit, im Dienen das Gesetz des Christus (Gal 6,2) zu erfüllen.[56]
Gal 5,6 ist ein Spitzensatz nicht nur der paulinischen Soteriologie, sondern auch der paulinischen Ethik. Dadurch, daß er die untrennbare Verbindung von Glaube und Liebe auf den Begriff bringt, weist er vom Zentrum des christologischen Heilsgeschehens her sowohl auf die ethische Perspektive der Soteriologie als auch auf die soteriologische Relevanz der Ethik hin. Genauer: Gal 5,6 stellt die Nächstenliebe, die den Inbegriff der christlichen Ethik bildet (5,13f), auf das soteriologische Fundament, das ihr Stand verleiht. Dadurch gibt er den parakletischen Ausführungen in 5,13–6,10 von vornherein die richtige theologische Perspektive. Umgekehrt weist der Vers aber auch auf die soteriologische Relevanz einer Ethik hin, die im Liebesgebot ihr Maß und ihre Mitte hat. Dies meint gewiß nicht den Rückfall in eine neue Form von Gesetzlichkeit; die Freiheit vom Gesetz als versklavender Unheilsmacht ist ja die Voraussetzung dafür, daß die Liebe wirken und im Gehorsam gegenüber Gottes Weisung das Gesetz erfüllen kann. Aber das Pneuma, in dem nach Gal 5,5 die Hoffnung der Gerechtigkeit aus dem Glauben begründet ist, treibt die Christen auch zur Haltung und Praxis der Agape (5,16–25); denn das Pneuma ist die schöpferische Kraft der Liebe Gottes, die durch Jesus Christus das Leben der Menschen durch und durch bestimmen will. Deshalb umfaßt ihre Antwort in dem

---

[56] Vgl. *K. Kertelge*, Freiheitsbotschaft.

Maße, wie in ihr die Gnadenmacht Gottes zur Geltung kommt, zusammen mit dem Glauben auch die Liebe.

b) Gal 5,5f im Vergleich mit den Triaden im Ersten Thessalonicherbrief und im Ersten Korintherbrief

Die Einbindung in die Rechtfertigungstheologie des Galaterbriefes und ihren konkreten Anlaß gibt der Verbindung von Glaube, Hoffnung und Liebe eine charakteristische Gestalt. Das schließt grundlegende Gemeinsamkeiten mit den älteren Triaden des Ersten Thessalonicherbriefes und des Ersten Korintherbriefs nicht aus. Einerseits bilden auch nach Gal 5,5f Glaube, Hoffnung und Liebe eschatologisch, soteriologisch und anthropologisch eine untrennbare, wenngleich spannungsvolle Einheit. Andererseits wird auch im Ersten Thessalonicherbrief und im Ersten Korintherbrief die Pistis immer an erster Stelle genannt. Daß eschatologische Rettung den Glauben voraussetzt, ist auch nach den älteren Briefen klar. Gemeinsam ist der strenge Rückbezug auf die indikativische Heilsverkündigung; gemeinsam ist auch der eschatologische Horizont, der durch die Begrenzung der Geschichte, die Schöpfung der vollendeten Basileia Gottes und die pneumatischen Antizipationen der Zukunft Gottes aufgerissen wird.
Gleichwohl verändert sich durch den theologischen Kontext das Gefüge der Trias. Die Rechtfertigungslehre erklärt die Akzentuierung der Pistis und prägt die Bedeutung jedes einzelnen Gliedes ebenso wie die Art und Weise ihrer inneren Verbindung. Agape erscheint als gelebte Freiheit vom Gesetz und zugleich als Erfüllung des Gesetzes (5,13f); die Hoffnung richtet sich auf die vollendete Rechtfertigung; Pistis ist zum einen die vom Geist verliehene Kraft, das vom Nomos verstärkte Unheil der Sünde zu überwinden, und von daher zum anderen als gehorsame Annahme der Herrschaft Jesu Christi zugleich Absage an die als Mittel der Rechtfertigung mißbrauchten Gesetzeswerke. Wenn Paulus den Glauben in Gal 5,5 als jene soteriologische Größe vorstellt, die allein wirkliche Hoffnung begründet, zeigt er in eschatologischer Perspektive die anthropologische Dimension des Rechtfertigungsgeschehens auf. Und wenn er in Vers 6 den rechtfertigenden Glauben als den durch Liebe wirkenden bestimmt, weist er darauf hin, daß die Freiheit vom Gesetz nicht zu ethischer Orientierungslosigkeit führt (wie die Gegner gesagt haben werden), sondern im Gegenteil zur Erfüllung des Gesetzes durch die Nächstenliebe.
In der aus dem Ersten Thessalonicherbrief und dem Ersten Korintherbrief bekannten Gestalt hat die Trias zum Repertoire der paulinischen Missionsverkündigung gehört. Deshalb ist es nicht unwahrscheinlich, daß sie den Galatern in dieser Form schon vor Abfassung des Briefes als einprägsame Kurzformel bekannt gewesen ist, die das Wesen christlicher Existenz

beschreibt. Mit der Aufnahme der Trias erinnert Paulus die Galater an das, was das Zentrum ihres Christenlebens ausmacht. Durch die charakteristische Variation aber will er ihnen vor Augen führen, daß sie ihre Identität verlieren, wenn sie nicht radikal vom Glauben bestimmt wird, der die Hoffnung auf endgültige Rettung begründet und seine Kraft, das Leben der Christen zu prägen, durch die Liebe entfaltet.

VII. Zusammenfassung: Die Trias im Kontext paulinischer Theologie

Ausführliche Zusammenfassungen der Einzeluntersuchungen finden sich am Schluß eines jeden Kapitels. Was dort festgehalten worden ist, braucht nicht wiederholt zu werden. Einzelnachweise und Literaturdiskussionen können deshalb auf das nötigste beschränkt bleiben. Stattdessen sollen einige Bedeutungsakzente nachgezeichnet werden, die beim Blick auf das Gesamt der paulinischen Triaden hervortreten. Die Aufmerksamkeit gilt besonders der theologischen Intention, der „Sache", die in den Triaden zur Sprache kommt. Damit sie in den Blick kommen kann, wird auch nach der Kohärenz und den Implikationen der paulinischen Aussagen gefragt.

(1) Paulus hat die Trias im Zuge seiner Missionsverkündigung als Kurzformel des Christseins geprägt. Sie ist weder eine Antithese zu einer gnostischen Parole noch eine urchristliche Tradition, sondern eine Bildung des Apostels. Paulus stellt aber gerade jene drei Begriffe zusammen, die in der Theologie des hellenistischen Judenchristentums auch vor und neben ihm zu Schlüsselwörtern geworden sind. In ihrer inhaltlichen Füllung und rhetorischen Funktion ist die Trias spezifisch christlich und typisch paulinisch. Gleichwohl versteht sie sich nur vor dem Hintergrund hellenistisch-jüdischer Traditionen, die aus weisheitlichen Quellen schöpfen und häufig apokalyptisch orientiert worden sind. Zum einen entwickeln sich im Frühjudentum aus katechetischem Interesse eine Vielzahl verschiedener Kurzformeln, die authentische Gesetzesfrömmigkeit summarisch beschreiben sollen; zum anderen gewinnen auch die drei Leitbegriffe einiges Gewicht (ohne zu einer Trias verbunden zu werden): Pistis und Elpis im Horizont der Leidens- und Märtyrertheologie, Agape im Kontext der Paränese, die zur Solidarität der Israeliten (zumal in der Diaspora) anhalten soll. Diese Vorgaben haben die christliche Verkündigung schon vor Paulus beeinflußt; sie bilden auch die Basis seiner eigenen Begriffsbildung. Freilich: Beim Apostel erhalten die drei Leitbegriffe nicht nur ein verändertes semantisches Profil und eine weit größere Relevanz; die Trias skizziert auch eine neue Ganzheitsgestalt authentischen Lebens nach dem Willen Gottes. Der wesentliche Unterschied ist darin begründet, daß Paulus die strenge Orientierung am Gesetz, die für die frühjüdische Theologie in allen Varianten essentiell ist, aufgibt und im Galaterbrief radikal kritisiert (ohne im mindesten einem Antinomismus das Wort zu reden). Entscheidend ist für ihn stattdessen die Orientierung an der Person, am Geschick und an der Heilsbedeutung Jesu Christi, der als auferweckter Gekreuzigter den Men-

schen überhaupt erst die rechte Gottesbeziehung zu erschließen vermag.[1] Dadurch werden die Begriffe des Glaubens, Hoffens und Liebens nicht nur inhaltlich neu gefüllt (was semantische und pragmatische Kontinuitäten zu den frühjüdischen Vorgaben nicht ausschließt), sondern auch erst in jene zentrale Stellung gerückt, die in den Triaden vorausgesetzt ist und weiter ausgebaut wird.

(2) Der Glaube wächst aus dem Hören des Evangeliums. Er besteht grundlegend in der Bejahung der apostolischen Verkündigung als Wort Gottes. Er ist gewiß auch die Entscheidung des Anfangs, namentlich die Bekehrung, die weg von den Götzen und hin zum lebendigen Gott führt.[2] Er führt aber von dort her und darüber hinaus zum Gehorsam gegen Gottes Willen. Und er macht das Vertrauen auf Gott zur Basis des gesamten Lebensvollzuges, indem er eine personale Beziehung zu Gott aufbaut.[3] So weit folgt der Apostel der vorpaulinischen Tradition, um sie freilich sowohl christologisch als auch anthropologisch zu radikalisieren. Im Ersten Thessalonicherbrief akzentuiert er Pistis als Treue zum Evangelium, die in der Bedrängnis der Christen bewährt wird. Im Ersten Korintherbrief kennzeichnet er den Glauben, durch den Pneuma-Enthusiasmus herausgefordert, als Zustimmung zur Torheit des Heilshandelns Gottes im Kreuz Jesu Christi (1,17; 2,5) und als Überwindung jeglichen Selbst-Ruhmes vor Gott (1,27–31), deshalb fundamental als pneumatische Partizipation an der Theozentrik des gekreuzigten Jesus Christus (vgl. 3,22f). Im Galaterbrief setzt Paulus diesen Glaubensbegriff voraus (2,16.19f). Entscheidend ist aber die Antithese zu den „Werken des Gesetzes". Durch diese Entgegensetzung arbeitet der Apostel heraus, daß der Glaube einerseits die Einsicht in die radikale Sündhaftigkeit menschlicher Existenz weckt, andererseits

---

[1] Zur Theozentrik der paulinischen Christologie und Soteriologie, die im folgenden durchgehend vorausgesetzt ist, ohne an jedem einzelnen Punkt eigens herausgearbeitet zu werden, vgl. *W. Thüsing*, Gott I: Per Christum.

[2] Hier liegt das Recht der Pistis-Deutung *A. Schlatters* (Glaube 349–357), bei der allerdings das positive Moment des Glaubens, die Stiftung menschlicher Identität in Freiheit, zu kurz kommt; vgl. zur Kritik auch *D. Lührmann*, Glaube 55.

[3] Vor allem *E. Wißmann* (ΠΙΣΤΙΣ 67.110ff) hat den Glaubensbegriff dagegen weitgehend von dieser Dimension freihalten wollen. Forschungsgeschichtlich erklärt sich dies nicht zuletzt aus der Reserve gegen eine Verbindung mit jedweder Form von „Christusmystik", wie sie aus pietistischer Tradition z. B. *O. Pfleiderer* (Das Urchristentum, 2 Bde., Berlin [2]1902, I 246f), aber auch *A. Deissmann* (Paulus 93–98) hergestellt hatten. *R. Bultmann* (Theologie 90f.324–330) begreift die Pistis im Horizont existentialer Theologie als Entscheidung und Entschiedenheit. Ähnliche Reduktionen unternehmen in jüngerer Zeit *F. Neugebauer* (In Christus 159) und *A. v. Dobbeler* (Glaube 152.155). Vgl. demgegenüber die Differenzierungen bei *K. Kertelge*, „Rechtfertigung" 179–181; *E. Lohse*, Glauben 113–117.

aber in eben diesem Maße auch das Vertrauen auf die je größere Liebe Jesu Christi als die *alleinige* Grundlage der Hoffnung auf Rechtfertigung und Rettung.
Im Glauben nimmt der Mensch dankbar sein Verwiesensein auf Gott als Begründung seiner personalen Identität an und bejaht Gott als den, der nicht nur der eigenen Person, sondern auch den anderen Menschen durch Jesus Christus schon gegenwärtig Heilserfahrungen ermöglicht und in der eschatologischen Vollendung umfassendes Heil schenken wird.[4]

(3) Hoffnung ist bereits vorpaulinisch das christologisch begründete Vertrauen auf die eschatologische Vollendung des Heils und deshalb ebenso das Herbeisehnen dieser Zukunft Gottes wie das geduldige Warten auf die Parusie des Menschensohnes, mit der die endgültige Rettung kommen wird (1Thess 1,9f).[5] Paulus baut diese Ansätze weiter aus, indem er die Situation der Glaubenden mit dem Grundgeschehen des Todes wie der Auferwekkung Jesu Christi korreliert. Im Ersten Thessalonicherbrief, der den Vorgaben am stärksten verhaftet ist, gründet der Apostel die Hoffnung im Vertrauen auf die Verheißungstreue Gottes (5,23f), dessen Entschluß, Juden und Heiden aufgrund ihres Glaubens an Jesus Christus zu retten, weder durch die Bedrängnisse, denen die Christen ausgesetzt sind, noch durch den Tod, den einzelne zu erleiden haben, in Frage gestellt ist, sondern durch die Wiederkunft Jesu Christi (vgl. 1,9f) in naher Zukunft realisiert werden wird. Nach dem Ersten Korintherbrief richtet sich die Hoffnung auf das zukünftig vollendete Heil, indem sie alle individualistischen Heilserwartungen überwindet und stattdessen Gott die schlechthin universale Verwirklichung seiner Herrschaft zutraut (15,20–28); deshalb sieht die Hoffnung (gegen den Enthusiasmus) die Gegenwart noch nicht als Zeit der Erfüllung, sondern als Zeit der eschatologischen Dialektik von „Schon" und „Noch nicht". Im Galaterbrief schließlich wird die Elpis als Hoffnungs*gut* verstanden, indem die vollendete Gemeinschaft mit Gott, wie sie durch die Gemeinschaft mit Jesus Christus entsteht (*Dikaiosyne*),

---

[4] Nach *D. Lührmann* (Glaube 51ff) ist es bei Paulus durchweg *das* Kennzeichen des Glaubens, die gegenwärtige Welterfahrung, die durch Leiden bestimmt ist, nicht durch das Gesetz, sondern durch den Gekreuzigten Jesus Christus mit dem Bekenntnis zu Gott als dem Schöpfer der Welt zusammengebracht zu sehen. So wenig eine gewisse Nähe zum Glaubensbegriff speziell des 1Thess zu übersehen ist, so sehr scheint in dieser Definition doch die moderne Theodizeefrage die Sichtweise zu bestimmen.

[5] *R. Bultmann* (Art. ἐλπίζω 527/23ff) urteilt: „Ist die ἐλπίς auf Gott gerichtet, so umfaßt sie eben diese drei Momente in ihrer Einheit: die Erwartung des Künftigen, das Vertrauen und die Geduld des Wartens." Das ist bereits die Auffassung der Tradition, die Paulus voraussetzt.

als Inbegriff der Heilserwartung festgehalten wird (5,5). Christliche Hoffnung hat einen einzigen Grund: den *Deus semper maior*, der als „Gott der Hoffnung" (15,13) der „Gott der Geduld und des Trostes" (15,5) ist, weil er selbst dafür einsteht, daß sich seine Verheißung realisiert, und weil er den Menschen seine Nähe schenkt, die in der Zeit leben müssen und ohne Gottes Gnade, auf ihre eigenen Kräfte gestellt, an sich selbst, an den anderen Menschen und an Gott scheitern müßten.[6]
In der Hoffnung nimmt der Mensch dankbar sein Verwiesensein auf die eschatologische Beendigung der Geschichte im Endgericht als Voraussetzung seiner Existenz in der Zeit an und bejaht Gott als den, der sich durch Jesus Christus in der Geschichte als er selbst mitteilt, um die Menschen in all ihrer Kontingenz anzunehmen und ihnen jenseitig-zukünftig Anteil an seiner eigenen Herrlichkeit zu geben.[7]

(4) Die Agape ist als Nächstenliebe schon vor Paulus die wichtigste ethische Forderung, die sich aus dem christlichen Evangelium ergibt. Paulus knüpft daran an. Schon im Ersten Thessalonicherbrief stellt er die zentrale Bedeutung der Agape heraus (4,9f); im Kontext der Kreuzestheologie erklärt er die Liebe zur Grundlage christlicher Ethik (1Kor 8,1ff; 13,4–7.13; 16,13); und im Kontext der Rechtfertigungslehre findet er zu der programmatischen Aussage, in der Nächstenliebe sei das ganze Gesetz erfüllt (Gal 5,12f; Röm 13,8ff). Was die Konkretionen der Nächstenliebe angeht, bleibt Paulus weitgehend in dem Rahmen, der durch die vorpaulinische Verkündigung gesteckt wird und zum größten Teil schon durch die frühjüdische Paränese vorgearbeitet ist: die Stärkung der ekklesialen *communio* durch die vorbehaltlose Annahme und tatkräftige Unterstützung der Mit-Christen[8]; die *correctio fraterna* (1Thess 5,12.14; Gal 6,1), die Vergebung von Schuld (1Thess 5,14; 1Kor 13,4.7a; Gal 6,2), der Dienst am Nächsten in Demut und Hingabe (Phil 2,1–4; 1Kor 13,4–7; Gal 5,13; 6,2; vgl. 1Kor 10,24). Auch wenn die Aufmerksamkeit der Agape zuvörderst den „Hausgenossen des Glaubens" (Gal 6,10) gelten soll: Paulus versucht in allen einschlägigen Briefen, die Glaubenden zu bewegen, auch die Nicht-Christen, mit denen sie in Kontakt kommen, zu lieben – selbst dann, wenn sie sich feindlich gebärden (1Thess 3,13; 5,15; 1Kor 13,4–7; Gal 6,10). Im

---

[6] Vgl. *W. Thüsing*, Der Gott der Hoffnung (Röm 15,13). Verheißung und Erfüllung nach dem Apostel Paulus, in: W. Heinen – J. Schreiner (Hg.), Erwartung – Verheißung – Erfüllung, Würzburg 1969, 63–85.

[7] Vgl. *H. Weder*, Art. Hoffnung 486: „Die Hoffnung erzeugt Geduld und verhindert damit ein Aussteigen aus den Bedrängnissen (Röm 8,25; 1Thess 1,3) oder eine Flucht in ein illusionäres Zeitverständnis (1Kor 13,7)."

[8] 1Thess 4,9f; 5,13; 1Kor 8,1–11; 2Kor 8,9; Phil 2,1–4; Phlm 5ff; Gal 5,15–6,10; Röm 12,9–21.

Ersten Thessalonicherbrief reklamiert Paulus als Grund der Verpflichtung auf die Agape den Willen Gottes, der den Gemeindegliedern kraft des Geistes nicht äußerlich bleibt, sondern sie zuinnerst bewegt (4,9: „von Gott belehrt"). Im Ersten Korintherbrief und im Galaterbrief hingegen wird die Agape-Ethik christologisch verankert: Im Zuge seiner Herausarbeitung der Kreuzestheologie und ihrer Verbindung mit der Pneumatologie läßt Paulus die Nächstenliebe der Christen als Konformität mit der Proexistenz des Gekreuzigten erkennen und hebt darauf ab, daß die Liebe nur dort entsteht, wo Jesus Christus selbst kraft des Geistes im Innersten des Menschen als Kyrios lebendig wird (Gal 2,19f; 6,2; vgl. 1Kor 13,4–7). Damit erhellt, daß die Liebe zum Nächsten die existentielle Zustimmung zu der Liebe ist, die Gott ihm durch Jesus entgegenbringt (vgl. 1Kor 8,1ff.11). Anders gesagt: In der Liebe wird im Vorgriff auf die eschatologische Vollendung und nie ohne Ausschaltung des eschatologischen Vorbehaltes jene *communio* transparent, zu der Gott die Menschen durch Jesus Christus bestimmt.
In der Liebe nimmt der Mensch dankbar sein Verwiesensein auf die anderen Menschen als Konstituente seiner eigenen Identität an und bejaht den Nächsten als den, dem durch Jesus Christus die ganze Fülle der Liebe Gottes zuteil wird.

(5) Glaube, Hoffnung und Liebe sind einerseits ganz und gar Gnade; andererseits müssen sie ganz und gar zu freien und verantwortlichen Lebensvollzügen der Christenmenschen werden. Paulus weiß, daß er für den Glauben, die Hoffnung und die Liebe der Christen Gott zu danken hat (1Thess 1,3; vgl. Phlm 4ff); er weiß aber auch, daß er als Apostel die Gemeinde zum Glauben, Hoffen und Lieben ermahnen muß (1Thess 5,8). Beides steht nicht im Widerspruch zueinander. Vielmehr ist es ja erst Gottes Gnadenruf, der die Menschen aus der Sklaverei der Sünde befreit und sie zur Antwort auf das Evangelium befähigt. Umgekehrt zielt Gottes Heilshandeln in Jesus Christus aber darauf, Juden wie Heiden als neue Geschöpfe (2Kor 5,17; Gal 6,13) leben zu lassen[9], die in Freiheit auf das Evangelium antworten können (dann aber auch für ihre Antwort verantwortlich sind).
Die Trias ist einerseits durch den Primat des Indikativs vor dem Imperativ

[9] Vgl. *M. Mell*, Neue Schöpfung. Eine traditionsgeschichtliche und exegetische Studie zu einem soteriologischen Grundsatz paulinischer Theologie (BZNW 56), Berlin–New York 1989.

bestimmt.[10] Sie ist andererseits durch die Dialektik zwischen der schöpferischen Mächtigkeit des rettenden Gottes und der Freiheit der Menschen bestimmt[11], die Gott selbst durch Jesus Christus entstehen läßt und die gerade in dem Maße das Leben der Christen bestimmt, wie sie in Glaube, Hoffnung und Liebe angenommen wird (Gal 5; vgl. 1Kor 8–10; 2Kor 3,17; Röm 8,21).[12]

(6) Glaube, Hoffnung und Liebe sind von innen heraus miteinander verbunden. Die Einheit der drei ist im Evangelium selbst begründet, sowohl theo-logisch-christologisch als auch anthropologisch. *Einerseits* gilt: Wer im Glauben das Evangelium bejaht, den Selbst-Ruhm überwindet und sein Heil in der Gerechtigkeit Gottes sucht, nimmt Gott als den wahr, der durch Jesus Christus die Vollendung seiner Heilsherrschaft realisieren wird und im Vorgriff auf die eschatologische Zukunft schon gegenwärtig ein neues Miteinander der Menschen will, das von Wahrheit und Gerechtigkeit bestimmt wird (vgl. 1Kor 13,6); deshalb verbindet sich der Glaube von sich aus mit der Hoffnung und der Liebe. Wer in der Hoffnung um die eschatologische Differenz zwischen der Heilsgegenwart und der Heilszukunft weiß, gerade deshalb aber sein Heilsvertrauen auf den *Deus semper maior* setzt, der im Jenseits der Geschichte seine Herrschaft vollenden wird, macht sich mit seiner ganzen Existenz im Grundgeschehen des Todes wie der Auferweckung Jesu fest und setzt auf die Fähigkeit Gottes, die Menschen schon in der eschatologischen Gegenwart zur Überwindung des Bösen zu bewegen; deshalb verbindet sich die Hoffnung von sich aus mit

---

[10] Vgl. *W. Schrage,* Ethik 156–161; *J. Eckert*, Indikativ und Imperativ bei Paulus, in: K. Kertelge (Hg.), Ethik im Neuen Testament (QD 102), Freiburg–Basel–Wien 1984, 169–189; *D. Zeller*, Wie imperativ ist der Indikativ?, ebd. 190–196.

[11] Diese Dialektik wird durch die Einsicht in den Machtcharakter der *Dikaiosyne* weiter gestützt, die in der neueren Paulus-Exegese gewonnen worden ist; vgl. *E. Käsemann*, Gottesgerechtigkeit bei Paulus (1961), in: ders., Exegetische Versuche und Besinnungen, 2 Bde., Göttingen 1964, II 181–193; *P. Stuhlmacher*, Gerechtigkeit Gottes; *K. Kertelge*, „Rechtfertigung"; *ders.*, Art. δικαιοσύνη/δικαιόω. – *O. Hofius* (Wort) betont hingegen in einer glänzenden Studie das *sola gratia* auch bei der Deutung des Glaubensbegriffs so, daß die Frage nach der Personalität, Freiheit und Verantwortlichkeit der Antwort auf das Evangelium offenbleibt. Ähnlich einseitige Akzentuierungen finden sich bei *G. Friedrich,* Glaube 109; *U. Schnelle*, Anthropologie 61.

[12] Zum paulinischen Freiheitsverständnis vgl. *H. Schürmann*, Die Freiheitsbotschaft des Paulus – Mitte des Evangeliums? (1971), in: ders., Ethik 197–242; danach *F. Mußner,* Theologie der Freiheit nach Paulus (QD 75), Freiburg–Basel–Wien 1976; *F. St. Jones*, „Freiheit" bei Paulus (GTA 34), Göttingen 1986; *S. Vollenweider*, Freiheit als neue Schöpfung. Eine Untersuchung zur Eleutheria bei Paulus und in seiner Umwelt (FRLANT 147), Göttingen 1989; *K. Kertelge,* Freiheitsbotschaft.

dem Glauben und der Liebe.[13] Wer schließlich in der Liebe den Nächsten als den bejaht, den Gott durch Jesus Christus zur eschatologischen Rettung bestimmt hat, sieht Gott als den, der sich im Kreuz und in der Auferwekkung Jesu Christi selbst mitgeteilt hat, um seiner Liebe zum Sieg über die Sünde und über den Tod zu verhelfen[14]; deshalb verbindet sich die Liebe von sich aus mit dem Glauben und mit der Hoffnung.

Andererseits gilt: Durch die Dahingabe seines Sohnes in den Tod und durch die Auferweckung des Gekreuzigten schafft Gott den sündigen Menschen als sein Geschöpf neu (vgl. 2Kor 5,17; Gal 6,13). Dies geschieht gerade dadurch, daß er ihn zum Glauben, Hoffen und Lieben befähigt – nach dem Ersten Thessalonicherbrief dadurch, daß er ihn erwählt (1Thess 1,4; 2,12; 4,7; 5,9.24) und mit dem Geist der Heiligkeit begabt (4,8); nach dem Ersten Korintherbrief dadurch, daß er ihn aus dem Nichts ins Dasein ruft (1,26ff) und ihm die Charismen als Möglichkeiten schenkt, dem Nächsten zu dienen (1Kor 12); nach dem Galaterbrief dadurch, daß er ihn zur Freiheit von den Unheilsmächten der Sünde, des Todes und des Gesetzes befreit (5,1.13). Durch den Glauben befähigt Gott den Menschen, ihn als den zu erkennen, der er in Wahrheit ist (vgl. 1Kor 8,3; 13,12; Gal 4,9), und sich ihm als dem anzuvertrauen, der in Jesus Christus die eschatologische Macht seiner Liebe offenbart. Durch die Hoffnung befähigt Gott den Menschen, die eschatologische Dynamik des Je-Mehr zu sehen, die Gott als dem Je-Größeren eigen ist[15], und deshalb in der Ausrichtung auf die eschatologische Vollendung die Gegenwart als Zeit der Anfechtung und Bewährung in Geduld zu bestehen. Durch die Liebe befähigt Gott den Menschen, im Verhältnis zu den anderen Menschen die Grenzen zu überwinden, die durch die Sünde gezogen werden, und sich selbst als den zu sehen, der nicht als vereinzelte Person, sondern nur in der Kommunität der Gerechtfertigten seine Lebenserfüllung finden kann (vgl. 1Kor 12,12–27).

Zusammengenommen: Die Einheit von Glaube, Hoffnung und Liebe ist dadurch begründet, daß Gott durch Jesus Christus den Menschen, die zu Hörern des Wortes werden, kraft des Geistes schon gegenwärtig die Möglichkeit einer rechten Gottesbeziehung wie eines sittlich guten Verhältnisses zu den anderen Menschen eröffnet und sie für die endgültige Rettung in der eschatologischen Vollendung bestimmt, in der Gegenwart aber befähigt, vom Blick auf das Ende her die Zeitlichkeit ihres Daseins wahrzunehmen und inmitten aller Unvollkommenheit und Begrenztheit

---

[13] Vgl. *H. Weder*, Art. Hoffnung 490: „Die reine Hoffnung beruht darauf, daß die Liebe existiert, deren Wesen es ist, schöpferisch zu wirken, sei es am Nichts, sei es am Sünder, sei es am Toten“.

[14] Vgl. *W. Thüsing*, Botschaft 143.

[15] Vgl. *M. Theobald*, Gnade.

nicht zu resignieren, sondern geduldig und beharrlich auf die kommende Herrlichkeit zu warten.[16] Gleichzeitig entspricht die Trias dem Wesen des Menschen, insofern er sein Ich nur in der Beziehung zu Gott und der dadurch bestimmten Beziehung zu den anderen Menschen findet, diese Beziehungen aber in der Zeit leben muß, die individuell und universalgeschichtlich begrenzt ist, so daß er die Vollendung um des Gottseins Gottes und um des Menschseins des Menschen willen nur jenseits der Geschichte erwarten darf.[17]

(7) Trotz ihrer untrennbaren Zusammengehörigkeit fallen Glaube, Hoffnung und Liebe nicht in eins. Am deutlichsten ist die Unterscheidung zwischen der Agape einerseits, der Pistis und der Elpis andererseits. So sehr die Nächstenliebe für Paulus die Gottes- und Christusliebe voraussetzt (vgl. 1Kor 13), so sehr kennzeichnet es sie doch, daß sie sich (gerade deshalb) unmittelbar dem Nächsten (als dem von Gott Geliebten) zuwendet; und so wenig der Glaube wie die Hoffnung ethisch neutral sind, so sehr richten sie sich unmittelbar und explizit auf Gott und Jesus Christus. Doch auch Glaube und Hoffnung bleiben trotz ihrer großen Nähe unterschieden: Der Glaube steht für die Authentizität der personalen und ekklesialen Gottes- und Christusbeziehung, indem er die Zustimmung zum Heilshandeln Gottes durch Jesus Christus zur Mitte des gesamten Lebensvollzuges macht. Die Hoffnung kennzeichnet es speziell, die Geschichtlichkeit und die eschatologische Dynamik des Heilshandelns Gottes wahrzunehmen, um gerade dadurch im Vertrauen auf Gott und in der Geduld des Wartens gestärkt zu werden.

(8) Die Struktur der Trias wird von Paulus nicht eigens thematisiert; sie läßt sich aber doch aus dem Gesamtrahmen seiner Theologie mit hinreichender Sicherheit erschließen. Grundlegend ist der Glaube. Weil er die christliche Verkündigung als Evangelium Gottes annimmt, steht er – immer wieder neu – am Beginn des Christenlebens. Mehr noch: Weil der Glaube durch Jesus Christus in das rechte Verhältnis zu Gott hineinführt, konstituiert er umfassend und unüberholbar jene personale Identität (1Kor

---

[16] Hier liegt der Ansatzpunkt für eine trinitarische Reflexion der Trias, wie sie in der Dogmatik – freilich ohne jede Vermischung mit der Exegese – am Platz ist; vgl. *H. U. v. Balthasar*, Glaube, Hoffnung, Liebe.

[17] Während die patristischen und scholastischen Versuche einer anthropologischen Verifizierung der Einheit von Glaube, Hoffnung und Liebe mit den Kategorien platonischer oder aristotelischer Philosophie gearbeitet haben, sind neuere Ansätze, die von der Transzendentalität, Geschichtlichkeit und Relationalität menschlichen Lebens ausgehen, näher beim paulinischen Gedanken; vgl. *W. Pannenberg*, Anthropologie.

1,26–31; Gal 2,19f), der die Heilsverheißung des Evangeliums gilt. Vor allem aber: Weil der Glaube Gott *als Gott* bejaht und den Menschen als Geschöpf sieht, das in jeder Phase seines Lebens, in seinem gesamten Vermögen und in all seiner Hoffnung auf Gottes Barmherzigkeit angewiesen ist, ist er die (vom Geist gewirkte) Grundlage jeder angemessenen Antwort auf die Selbstoffenbarung Gottes im Kreuzestod und in der Auferweckung Jesu Christi. Der Primat, der dem Glauben im Rahmen der Trias zukommt, ist also *letztlich* weder psychologisch in einem Bekehrungserlebnis noch biographisch in der Geschichte der Christwerdung, sondern soteriologisch begründet.
Sowohl die Hoffnung als auch die Liebe sind bleibend an den Glauben zurückgebunden. Elpis und Agape ergänzen nicht, was die Pistis an authentischer Christus- und Gottesbeziehung noch fehlen läßt, sondern realisieren, was der Glaube von Gott her durch Jesus Christus impliziert – einerseits hinsichtlich der Geschichtlichkeit der Glaubenden und der eschatologischen Begrenzung der Zeit, andererseits hinsichtlich der kommunikativen Beziehungen, die innerhalb und außerhalb der Ekklesia gemäß der Herrschaft Jesu Christi aufgebaut werden sollen. Aus diesem Grund weist der Glaube von selbst auf die Notwendigkeit des Hoffens und Liebens, wie umgekehrt Elpis und Agape den Glauben voraussetzen. Zwischen Glaube, Hoffnung und Liebe besteht kein additives Verhältnis. Glaube, Hoffnung und Liebe sind vom Evangelium her immer schon zur Einheit verbunden; „diese drei“ realisieren sich auch im Leben der Christen immer nur als spannungsvolle Einheit oder eben gar nicht. Würden Hoffnung und Liebe fehlen, könnte Paulus nicht vom Glauben sprechen; fehlte der Glaube, gäbe es keine Hoffnung; fehlten Glaube und Hoffnung, gäbe es zwar gewiß guten Willen, echten Eifer und selbstlose Hingabe, aber nicht das, was Paulus Agape nennt: die Bejahung des Nächsten als dessen, den Gott liebt.
Daß Glaube, Hoffnung und Liebe eine untrennbare Einheit bilden, schließt nicht aus, daß der Apostel innerhalb der Trias die Akzente so setzt, wie es den Adressaten der Briefe hilft, in ihrem Christsein gestärkt zu werden: Im Ersten Thessalonicherbrief betont Paulus die Hoffnung, weil die Bewährung in der Bedrängnis die entscheidende Herausforderung der Gemeinde ist und ihr das Bestehen der Verfolgung als eine qualifizierte Form der Gotteserfahrung einsichtig werden soll. Im Ersten Korintherbrief betont Paulus die Liebe, um der Versuchung der Enthusiasten zum Heilsindividualismus entgegenzutreten und das Verhältnis zum Nächsten als Ort der Gotteserfahrung wie als Chance der Konformität mit Jesus Christus begreiflich zu machen. Im Galaterbrief betont er den Glauben, um das Heilsvertrauen auf die Gesetzeswerke zu durchkreuzen und die Proexistenz des auferweckten Gekreuzigten wieder als einzigen Grund der Hoffnung auf Rettung sichtbar zu machen.
Daß nach 1 Kor 13,13 die Liebe „am größten“ ist, steht nicht im Widerspruch

zur grundlegenden Bedeutung des Glaubens, sondern gilt uneingeschränkt dort, wo im Blick steht, wie Gottes Liebe schon gegenwärtig, aber auch futurisch-eschatologisch in den kommunikativen Beziehungen der Glaubenden zur Wirkung kommt. Gott teilt sich den Menschen als er selbst dadurch mit, daß er ihnen in Jesus Christus seine Liebe schenkt, um sie in seine Gemeinschaft aufzunehmen. Daraus folgt die herausragende Größe der Agape. Sie ist ebenso christologisch und pneumatologisch begründet wie der Primat des Glaubens.

(9) Daß die Christen glauben, hoffen und lieben, setzt voraus, daß ihnen die Gabe des Geistes zuteil geworden ist, der sie durch Jesus Christus für Gott und für den Nächsten aufschließt. Insofern sind Glaube, Hoffnung und Liebe die Folge und Wirkung der eschatologischen Selbstmitteilung Gottes im Kreuzestod und in der Auferweckung Jesu Christi. Noch nicht im Ersten Thessalonicherbrief, wohl aber im Ersten Korintherbrief und im Galaterbrief sind Pistis, Elpis und Agape infolgedessen die signifikanten Ausdrucksformen der Gnadenherrschaft, die der auferweckte Kyrios als Gekreuzigter im innersten „Ich" der Glaubenden aufrichtet. Freilich teilt sich der Trias nicht nur die schon erfahrbare Gegenwart des Heiles, sondern ebenso das Ausstehen der eschatologischen Vollendung mit: Es ist noch nicht die *visio beatifica*, noch nicht die Erfüllung, noch nicht die vollkommene *communio*, die den Hörern des Wortes geschenkt wird, sondern eben der Glaube, der um die Unheilsmacht der Sünde weiß, die Hoffnung, die „wider alle Hoffnung" (Röm 4,18) die Bedrängnisse aushält, und die Liebe, die alles, was sich ihr entgegenstellt, erträgt (1Kor 13,7a) und auf sich nimmt (Gal 6,2).
Der theologischen Begründung der Trias in der eschatologischen Dialektik von „Schon" und „Noch nicht" entsprechen die Haltung und die Praxis des Glaubens, Hoffens und Liebens. Christsein ist nach Paulus nur als *status viatoris* denkbar. Das kommt vor allem durch die Hoffnung zum Ausdruck. Deshalb ist die Elpis ein konstitutives Element der Trias: Sie entspricht nicht nur der Zeitlichkeit und Endlichkeit menschlichen Lebens, sondern ebenso der Geschichtlichkeit, der eschatologischen Dynamik und der transhistorischen Vollendung des Heilshandelns Gottes. Aus der Orientierung an der verheißenen Zukunft Gottes verleiht die Hoffnung die Kraft zur Geduld und öffnet damit den Raum, in dem die Liebe dem Nächsten Freiheit schenken kann.[18]
Die Einheit der Trias ist nicht nur christologisch und anthropologisch; sie ist in der Perspektive ihrer Theozentrik auch eschatologisch begründet. Die

[18] Vgl. *W. Thüsing*, Botschaft 143.

Einheit ist freilich nicht darin zu suchen, daß der Glaube die Vergangenheit, die Liebe die Gegenwart und die Hoffnung die Zukunft in den Blick nehme; sie ist vielmehr dadurch konstituiert, daß alle drei, Glaube, Hoffnung und Liebe, aus der eschatologischen Dynamik der Selbstmitteilung Gottes hervorgehen und je auf ihre Weise die eschatologische Dialektik wahrnehmen, die durch die Geschichtlichkeit und die eschatologische Vollendung des Heilshandelns Gottes begründet wird.

(10) In allen ihren Gliedern und als Ganzheit ist die Trias des Glaubens, Hoffens und Liebens soteriologisch relevant. Daß es (allein) der Glaube ist, der zu rechtfertigen und zu retten vermag, steht freilich nicht zur Debatte. Die soteriologische Suffizienz des Glaubens ist darin begründet, daß er in der Einheit von Hören und Annehmen, von Bekenntnis und Vertrauen, von Lobpreis, Dank und Bitte, von Ruhmverzicht und Gehorsam auf Seiten des antwortenden Menschen die (von Gott selbst gewirkte) vollkommene Entsprechung zur Gnade Gottes bildet (Röm 4,16), aus der allein das Heil zu erwarten ist, wenn anders Gott Gott ist, der Abba (Gal 4,15; Röm 8,15), der jedes menschliche Gottesbild zerbrechen muß, um den Menschen die ganze Überfülle seiner Gnade schenken zu können. Wie zuletzt Gal 5,5f zeigt, wird die soteriologische Relevanz und Suffizienz des Glaubens durch die Trias nicht im mindesten beeinträchtigt. Wohl aber wird deutlich, zumal im Kontext der Kreuzestheologie und der Rechtfertigungslehre, daß der Glaube *eo ipso* mit der Liebe und mit der Hoffnung eine spannungsvolle Einheit bildet. Insofern er die vom Geist gewirkte adäquate und umfassende Antwort auf das Evangelium gibt, ist er von innen heraus mit dem Glauben und der Liebe verbunden. Indem die Triaden den Glauben, die Hoffnung und die Liebe zu einer Einheit verbinden, wird sowohl eine individualistische wie auch eine spiritualistische Verengung des Pistis-Begriffs und der gesamten Soteriologie vermieden.

Daß mit dem Glauben zusammen auch die Hoffnung und die Liebe als soteriologisch relevant erklärt werden, ist im Heil Gottes selbst begründet, an dem die Menschen Anteil gewinnen sollen: Weil es sich geschichtlich zeitigt und jenseits des Endgerichts zur eschatologischen Vollendung führen wird, evoziert es die Hoffnung der Glaubenden; und weil es sowohl futurisch als auch präsentisch-eschatologisch eine vom Pneuma gestiftete *communio* der Menschen intendiert, evoziert es die Liebe der Glaubenden.

(11) Aus der soteriologischen leitet sich die ethische Relevanz der Trias ab. Sofern das Heil Gottes eine essentielle Beziehung zur Wahrheit, zur Gerechtigkeit und zum Frieden hat (ohne darin aufzugehen), impliziert der

Indikativ den Imperativ des Evangeliums.[19] Diese Struktur bestimmt das Wesen der Agape, die immer mehr in das Zentrum der paulinischen Ethik tritt. Zwar werden durch die Erklärung der Nächstenliebe als Erfüllung des Gesetzes konkrete Weisungen, differenzierte Einzelfallentscheidungen und detaillierte Paränesen keineswegs überflüssig.[20] Das Liebesgebot umfaßt nicht schon das Ganze christlicher Ethik.[21] Wohl aber mißt Paulus die Verbindlichkeit einer jeden ethischen Weisung am Kriterium der Agape. Vor allem jedoch zeigt die überragende Bedeutung des Liebesgebotes, daß Paulus als Aufgabe christlicher Ethik nicht nur die Beantwortung der Fragen nach dem richtigen oder falschen Verhalten in Konfliktsituationen sieht. Vielmehr geht es ihm vor allem darum, daß sich eine innere Einstellung zum Nächsten entwickelt, die dem Evangelium entspricht. Das heißt: Das Ziel der Agape-Paraklese besteht insbesondere darin, den Christen nahezubringen, daß sie im Nächsten und sogar im Feind den sehen, dem in Jesus Christus die Liebe Gottes in gleicher Intensität wie der eigenen Person gilt. In dieser Haltung, die den Verzicht auf jedes Vorrecht und jeden Selbstruhm vor Gott voraussetzt, werden sie fähig, der Liebe zuzustimmen, die Gott durch Jesus Christus allen Menschen erweist, die, ob Juden, ob Heiden, Sünder und als solche Feinde Gottes sind (Röm 5,8ff). Erst in der Agape können die Christen ihren Nächsten gerecht werden, wenn anders (auch) deren Identität dadurch konstituiert wird, daß Gott sie bejaht. Dann aber gilt: Ebenso wie die christliche Ethik als *christliche* den Indikativ des Heilshandelns Gottes voraussetzt, gründet die Nächstenliebe, sofern sie die Humanität und *Philanthropie* zur Agape hin überschreitet, im Glauben und in der mit ihm verschwisterten Hoffnung.

(12) Die Trias ist ein Indiz dafür, daß die Theologie des Apostels zwar durch eine fundamentale Kontinuität ausgezeichnet ist, aber (auch noch) in der Phase seines Wirkens, die durch seine Briefe dokumentiert wird, eine Entwicklung durchlaufen hat.[22] Sie führt zwar weder zu einer Revision früherer Positionen noch zu einer völlig neuen Gesamtgestalt der Theologie, wohl aber zu erheblichen Differenzierungen und komplexen Ausfal-

---

[19] Vgl. (mit Unterschieden im einzelnen) *W. Schrage*, Ethik 170–175; *E. Lohse*, Ethik 71ff; *R. Schnackenburg*, Botschaft II 26–35.

[20] Vgl. *W. Schrage*, Einzelgebote.

[21] Dagegen neigt *R. Bultmann* dazu, das spezifisch Christliche der Ethik auf das Liebesgebot zu reduzieren (Gebot 234). Ähnlich optiert *W. Marxsen*, Ethik.

[22] Zur Diskussion vgl. *U. Schnelle*, Wandlungen im paulinischen Denken (SBS 137), Stuttgart 1989 (Lit.); danach *J. Becker*, Paulus; *Th. Söding*, Thessalonicherbrief; dezidiert ablehnend jüngst wieder *W. Schmithals*, Paulus als Heidenmissionar und das Problem seiner theologischen Entwicklung, in: D.-A. Koch u. a. (Hg.), Rede 235–251.

tungen älterer Auffassungen, auch zur Reflexion neuer Probleme und zur Gewinnung neuer Einsichten. Insbesondere ist zwischen dem Ersten Thessalonicherbrief und den Hauptbriefen ein Entwicklungssprung zu beobachten. Er resultiert sowohl aus dem persönlichen Weiterdenken des Apostels als auch aus der Herausforderung durch Prozesse, die in den Gemeinden des Apostels abgelaufen sind (1Kor), und durch Konflikte, die Paulus mit konkurrierenden Aposteln auszutragen hat (2Kor; Gal; Phil 3).

Daß Glaube, Hoffnung und Liebe die *essentials* christlicher Existenz sind, ebenso soteriologisch wie ethisch relevant, gehört seit frühester Zeit zum Kern der paulinischen Evangeliumsverkündigung. Auch im Verständnis des Glaubens, Hoffens und Liebens gibt es im wesentlichen Übereinstimmungen. Sie beruhen zu einem großen Teil auf den Traditionen des hellenistischen Judenchristentums, die der Apostel rezipiert, sind aber auch typisch paulinisch: die Ausrichtung an Jesus Christus; die eschatologische Orientierung; die Verklammerung zwischen der Gottes- bzw. Christusbeziehung und dem Verhältnis zu den anderen Menschen; die Rückbindung der Ethik an die Soteriologie; die Freiheit vom Gesetz; die Zuordnung von Christozentrik und Theozentrik. Der Erste Thessalonicherbrief repräsentiert auch mit seinen beiden Triaden das Stadium *früh*paulinischer Evangeliumsverkündigung, das den Apostel – bei aller Unverwechselbarkeit seiner Botschaft – in großer Nähe zur antiochenischen Theologie zeigt[23]: Glaube, Liebe und Hoffnung werden als Formen der Vorbereitung auf die nahe Parusie thematisiert (3,12f; 5,8ff); den Akzent trägt die Hoffnung; entscheidend ist die Bewährung des Christseins in der Bedrängnis; Glaube, Liebe und Hoffnung werden von Gott selbst (1,3ff) und auch vom Kyrios Jesus Christus gewirkt (3,11ff). Diese Bedeutungsmomente gehen in den späteren Briefen nicht verloren. Im Gegenteil: Sie bilden die Grundlage der Triaden in den Hauptbriefen. Dennoch wandelt sich die Gestalt der Trias in den Hauptbriefen. Die chronologische Priorität des Ersten Korintherbriefs vor dem Galaterbrief vorausgesetzt[24], geschieht der Durchbruch im Zuge der Auseinandersetzung mit dem Pneuma-Enthusiasmus: Er führt den Apostel sowohl zu einer modifizierten Sicht der Eschatologie, die der Heilsgegenwart stärkeres Gewicht zukommen läßt, als auch zu einer differenzierten Anthropologie, vor allem aber zu einer Akzentuierung der Kreuzestheologie und ihrer inneren Verbindung mit der Pneumatologie.[25] Infolgedessen erscheinen der Glaube und die mit ihm verbundene Hoff-

[23] Vgl. *J. Becker*, Erwählung (der jedoch Paulus nachgerade zum Repräsentanten antiochenischer Theologie erklärt).

[24] Vgl. *Th. Söding*, Chronologie 54–58.

[25] S. o. S. 143.

nung als pneumatische Partizipation an der gehorsamen Hinwendung Jesu zu Gott und die Agape als gleichfalls geistgewirkte Anteilgabe an der Liebe Jesu Christi zu den schwachen und sündigen Menschen (1Kor 8,11; vgl. 2Kor 5,14f; Gal 2,20; Röm 8,35ff). Im Galaterbrief vermag Paulus auf dieser Grundlage einen weiteren Schritt zu tun, wenn er programmatisch gegen das Vertrauen auf die Werke des Gesetzes den Glauben stellt, der im Zuge seiner Begründung durch den stellvertretenden Sühnetod Jesu Christi (3,13f) die Hoffnung der Gerechtigkeit begründet (5,5) und seine Wirksamkeit, die Freiheit der Christenmenschen zu gestalten, durch die Liebe entfaltet.

Im Ersten Korintherbrief und im Galaterbrief erhält die Trias Glaube – Hoffnung – Liebe durch den konsequenten Rückbezug auf den eschatologischen Machterweis der Liebe Gottes im Kreuzestod und in der Auferweckung Jesu Christi ihre signifikante Gestalt, die sie durch die Jahrhunderte hindurch zur bedeutendsten Kurzformel des Glaubens hat werden lassen.

VIII. Ausblick: Die Trias in den Spätschriften des Neuen Testaments und bei den apostolischen Vätern bis Clemens Alexandrinus

Bereits innerhalb des Neuen Testaments löst die Trias ein starkes Echo aus. Auch in der frühen Väterzeit spielt sie eine große Rolle. Einen gewissen Einschnitt setzt *Clemens Alexandrinus*. Während die Trias zuvor nur in mehr oder weniger freier Form zitiert und lediglich durch die Formulierung wie den Kontext interpretiert worden ist, beginnen nun die Versuche einer exegetischen Erklärung und theologischen Ausdeutung der „heiligen Trias" (Strom IV 54,1). Damit wird eine neue Phase der Rezeption eingeleitet.

Durch einen kurzen Blick auf die späten neutestamentlichen und die frühen altkirchlichen Texte soll die exegetische Untersuchung der paulinischen Trias abgerundet werden: Wie haben andere frühchristliche Autoren den Stellenwert, die Struktur und den Skopos der Trias gesehen? Was haben *sie* als Glaube, als Hoffnung, als Liebe verstanden?

Einige wenige Beiträge zur Beantwortung dieser Fragen zu liefern, könnte helfen, im Rückblick die paulinische Position besser einzuordnen und eine hermeneutische Reflexion der Trias auf eine breitere Grundlage zu stellen.

1. Die Spätschriften des Neuen Testaments

Im Kolosser- und Epheserbrief, im Ersten Petrusbrief und im Hebräerbrief finden sich mehrere Stellen, die auf ihre Weise versuchen, das Wesen christlicher Existenz durch die Verbindung von Glaube, Hoffnung und Liebe zu beschreiben.[1] Alle sind direkt oder indirekt von Paulus beeinflußt.

a) Der Kolosserbrief (1,4f)

Eine regelrechte Trias formuliert im Neuen Testament nur noch der Kolosserbrief. In der Danksagung heißt es *(1,4f)*:

[1] Vgl. vor allem Kol 1,4f; überdies Eph 4,2–5; 1Petr 1,21f; ferner Hebr 6,10ff; 10,22f. Vgl. darüber hinaus die Verbindungen von Glaube und Liebe (z.T. in längeren Reihen) in Eph 1,15; 6,23; 2Thess 1,3; 1Tim 1,5.14; 2,15; 4,12; 6,11; 2Tim 2,22; 3,10; Tit 2,2; 2Petr 1,5.7; Apk 2,19; Jud 20f.

[4] Wir haben von eurem Glauben an Christus Jesus gehört
und von der Liebe, die ihr allen Heiligen entgegenbringt,
[5] wegen der Hoffnung, die für euch in den Himmeln bereit liegt.

Die Trias ist von Paulus abhängig.[2] Der Anklang an 1Thess 1,3, aber auch an Phlm 5 und 1Thess 3,6 ist nur schwer zu überhören. Zwar darf nicht vorausgesetzt werden, daß dem Verfasser des Kolosserbriefes eine der einschlägigen Stellen direkt vor Augen gestanden hat. Dennoch erweist sich 1,4f als interpretierende Anverwandlung der paulinischen Trias. Allerdings liegen Glaube, Liebe und Hoffnung nicht auf einer Ebene. Elpis wird vielmehr als Hoffnungs*gut* verstanden[3], ähnlich wie in Gal 5,5; aber anders als dort ist es jetzt nicht der Glaube (mitsamt der Liebe), der die Hoffnung, sondern die Hoffnung, die den Glauben (mitsamt der Liebe) begründet. Überdies ist Pistis im Kolosserbrief kaum mehr (wie zumeist bei Paulus) *fides qua*, sondern *fides quae*.[4] Ihr zentraler Inhalt ist das Christusbekenntnis, in dem die Gemeinde unterwiesen worden ist (2,7). Die theozentrische Ausrichtung des Christusglaubens, wie sie für den Apostel typisch ist, fehlt im Kolosserbrief weitgehend. Die Liebe dagegen wird durchaus ähnlich wie bei Paulus selbst verstanden: Sie ist Ausweis des Christseins (1,4.8) und Inbegriff der Ethik (3,14); von der Liebe Gottes hervorgerufen (3,12) und aus der Lebenshingabe Jesu Christi hervorgehend, ist sie das „Band der Vollkommenheit" (3,14); denn sie läßt schon inmitten des gegenwärtigen Lebens aufscheinen, was in ganzer Herrlichkeit noch im Himmel verborgen ist (3,1–4): den Frieden, den die Gemeinschaft mit Jesus Christus bringt (vgl. 3,15f).[5]
Im Vergleich mit Paulus sind vor allem zwei Unterschiede zu beachten. *Erstens* tritt die Theozentrik des Glaubens, Hoffens und Liebens kaum mehr in den Blick; das Augenmerk richtet sich nahezu ausschließlich auf den erhöhten Kyrios. *Zweitens* hat sich das eschatologische Koordinatensystem verschoben: hin zu einer stärkeren Betonung der Heils*gegenwart*; das führt einerseits dazu, daß die Hoffnung als Grundvollzug des Christseins kaum mehr reflektiert wird, und es führt andererseits dazu, daß die

---

[2] Der Verf. des Kol kennt zumindest einige Briefe des Apostels; vgl. die Nachweise bei *E. Lohse*, Kol 255f.

[3] Ebenso in Kol 1,23.27. Bezeichnend ist, daß im Kol das Verb „hoffen" fehlt. Vgl. *G. Bornkamm*, Die Hoffnung im Kolosserbrief – Zugleich ein Beitrag zur Frage der Echtheit des Briefes, in: Studien zum Neuen Testament und zur Patristik. FS E. Klostermann (TU 77), Berlin 1961, 56–64. *H. Schlier* (Drei 13), der an der paulinischen Verfasserschaft des Kol festhält, bekommt den Unterschied zu den Homologoumena nicht in den Blick.

[4] Vgl. noch 1,23; 2,5.7.12. Ebenso wie „hoffen" fehlt auch das Verb „glauben" im Kol.

[5] Vgl. *J. Gnilka*, Kol 197f.

Elpis, verstanden als Hoffnungs*gut*, das Christus im Himmel schon bereithält, zum Grund des Glaubens und Liebens erklärt wird.
Unbeschadet dieser erheblichen Differenzen läßt sich nicht in Abrede stellen, daß es der Autor des Kolosserbriefes verstanden hat, durch seine Rezeption der Trias den Adressaten, für die er schreibt, eine wegweisende Antwort auf die Frage nach der Mitte christlicher Existenz zu geben. Er steht im Konflikt mit der kolossischen „Philosophie" (2,8)[6], die auf die Christen einige Faszination ausgeübt hat. Diese „Philosophie" bindet das Heil an eine Vielzahl kultischer und asketischer Praktiken, die sich in einem skrupulösen Dienst der „Weltelemente"[7] bündeln (2,8.16–23). Darin zeigt sie sich zutiefst von der Daseinsangst antiker Menschen affiziert. Der Verfasser des Kolosserbrief sieht demgegenüber seine entscheidende Aufgabe darin, den verunsicherten Christen die universale, ja kosmische Heilsbedeutung des Todes wie der Auferstehung Jesu wieder nahezubringen und sie auf dieser Basis für einen Glaubensvollzug zu gewinnen, der sich nicht in einer Vielzahl von Tabu-Vorschriften verliert, sondern auf die personale Beziehung zu Jesus Christus und auf die Stärkung der Gemeinschaft mit den anderen Christen konzentriert.
Diesem Anliegen, das den gesamten Brief bestimmt, folgt auch die Gestaltung der Trias. Wenn der Autor sie sogleich im Prooemium zitiert, dann mit dem Ziel, von vornherein die *Eindeutigkeit*, die Einfachheit und Klarheit der Orientierung am christologischen Heilsgeschehen ins Gedächtnis zu rufen. Gegenüber der Unzahl kultischer Vorschriften, die von der „Philosophie" als heilsnotwendig propagiert werden, weist die Trias auf die eigentliche *Mitte* des christlichen Lebensvollzuges hin. Dieser Intention folgt auch die neue Sicht des Glaubens und der Hoffnung. In der Auseinandersetzung mit der „Philosophie" ist es durchaus sinnvoll, daß in 1,3 Pistis als Glaubens*inhalt* und Elpis als Glaubens*gut* erscheinen. Dem Autor des Kolosserbriefes muß es gegenüber den „Philosophen" einerseits darum zu tun sein, daß sich die Gemeinde wieder unzweideutig für das genuine christliche Bekenntnis erklärt. Andererseits muß es ihm darum zu tun sein, das Christusgeschehen als alleinige Grundlage allen gegenwärtigen und zukünftigen Heils einleuchten zu lassen: Das Heil braucht nicht erst durch den Dienst der Weltelemente erworben zu werden – Jesus Christus hält es im Himmel schon bereit. Deshalb vermag dieses Hoffnungsgut einerseits den Glauben zu stärken und andererseits ein christliches Handeln zu inspirieren, das von Agape bestimmt ist.

---

[6] Ein kleines Portrait zeichnet *E. Schweizer*, Kol 100–104
[7] Vgl. *E. Schweizer*, Elemente; *ders.*, Versöhnung des Alls. Kol 1,20, in: G. Strecker (Hg.), Jesus Christus in Historie und Theologie. FS H. Conzelmann, Tübingen 1975, 487–501; *ders.*, Kol 100ff; *ders.*, Altes und Neues.

Unter gewandelten theologischen und geschichtlichen Vorzeichen gewinnt die Trias im Kolosserbrief eine neue Bedeutung. Sie bleibt eine Kurzformel des Christseins. Sie läßt aber zwei Punkte, die für Paulus entscheidend sind, weit zurücktreten: die eschatologische Dialektik, die im Hoffnungsbegriff kulminiert, und die Theozentrik des Glaubens, Hoffens und Liebens.[8] Beides führt dazu, daß die existentielle Spannung, von der die paulinischen Triaden geprägt sind, ein wenig verringert wird. Beides geschieht aber, damit das Gegebensein des Heils als Grundlage des in der Liebe zentrierten Lebensvollzuges der Christen desto stärker betont werden kann.

b) *Der Epheserbrief (4,2–5)*

Im Epheserbrief, der vom Kolosserbrief abhängig ist, schimmert die Trias beim Auftakt der Paraklese durch. In 4,1–6 behandelt der Verfasser ihr wichtigstes Thema, die Einheit der Ekklesia:

¹ Ich ermahne euch also, ich, der Gefangene im Herrn,
der Berufung würdig zu leben, zu der ihr berufen worden seid,
² mit aller Demut und Sanftmut, mit Langmut,
einander in Liebe ertragend,
³ bestrebt, die Einheit des Geistes zu wahren im Band des Friedens:
⁴ *ein* Leib und *ein* Geist,
so wie ihr auch zu *einer* Hoffnung
durch eure Berufung berufen worden seid,
⁵ *ein* Herr, *ein* Glaube, *eine* Taufe,
⁶ *ein* Gott und Vater aller,
der über allen und durch alle und in allen ist.

Der Bezug zwischen Liebe (V. 2), Hoffnung (V. 4) und Glaube (V. 5) ist locker. Die drei sind auch keineswegs die einzigen theologischen Leitwörter. Dennoch ragen sie heraus und stehen untereinander in Verbindung. Faßt Agape den parakletischen Anspruch des Evangeliums zusammen, so kennzeichnet Elpis die Berufung der Christen und Pistis ihre Gottesbeziehung. Agape wird ganz ähnlich wie zumeist bei Paulus und durchweg im Kolosserbrief (vgl. 3,12ff) als Bruderliebe verstanden, die zur ekklesialen *communio* führt.[9] Hingegen ist Elpis anders als zumeist bei Paulus, aber ebenso wie im Kolosserbrief das Hoffnungs*gut*[10], das für den Verfasser des Epheserbriefes freilich in der Ekklesia schon gegenwärtig ist.[11] Und Pistis

---

[8] Nach *S. Schulz* (Ethik 560–567) besteht der entscheidende Unterschied darin, daß die Ethik als christliche Gesetzlichkeit und Tugendlehre propagiert werde. Doch sind die Gründe für dieses (Wert-)Urteil in den Text eingetragen.

[9] Vgl. *H. Schlier*, Eph 183f.

[10] Vgl. 1,18; auch 2,12. Wie im Kol fehlt im Eph das Verb „hoffen“.

[11] Vgl. *R. Schnackenburg*, Eph 168; auch *A. Lindemann*, Eph 72.

ist in 2,5 ebenso wie nahezu durchweg im Kolosserbrief *fides quae*[12]: der gemeinsame (und insofern einheitsstiftende) Inhalt des Bekenntnisses.[13] Allerdings wird die Theozentrik des Heilsgeschehens im Epheserbrief weit stärker als im Kolosserbrief betont.[14] Überdies gibt es nicht wenige Stellen, die Pistis als Vollzug verstehen und den Glauben dann in der Einheit von Bekenntnis und Vertrauen begreifen[15].

Im ganzen zeigt sich, daß der Epheserbrief in seiner Zuordnung von Glaube, Liebe und Hoffnung vom Kolosserbrief beeinflußt wird, aber theologisch etwas näher bei Paulus steht. Der wesentliche Unterschied liegt im Stellenwert der Elpis. Die Hoffnung erscheint kaum mehr als Wesensvollzug des Christseins, stattdessen aber als Grund der Einheit, die im gemeinsamen Glauben angenommen und in der Bruderliebe umgesetzt wird. In 3,14–19, dem Gebetswunsch des Apostels für das Leben der Gemeinde, steht neben dem Glauben und der Liebe als drittes Glied, besonders betont, die Gnosis, und zwar als Erkenntnis jener Agape, die Jesus Christus schenkt. Ähnlich wie im Kolosserbrief bedingt vor allem die Verschiebung der eschatologischen Perspektive eine Veränderung des Wechselverhältnisses von Glaube, Hoffnung und Liebe. Umgekehrt erweist sich die Interpretation der Trias im Epheserbrief als angemessener Versuch, die Mitte christlicher Existenz zu beschreiben – wenn als das entscheidende Datum des Heilshandelns Gottes die Konstituierung der Ekklesia aus Juden und Heiden erscheint.

c) Der Erste Petrusbrief (1,21.22)

Der Erste Petrusbrief[16] formuliert keine regelrechte Trias. Aber in 1,21.22 stellt er zwischen Hoffnung, Glaube und Liebe eine so enge Beziehung her, daß ein wenigstens indirekter Einfluß der paulinischen resp. deuteropaulinischen Triaden anzunehmen ist.[17] Die Verse sind die Schlüsselstelle der

---

[12] So auch 1,15, 3,17; 4,13; 6,23.

[13] Vgl. *J. Gnilka,* Eph 202; *F. Mußner*, Eph 120; *A. Lindemann*, Eph 73.

[14] Vgl. im Kontext der Pistis-Thematik Eph 2,8f; 6,16.

[15] 2,8; 3,12; 6,16 (vgl. 1Thess 5,8).

[16] Über die Entstehungsverhältnisse des pseudepigraphischen Schreibens informiert in Kürze *E. Lohse*, Entstehung 131–134.

[17] Ob der Rekurs auf gemeinsame hellenistisch-jüdische und hellenistisch-judenchristliche Traditionen ausreicht, steht zu bezweifeln. Hoffnung, Glaube und Liebe sind so deutlich hervorgehoben wie nirgends sonst in der frühjüdischen und frühchristlichen Literatur – außer bei Paulus und in den Deuteropaulinen. Nach *L. Goppelt* (1Petr 113) trug die Trias „nur wenig bei“. Daß sie aber immerhin dies getan hat, ist wahrscheinlich. Eine traditionsgeschichtliche Analyse von 1,21f kann nicht von der Frage nach dem Verhältnis absehen, das insgesamt zwischen dem 1Petr und dem *Corpus Paulinum* herrscht. Ein ausgewogenes Urteil fällt *N. Brox*,

Paraklese 1,13–25, die aus der doxologischen Erinnerung des Heilshandelns Gottes in 1,3–12 abgeleitet wird. In Fortführung einer kurzen Rekapitulation des von Jesus Christus durch sein Blut bewirkten Heilsgeschehens (V. 19) heißt es:

[20] Er war bereits vor der Gründung der Welt dazu ausersehen,
erschien aber euretwegen am Ende der Zeiten,
[21] die ihr durch ihn an Gott Glaubende geworden seid,
der ihn von den Toten auferweckt
und ihm Herrlichkeit gegeben hat,
so daß eure Hoffnung und euer Glaube auf Gott (gerichtet) sind.
[22] Da ihre eure Seelen geheiligt habt
im Gehorsam gegenüber der Wahrheit
für ungeheuchelte Bruderliebe,
liebt einander beharrlich aus reinem Herzen.

Auch wenn der Passus recht allgemein spricht, bringt er grundlegende Klärungen. Er ist genau auf die Situation der Adressaten abgestimmt. Ihre Lage ist dadurch gekennzeichnet, daß sie als kleine Minderheit (1,1; 2,11) aufgrund ihres christlichen Lebensstils Nachstellungen und Diffamierungen vielfältiger Art ausgesetzt sind (1,6f; 2,12; 3,14.16; 4,1.4.12–16.19; 5,9f; auch 2,19f)[18] und darüber in ihrem Christsein verunsichert werden.[19] Der Verfasser des Briefes versucht ihnen, neuen Mut zum Christsein zu machen, indem er sie an die Gnade ihrer Berufung erinnert[20] und ihnen das Heilswirken des leidend-proexistenten Jesus Christus in neuer Eindringlichkeit als Grund ihrer Hoffnung darlegt.[21]
In diesem Kontext steht die Rezeption der Trias. Die christliche Existenz vollzieht sich nach 1,20ff entscheidend als Glaube und Hoffnung, von daher auch als Liebe. Glaube und Hoffnung werden durch Jesus Christus auf Gott, den Vater (V. 17), ausgerichtet. Einen besonderen Akzent trägt im Ersten Petrusbrief die Hoffnung (vgl. 1,3.13.21; 3,5,15).[22] Dafür sind insbesondere zwei Faktoren wichtig: die Bedrängnis, der die Christen als kleine Minderheit ausgesetzt sind, und die starke eschatologische Erwartung (4,7), die sich mit einer Einschätzung der Gegenwart als Zeit der

---

1Petr 47–51: 1Petr setzt paulinische Theologie voraus, ohne daß ein direkter Bezug auf einen seiner Briefe nachweisbar ist; vgl. *E. Dassmann*, Stachel 68–74. *H. Frankemölle* (1Petr 24ff) rückt dagegen den 1Petr zu weit von Paulus und den Deuteropaulinen ab. Allerdings weist er zu Recht darauf hin, daß 1Petr aus sich heraus interpretiert werden muß und nicht an der Elle paulinischer Theologie gemessen werden darf.

[18] Vgl. *N. Brox*, 1Petr 24–34; *H. Frankemölle*, 1Petr 13–17.20–23.

[19] Vgl. *E. Gräßer*, Glaube 150.

[20] 2,7–10.25; 3,7.15; 5,10.12; vgl. 1,18–21; 3,21f; 4,10.

[21] 1,3.11; 2,21–24; 3,18–22; 4,1.13; 5,1.

[22] Vgl. *O. Knoch*, 1Petr 43f.

Fremdlingsschaft (1,1.17; 2,11), der Prüfungen (1,6; 4,12.17) und Verfolgungen (2,12; 3,16f; 4,4.14ff; 5,9) verbindet. Elpis ist im Ersten Petrusbrief das feste Vertrauen, trotz der gegenwärtigen Widrigkeiten dereinst an der Fülle des Heiles teilzuhaben. Glaube[23] ist etwas weniger betont, hat aber eine ähnliche Ausrichtung: Pistis heißt vor allem die Bewährung des Christseins in der Anfechtung (1,5ff.8)[24], die Kraft zum Widerstehen der Versuchung (5,9)[25], also die Glaubens*stärke* (1,5ff; 5,9), die aus dem Vertrauen auf Gott resultiert (5,7: Ps 54,23). Das Verständnis der Liebe als ekklesiale *Philadelphia* (vgl. 2,17; 4,8; 5,14) ist bei Paulus vorgegeben (1Thess 4,9; Röm 12,9f), bleibt aber anders als bei ihm weitgehend auf sie beschränkt (doch vgl. 1Petr 3,9). Ein besonderer Akzent liegt auf der Notwendigkeit, die Bruderliebe *beharrlich* zu üben: angesichts des Drucks, den die Gemeinde des Ersten Petrusbriefes durch Nicht-Christen zu erleiden hat, eine ebenso wichtige wie anspruchsvolle Mahnung. Der Zusammenhang mit dem Glauben und der Hoffnung ergibt sich daraus, daß die Bruderliebe nach Vers 22a jene Form der Heiligung ist, die aus dem „Gehorsam gegenüber der Wahrheit" wächst. Dies aber ist synonym mit dem Glauben.[26] Mithin erweist sich die Agape als ethische Umsetzung jener Anteilhabe am Heilsgeschehen, das Hoffnung und Glaube vermitteln.[27] Die Wahrnehmung des Heilswillens Gottes im Glauben, der zur Hoffnung wird, begründet die Bruderliebe, die das Christsein in der Ekklesia ermöglicht.

Insgesamt steht das Verständnis des Glaubens, der Hoffnung und der Liebe, das der Erste Petrusbrief entwickelt, trotz aller unbestrittenen Eigenheiten recht nahe bei Paulus, weniger bei den Hauptbriefen, wohl aber beim Ersten Thessalonicherbrief. Gemeinsam sind die Theozentrik, die Rückbindung des Imperativs an den christologisch-soteriologischen Indikativ[28] und die Ausrichtung auf die noch ausstehenden Vollendung; ähnlich sind die Betonung der Hoffnung, ihre Deutung als Bewährung und die Vorstellung der Pistis als Glaubensstärke[29]. Die sachliche Analogie ist

---

[23] Substantiv: 1,5.7.9.21; 5,9; Verb: 1,8; 2,6.7.

[24] *L. Goppelt* (1Petr 101) weist zu Recht auf die Parallele Jak 1,2f und die Vorgabe Sap 3,5f hin.

[25] Vgl. *H. Frankemölle*, 1Petr 33; *O. Knoch*, 1Petr 26f.

[26] Das geht aus 1,2f.14 deutlich hervor; vgl. *N. Brox*, 1Petr 86.

[27] Vgl. auch *J. Piper*, Hope as Motivation for Love: 1Peter 3:9–11: NTS 26 (1979/80) 212–231.

[28] Vgl. *W. Schrage*, Ethik 276f. Von einer „Moralisierung des Heils" (*S. Schulz*, Ethik 614) kann keine Rede sein, wohl aber von einer großen Sensibilität für die ethischen Implikationen des Heilsgeschehens.

[29] *E. Gräßer* (Glaube 152ff) sieht hingegen darin einen tiefgreifenden Gegensatz zu Paulus, daß der Glaube nicht mehr als Bekenntnis zu Jesus Christus, sondern als Tugend verstanden werde. Doch hält der 1Petr in 1,21, freilich theozentrisch (wie

darin begründet, daß die Adressaten in einer ähnlichen Situation der Bedrängnis leben und der Verfasser des Ersten Petrusbriefes ihnen, darin dem frühen Paulus vergleichbar, vom Heilshandeln Gottes in Jesus Christus her nahebringen will, was für sie in dieser Lage Glaube, Liebe und Hoffnung bedeuten.
Freilich bleiben auch im Vergleich mit dem ältesten Brief des Apostels Unterschiede: Im Ersten Thessalonicherbrief werden Glaube, Hoffnung und Liebe doch deutlicher in die Mitte des Christseins gerückt. Wenn der Eindruck nicht trügt, hat Paulus sie auch etwas stärker von innen heraus miteinander verbunden: sowohl von ihrer theologischen Ermöglichung als auch von ihrer anthropologischen Verwirklichung her. Schließlich ist im Glaubensbegriff des Ersten Thessalonicherbriefes der grundlegende Akt der Bekehrung zum Evangelium stärker präsent als in dem des Ersten Petrusbriefes. Gleichwohl: Die größeren Unterschiede bestehen gegenüber den Hauptbriefen – weil dort die Pneumatologie und Christologie vom Grundgeschehen des Todes und der Auferweckung Jesu her weit stärker mit der Anthropologie vermittelt werden.

d) Der Hebräerbrief (10,22ff; vgl. 6,10ff)

Im Hebräerbrief spielen Glaube, Hoffnung und Liebe zu Beginn des letzten Hauptteiles eine Rolle, der ganz der Paraklese gewidmet ist. In *10,22–25* heißt es:

[22] Laßt uns hinzutreten mit aufrichtigem Herzen
in der Fülle des Glaubens,
durch Besprengung gereinigt die Herzen vom bösen Gewissen
und gebadet den Leib mit reinem Wasser.
[23] Laßt uns festhalten das Bekenntnis der Hoffnung ohne Wanken,
denn treu ist, der die Verheißung gibt.
[24] Und laßt uns einander achten
zum Ansporn der Liebe und der guten Werke,
[25] nicht die Gemeindeversammlung verlassend,
wie es bei einigen Sitte ist,
sondern (einander) ermahnend –
und dies um so mehr, als ihr den Tag nahen seht.

1Thess 1,9ff), den Bekenntnischarakter der Pistis fest; überdies bleibt unzweideutig, daß es beim Glauben um die Bewährung eines von personalem Vertrauen bestimmten Gottes- und Christusverhältnisses geht. Im übrigen wäre bei einem Vergleich stärker zu berücksichtigen, daß Paulus sich im 1Thess unter christlichem Vorzeichen durchaus die frühjüdische Vorstellung der Pistis als Glaubensstärke in der Versuchung anverwandeln kann.

Das Echo der paulinischen Trias ist deutlich zu hören.[30] Der *auctor ad Hebraeos* läßt sich von ihr inspirieren.[31] Aber er setzt seine eigenen Akzente. Die grundlegende Mahnung ist die, „hinzuzutreten“ (V. 22), d. h. sich von Jesus auf dem Weg durch den „Vorhang des Tempels“ (10,20) in das Allerheiligste: hin zu Gott mitnehmen zu lassen (vgl. 9,2–14.23–28).[32] Diese erste Aufforderung wird durch zwei weitere Forderungen erläutert: am Bekenntnis festzuhalten (V. 23) und einander zu achten (V. 24). Die erste Mahnung verbindet sich mit dem Glauben, die zweite mit der Hoffnung, die dritte mit der Liebe.
Der fundamentale Begriff ist Pistis. Er meint im Hebräerbrief vor allem die Zuversicht und Geduld, die aus dem genauen Hinschauen auf das Heilswerk des Hohenpriesters Jesus wächst, des „Anführers und Vollenders des Glaubens“ (12,2).[33] Auf diesen Glauben konzentriert sich die Aufmerksamkeit des Hebräerbriefes. Pistis ist die alles bestimmende Grundhaltung und die elementare Praxis der Christen, die aus der Welt der Sünde ausziehen, um in der Nachfolge Jesu auf dem von ihm gebahnten Weg zur

---

[30] Vgl. *H. Hegermann*, Hebr 209; *H.-F. Weiß*, Hebr 528 mit Anm. 34; *A. Strobel*, Hebr 127.

[31] Eine direkte Abhängigkeit von Paulus ist nicht zu erkennen. Es ist aber auch ungenau, zu sagen, die Verse nähmen „die allen gemeinsame Glaubens- und Verkündigungssprache“ auf (*H. Hegermann*, Hebr 209). Dafür fehlen bei der Trias die Belege. Eine traditionsgeschichtliche Analyse muß den gesamten Hebr in den Blick nehmen. Das Verhältnis zu Paulus und zum Paulinismus ist bekanntlich sehr umstritten. Auf der einen Seite ist zwar unwahrscheinlich, daß der Verfasser des Hebr paulinische Theologie fortschreiben will; so jedoch *H. Köster*, Einführung in das Neue Testament im Rahmen der antiken Religionsgeschichte, Berlin 1980, 710f. Ebensowenig kann es überzeugen, den Hebr, was die Paulusrezeption angeht, in die Nähe der Deuteropaulinen zu rücken; so jedoch *L. D. Hurst*, The Epistle to the Hebrews. Its background of thought (SNTSMS 65), Cambridge u. a. 1990, 107–124. Auf der anderen Seite ist aber auch zweifelhaft, daß sich die nicht unbeträchtlichen Parallelen und Analogien nur aus Überlieferungsgut erklären, das Paulus und dem Hebr gemeinsam zur Verfügung gestanden hat, und daß die Traditionslinien im übrigen streng nebeneinander her laufen; so jedoch (mit den meisten) *A. Lindemann*, Paulus 233–240; *H.-F. Weiß*, Hebr 86–89. Trägt man dem zeitlichen Abstand zwischen Paulus und dem Hebr Rechnung, könnte die traditionsgeschichtliche Situation vielleicht so beschrieben werden, daß der Verfasser des Hebr – unbeschadet seiner unbezweifelbaren Originalität – in einem Überlieferungsraum steht, der u. a. auch durch paulinische und paulinisierende Themen und Motive bestimmt wird, obgleich andere Traditionsstränge von größerer Bedeutung gewesen sind. Eine differenzierte Gesamtsicht skizziert *E. Dassmann*, Stachel 57–68.

[32] Vgl. *W. Thüsing*, „Laßt uns hinzutreten ...“ (Hebr 10,22): BZ 9 (1965) 1–17.

[33] Vgl. zum Glaubensbegriff des Hebr neben den Lexikonartikeln und den Kommentaren *E. Gräßer*, Glaube; *G. Dautzenberg*, Der Glaube im Hebräerbrief: BZ 17 (1973) 161–177; *D. Lührmann*, Glaube 70–77; *Th. Söding*, Zuversicht.

Begegnung mit Gott zu gelangen. Pistis ist für den Hebräerbrief eine Tugend – aber nicht im Sinne griechischer Philosophie als charakterliche Disposition eines Individuums, sondern im streng biblisch-theologischen Sinn als von Gott ermöglichtes, auf Gott gerichtetes und im Hinschauen auf Jesus wachsendes Vermögen, in der Gegenwart trotz der zahlreichen Gründe zur Resignation die Zuversicht zu bewahren, daß Gott seine Verheißung verwirklichen wird.
Die Hoffnung ist dem Glauben auf das stärkste zugeordnet. Elpis meint in 10,22 das Hoffnungs*gut*.[34] Zwischen dem Glauben und der Hoffnung vermittelt das Bekenntnis. Es bezieht sich auf die Hoffnung, weil es von der sicher versprochenen, aber noch nicht im Vollsinn realisierten Heilsverheißung Gottes handelt (vgl. 10,23b).[35] Das Verhältnis von Glaube und Hoffnung klärt 11,1:[36]

> Glaube heißt, unter dem zu stehen, was zu erhoffen ist,
> der Wirklichkeit überführt zu sein, die man nicht sieht.

Als Inbegriff des zukünftigen Heiles ist die *spes quae speratur* die Vorgabe der Pistis. Der Glaube ist dadurch gekennzeichnet, daß er diese Elpis trotz ihrer Unanschaulichkeit inmitten der gegenwärtigen Kontrasterfahrungen als die in Gott begründete eigentliche Wirklichkeit wahrnimmt, indem er sich ihr aussetzt und unter ihr ausharrt.
Von der Liebe zum Nächsten redet der Hebräerbrief ausdrücklich nur in 10,24. Allerdings spricht er noch in 6,10, gleichfalls von der Trias inspiriert (s. u.), die Liebe zum Namen Gottes an, die sich im Dienst am Nächsten erweist; überdies findet sich in 13,1 das Stichwort *Philadelphia*. Gleichwohl kommt dem Liebesgebot im Hebräerbrief nur ein begrenzter Stellenwert zu. Agape ist (wie zumeist bei Paulus) innergemeindliche Nächstenliebe (13,1). Ihr Kennzeichen ist, daß sie sich in „guten Werken" erweist.[37] Dem *auctor ad Hebraeos* geht es offensichtlich um die Aktivität der Liebe. Nach 10,25 und 10,32ff, ebenso nach 3,12f und 13,1ff denkt er zuvörderst an die Stärkung der ekklesialen Gemeinschaft, nicht zuletzt an die Solidarität im Leiden.

---

[34] Vgl. *H. Braun*, Hebr 312. Der Genitiv ist ein *genitivus objectivus*. *A. Strobel* (Hebr 128) macht darauf aufmerksam, „daß sich der Begriff der Hoffnung sehr eng mit dem der ‚Verheißung' berührt". Anders *H.-F. Weiß*, Hebr 530f („Bekenntnis, das ... Hoffnung begründet"). Elpis ist aber auch in 3,6; 6,18; 7,19 das Erhoffte (zu 6,11 s. u.). Dagegen will *E. Gräßer* (Glaube 115ff) aus 10,22f und 6,11 (vgl. *ders.*, Hebr I 367) die Identität von Pistis und Elpis ableiten.

[35] Vgl. *H. Zimmermann*, Das Bekenntnis der Hoffnung. Tradition und Redaktion im Hebräerbrief (BBB 47), Köln 1977, 216.

[36] Zur Übersetzung vgl. *Th. Söding*, Zuversicht 224ff.

[37] Ob man wie *A. Strobel* (Hebr 128) streng zwischen Agape und „guten Werken" trennen kann, ist fraglich. Richtig ist aber sein Hinweis, daß die „Werke" in dem Maße relevant sind, wie sie von der Liebe bestimmt werden.

Etwas anders liegt *Hebr 6,10ff*. Zum positiven Abschluß des Passus, in dem eine zweite Buße abgelehnt wird, heißt es:

10 Gott ist nicht ungerecht,
daß er eures Werkes und eurer Liebe vergäße,
die ihr seinem Namen erwiesen habt,
indem ihr den Heiligen gedient habt und (weiter) dient.
11 Wir wünschen aber, daß ein jeder von euch denselben Eifer zeigt
zur Fülle der Hoffnung bis ans Ende,
12 damit ihr nicht träge werdet,
(sondern) Nachahmer derer,
die durch ihren Glauben und ihre Ausdauer die Verheißung erben.

Daß dem Autor die Trias vor Augen gestanden hat, läßt sich nur von 10,22ff her folgern.[38] Immerhin begegnen Agape, Elpis und Pistis. Freilich ist strenggenommen von der Liebe zu Gott die Rede – allerdings mit der Pointe, daß sie sich im Dienst an den Mitchristen erweist.[39] Elpis ist wiederum nicht die Haltung, sondern der Inhalt der Hoffnung.[40] Die Mahnung des Verfassers zielt auf den Eifer[41] der Adressaten: er soll bis zur schließlichen Erfüllung der Hoffnung nicht nachlassen. Pistis trägt wieder den vertrauten Akzent der Ausdauer und Standfestigkeit. Der Zusammenhang zwischen den drei Gliedern ergibt sich wie in 10,22ff weniger aus Reflexionen über ihre wechselseitigen Relationen denn aus dem paraklẹtischen Interesse des Verfassers: Die Erinnerung an die Agape, die das Gemeindeleben der Adressaten ausgezeichnet hat, soll sie zu eifrigem Glauben ermuntern – weil Gott gerecht ist und von sich aus nicht nur für die Erfüllung der Hoffnung einsteht, sondern auch anerkennt, was die Christen um seines Namens willen auf sich genommen haben.
Daraus folgt: Der Hebräerbrief setzt sich in freier Form mit der (paulinischen) Trias auseinander. Sie dient ihm vor allem dazu, den Begriff des Glaubens, an dem ihm besonders gelegen ist, einzuordnen: einerseits hinsichtlich des Hoffnungsgutes, das ihm verheißen ist und dem er sich unterstellt, andererseits hinsichtlich der Konsequenzen für das Gemeindeleben, das durch die Agape bestimmt sein soll. Der Primat des Glaubens ist strukturell dem in der paulinischen Theologie vergleichbar. Der Hebräerbrief bringt mit ihm den Primat des Indikativs vor dem Imperativ, der Gnade vor der menschlichen Verantwortung und der Gottesbeziehung vor der Ethik zum Ausdruck. Allerdings wandelt der Pistis-Begriff seine Konturen. Dadurch verändert sich das Gefüge der gesamten Trias. Der

---

[38] Nach *E. Gräßer* (Hebr I 366) ist der Anklang nur zufällig.
[39] Vgl. *E. Gräßer*, Hebr I 367.
[40] Vgl. *C. Spicq*, Hebr z.St.; *O. Kuß*, Hebr 83; anders freilich *H. Braun*, Hebr 181; *H. Hegermann*, Hebr 136f; *H.-F. Weiß*, Hebr 355.
[41] Vgl. *E. Gräßer*, Glaube 119ff.

Hebräerbrief sieht als entscheidende Herausforderung des Christseins die Bewährung des Bekenntnisses in der Zeit – die sich in die Länge zieht und unmittelbare Wahrnehmungen Gottes nicht zuläßt. Deshalb ist der Glaube vor allem die Ausdauer auf der langen Wanderschaft des Gottesvolkes[42], die Liebe die Stärkung der ekklesialen Gemeinschaft, ohne die es nicht die Kraft zum geduldigen Weiterziehen aufbringen könnte, und die Hoffnung schließlich der Leitstern, an dem es seinen Weg orientiert.
Der Unterschied zu den paulinischen Hauptbriefen ist nicht zu verkennen. Er liegt zum einen im Begriff des Glaubens[43] und der Hoffnung begründet. Er besteht aber zum anderen auch im Begriff der Liebe, insofern Agape im Hebräerbrief nicht als Partizipation an der Liebe Jesu Christi erscheint.[44] Differenzen tun sich aber auch im Verhältnis zum Ersten Thessalonicherbrief und ebenso noch einmal zum Ersten Petrusbrief auf. Zwar ist die Vorstellung des Glaubens als Zuversicht und Geduld durchaus analog. Aber sowohl im Ersten Thessalonicherbrief als auch im Ersten Petrusbrief ist die theologische Bedeutung der Agape höher als im Hebräerbrief zu veranschlagen. Vor allem jedoch hat Elpis im Ersten Thessalonicherbrief wie auch im Ersten Petrusbrief ein starkes Eigengewicht, während sie im Hebräerbrief eher als inneres Moment der Pistis begegnet. Dies hat seinen Grund in einer veränderten Auffassung der Eschatologie. Der eschatologische Vorbehalt wird im Hebräerbrief so wenig aufgehoben wie die Überzeugung von der Möglichkeit gegenwärtiger Heilserfahrungen. Doch an die Stelle zeitlichen tritt räumliches Denken. Während sowohl der Erste Thessalonicherbrief als auch der Erste Petrusbrief von apokalyptischen Denktraditionen beeinflußt werden, ist die Theologie des Hebräerbriefes durch die Anverwandlung eines platonisierenden Dualismus gekennzeichnet, der (ähnlich wie bei *Philo von Alexandrien*) die Orientierung am Unsichtbaren als dem eigentlichen Realen, nämlich der Wirklichkeit Gottes fordert. Das führt zwar keineswegs zur Abwertung der irdisch-geschichtlichen Realität; es ist nach dem Hebräerbrief (wie nach Philo) vielmehr die Voraussetzung dafür, sie überhaupt richtig wahrzunehmen und sich in ihr angemessen zu verhalten. Wohl aber manifestiert sich eine andere Einstellung zur Vorläufigkeit der Welt und zur Endgültigkeit der Selbstmitteilung Gottes in seinem Sohn Jesus Christus (1,1f). Soteriologie und Ethik konzentrieren sich anthropologisch im Glaubensbegriff. Freilich ist es nach 10,22ff und 6,10ff gerade die Reminiszenz der Trias, die den

[42] Vgl. *E. Käsemann*, Das wandernde Gottesvolk (FRLANT 55), Göttingen ²1957 (¹1937) 19–27.
[43] Vgl. *Th. Söding*, Zuversicht 235f.
[44] Die *imitatio* Christi bestimmt zwar zusammen mit dem „Schauen“ zu Jesus den Glauben, nicht aber direkt die Liebe, allenfalls vermittelt durch den Glauben.

Zusammenhang der Gottes- und Christusbeziehung mit der Ethik so deutlich macht wie keine andere Stelle im Hebräerbrief.

2. Die Schriften der frühen Väter

Vor *Clemens von Alexandrien* spielt die Trias vor allem bei *Polykarp von Smyrna* eine Rolle, überdies im *Barnabasbrief*.[45] Auf diese Texte und Autoren müssen sich die folgenden Beobachtungen konzentrieren. Sie liegen zeitlich nur wenig später als die besprochenen neutestamentlichen Texte.[46]

a) Polykarp von Smyrna

Im (zweiten) Brief des Bischofs *Polykarp von Smyrna* an die Gemeinde von Philippi[47], vermutlich kurze Zeit nach dem Martyrium des Ignatius (ca. 107/109) verfaßt, findet sich die Trias Pistis – Elpis – Agape an einem herausragenden Ort. Sie dient der Erläuterung der „Gerechtigkeit" (vgl. 3,3b), die *Polykarp* in 3,1 als Thema seines Briefes nennt (vgl. 9,1) und im wesentlichen als rechtes christliches Handeln versteht. In 3,2f erinnert der Bischof an den „seligen und berühmten Paulus" (vgl. 1Clem 47,1),

---

[45] Gelegentlich wird auch *Ignatius* genannt, doch kaum zu Recht. Die eine Stelle ist Eph 1,1f. In 1,1 begegnen Glaube und Liebe als die beiden entscheidenden Attribute, die das Christsein der Epheser lobenswert erscheinen lassen. In 1,2 spricht *Ignatius* dagegen im Blick auf seine eigene Person davon, daß er „für den gemeinsamen Namen und die (gemeinsame) Hoffnung Fesseln" trägt und dabei für sich das Martyrium in Rom erhofft. Die andere Stelle ist Phld 11,2. Dort findet sich die Wendung „auf den sie hoffen in Fleisch, Seele, Geist, Glaube, Liebe, Eintracht". Selbst wenn im Fortgang des Verses noch einmal Elpis steht, liegt die Trias weit ab.

[46] Weitere Zitate aus der frühen Väterzeit sind weniger aufschlußreich. Eine Paraphrase von 1Kor 13,13 findet sich bei *Irenäus* (Adv Haer II 23,2). Gegen die angeblich sinnenfreudigen „Psychiker" polemisierend, wandelt *Tertullian* in seiner montanistischen Zeit die Trias zur Satire ab: „Wenn ich dir ein mit Obstgelee rot angemachtes Linsenmus vorsetze, so wirst du sofort alle deine Vorrechte verkaufen; bei dir brodelt die Agape in den Kochtöpfen, der Glaube dampft in der Küche, die Hoffnung liegt auf den Tellern. Die Agape aber wird um so höher gehalten, weil bei Gelegenheit derselben deine Jünglinge bei den Schwestern schlafen" (De ieiunio 17,2f; Übersetzung: *H. Kellner*, Tertullians apologetische, dogmatische und montanistische Schriften, in: Tertullians ausgewählte Schriften ins Deutsche übersetzt II, hg. v. G. Esser [BKV 24], München 1915, 557).

[47] Zum Text, zu den literarkritischen Verhältnissen und den Einleitungsfragen vgl. *J. A. Fischer*, Die beiden Polykarp-Briefe, in: Schriften des Urchristentums I, Darmstadt 1981, 229–265. In der Forschung ist die Unterscheidung zwischen 1Phil (Kap. 13) und 2Phil (Kap. 1–12.14) verbreitet.

[2] ... der euch auch aus der Abwesenheit Briefe schrieb,
durch die ihr, wenn ihr in sie hineinschaut, auferbaut werden könnt
zu der euch gegebenen Pistis;
[3] sie ist ja unser aller Mutter,
der die Hoffnung folgt
und die Liebe zu Gott, zu Christus und zum Nächsten vorangeht.

Die Trias Polykarps geht direkt auf Paulus zurück.[48] Pistis, Elpis und Agape sind in ihrer Einheit die Erfüllung des „Gebotes der Gerechtigkeit" (3,3fin).[49] Alle drei Glieder sind eng aufeinander bezogen und miteinander verbunden. Die Metaphorik ist präzise: Im Zentrum steht der Glaube; die Hoffnung „folgt" ihm „nach"; die Liebe „geht" ihm „voran".

Die „euch gegebene Pistis" (vgl. 4,2) ist wie in der Parallele Jud 3 das treu überlieferte Bekenntnis, das wegen der auf Paulus fußenden Tradition als authentisch gilt (vgl. 3,2; 6,3; 11,2; auch 7,2). Kurz gesagt: Pistis ist Rechtgläubigkeit (vgl. 10,1; 12,2). Da sich *Polykarp* im Streit mit Häretikern befindet (vgl. Kap. 7; auch 11,1), ist ihm die Orthodoxie eminent wichtig. An ihr hängt das Heil (vgl. 5,2fin; auch 7,1). Insofern ist die Pistis „unser aller Mutter"[50].

Freilich wird der Glaube mit der Hoffnung und der Liebe in spezifischer Weise zusammengesehen. Die Hoffnung folgt dem Glauben nach: sie kann nur dort bestehen, wo der rechte Glaube herrscht.[51] Andererseits geht aber die Agape der Pistis voran: der rechte Glaube erwächst aus der Liebe. Freilich ist Agape nicht allein die Liebe zum Nächsten[52], sondern zuerst die Liebe zu Gott und zu Jesus Christus. In dieser Einheit ist die Agape die umfassende Weise rechten Christseins. *Als solche* geht sie nicht nur der Hoffnung, sondern auch dem Glauben voran, so sehr sie andererseits die genuine Bekenntnistradition voraussetzt.

Das Interesse *Polykarps* gilt der Bewahrung der rechten Lehre und der Verwirklichung christlicher Ethik. Der Rückbezug auf den Indikativ des Heilshandelns Gottes fehlt keineswegs (vgl. 8,1), bleibt aber doch weitge-

---

[48] Vgl. *A. Lindemann*, Paulus 223.

[49] Die Gemeinsamkeiten mit und die Unterschiede zu Gal 5,13f; 6,2 und Röm 13,8ff sind bemerkenswert.

[50] Die Metapher der „Mutter" ist von Gal 4,26 inspiriert. Zur Sache vgl. Mart. Justin et soc. 4,8: „Unser wahrer Vater ist Christus, und die (wahre) Mutter (ist) der Glaube an ihn." Vgl. *W. Bauer – H. Paulsen*, Die Briefe des Ignatius von Antiochia und der Polykarpbrief (HNT 18), Tübingen [2]1985 ([1]1923), 116f.

[51] Die Hoffnung ist bei Polykarp wenig betont. In 8,1 ist Elpis das Hoffnungs*gut* wie aus dem Parallelbegriff „Unterpfand der Gerechtigkeit" hervorgeht; in 3,4 ist aber eher an das Hoffen selbst gedacht.

[52] Nach 11,4 und 12,1 umfaßt sie die Liebe zum abtrünnig Gewordenen, nach 12,3 die Liebe zu den nicht-christlichen Feinden.

hend offen.[53] Die Gestaltung der Trias folgt dem pastoralen Anliegen *Polykarps*. In ihrer Strukturierung meldet sich erstmals ein Vorbote jenes Denkens, das zu *Clemens Alexandrinus*, zu *Augustinus* und dann in die Scholastik führt. Mit der eschatologischen Spannung nimmt die Bedeutung der Elpis ab. Pistis wird nicht mehr als fundamentaler Gesamt-Lebensvollzug der Glaubenden aufgefaßt, sondern im wesentlichen als wahrer Bekenntnisglaube gesehen. Demgegenüber steigt die Bedeutung der Agape. Dies setzt voraus, daß sie nicht mehr allein (oder doch in erster Linie) als Nächstenliebe, sondern von vornherein als Einheit von Gottes-, Christus- und Nächstenliebe gesehen wird. Als solche ist sie zwar unabdingbar auf das feste Fundament des rechten Glaubens angewiesen, ihrerseits aber die zugleich umfassende und grundlegende Bestimmung personal gelebten Christseins in der Beziehung zu Gott, zum Kyrios und zum Nächsten.

b) Der Barnabasbrief (1,4; vgl. 1,6; 11,8)

Im Barnabasbrief, von einem unbekannten Autor wahrscheinlich zwischen 130–140 geschrieben[54], findet sich die Trias gleich zu Beginn. In *1,4* verbindet der Verfasser eine *captatio benevolentiae* mit der Ankündigung seines Vorhabens, dem Glauben der Adressaten zu größerer Erkenntnis zu verhelfen (1,5.7). Diese „Gnosis" besteht vor allem in der christologischen Auslegung des Alten Testaments und läuft auf die Entwicklung einer am Gesetz orientierten christlichen Praxis hinaus.

> ... ich fühle mich ganz dazu gedrungen,
> euch mehr als mein Leben zu lieben,
> weil großer Glaube und (große) Liebe in euch wohnen
> aufgrund der Hoffnung auf sein Leben.

Die Trias weist auf paulinische bzw. paulinisierende Tradition.[55] Der Vers klingt formelhaft. Dennoch hat er einige Bedeutung. Die drei Glieder sind ähnlich wie im Kolosserbrief (und Epheserbrief) miteinander verbunden: Pistis und Agape sind in der Elpis begründet. Diese meint im Barnabasbrief

---

[53] Nach *A. Bovon-Thurneysen* (Ethik und Eschatologie im Philipperbrief des Polykarp von Smyrna: ThZ 29 [1973] 241–256: 251) ist die Basis des Indikativs dadurch sehr relativiert, daß Christus das „Angeld unserer Gerechtigkeit" ist, weshalb sie durch die Rechtschaffenheit der Christen ergänzt werden müsse. Doch ist diese Interpretation fraglich. Es liegt näher, von 2Kor 1,22; 5,5 und Eph 1,14 her zu deuten (wo jeweils vom Pneuma geredet wird).

[54] Zum Text und zu den Einleitungsfragen vgl. *K. Wengst*, Barnabasbrief, in: Schriften des Urchristentums II, Darmstadt 1984, 101–202.

[55] Vgl. *H. Windisch*, Der Barnabasbrief (HNT.E: Die Apostolischen Väter III), Tübingen 1920, 304; *A. Lindemann*, Paulus 275. Das kontrovers diskutierte Problem einer direkten Kenntnis von Paulus-Briefen kann hier offenbleiben.

aber nicht wie im Kolosserbrief das Hoffnungs*gut*, sondern das Hoffen selbst (vgl. 1,6). Es besteht im Vertrauen auf die Teilhabe am Leben Gottes in der eschatologischen Vollendung. Die Hoffnung trägt in der Trias den Akzent, weil für den Verfasser das Heil ganz in der Zukunft liegt, während die Gegenwart nur die Zeit der Bewährung ist. Insofern ist es innerhalb der theologischen Welt des Barnabasbriefes durchaus stimmig, daß die Hoffnung als Grund des Glaubens und der Liebe erscheint. Allerdings bleibt in 1,4 offen, worin die Hoffnung begründet ist.

Eine Antwort gibt *1,6*. Dort führt der Verfasser die drei Grundsätze (δόγματα) an, auf die er seine gesamte Lehre abstellen will:

> Drei Grundsätze des Herrn gibt es also:
> Hoffnung auf Leben ist Anfang und Ende unseres Glaubens,
> und Gerechtigkeit ist Anfang und Ende des Gerichts,
> die Liebe der Freude und des Jubels ist Zeugin der Werke in Gerechtigkeit.

Erneut ist ein Anklang an die paulinische Trias herauszuhören.[56] Es geht um die Frage, wie man im Gericht Gottes bestehen kann. Die „Grundsätze" handeln davon, was die „Hoffnung auf Leben" begründet. Der Glaube wird von dieser Elpis her bestimmt: Er ist (wie nach 1,4) in ihr verankert, und er ist auf sie ausgerichtet. Der Akzent liegt auf der Mahnung zur Gerechtigkeit. Die Dikaiosyne erweist sich in „Werken", deren soteriologische Qualität wiederum durch die Agape bestimmt wird. Mithin hängt die „Hoffnung auf Leben" an der Agape und den von ihr inspirierten „Werken der Gerechtigkeit". Also besteht zwischen Hoffnung und Liebe ein wechselseitiger Begründungszusammenhang: So wie einerseits die Hoffnung die Liebe begründet, so fußt andererseits die Hoffnung auf der Liebe.[57] Auch der Glaube gehört der Sache nach in eben diesen Zusammenhang: Nach dem Barnabasbrief ist er wesentlich die Annahme der Botschaft, daß Jesu Leiden Sünden vergibt und deshalb zur Befolgung des Gesetzes befähigt (16,7f).[58]

Die Spannung zwischen den drei Gliedern, die dadurch entsteht, daß einerseits der Glaube mitsamt der Hoffnung in der Liebe, andererseits aber die Liebe in der Hoffnung begründet ist, wird im Barnabasbrief nicht aufgelöst. Sie steht vielmehr selbst im Dienst der Paränese. Die Befolgung der drei „Grundsätze" kann nach dem Barnabasbrief nur darin bestehen, fester zu glauben und intensiver zu lieben, um sicherer hoffen und dadurch um so mehr glauben und lieben zu können.

---

[56] Recht nahe liegt freilich auch die frühjüdische Trias syrBar 57,2 (Werke – Glaube – Hoffnung).

[57] Vgl. *K. Wengst*, Tradition und Theologie des Barnabasbriefes (AKG 42), Berlin–New York 1971, 10f. Wenn aber die Agape derart wichtig ist, fragt sich, ob es bereits „Rechtschaffenheit" ist (ebd.), welche die Hoffnung begründet.

[58] Vgl. *K. Wengst*, a.a.O. 91ff.

Auch *11,8* dürfte von der Trias beeinflußt sein. Der Vers beschließt die allegorische Auslegung von Ps 1,3–6^{LXX} (11,7):

> Was er (der Psalmist) aber (für) jetzt sagt:
> „Seine Blätter werden nicht abfallen",
> besagt dies:
> Jedes Wort, das durch euren Mund in Glaube und Liebe hervorgeht,
> wird vielen zur Bekehrung und Hoffnung (dienlich) sein.

Dem Verfasser geht es um die Verheißung für die Boten des Evangeliums. Sofern ihre Verkündigung von Pistis und Agape bestimmt ist, wird ihr Erfolg beschieden sein: Sie bewirkt eine Bekehrung und legt damit den Grundstein für die Erlangung der Hoffnung.

Die Triaden des Barnabasbriefes können die theologische Qualität und die spirituelle Intensität der neutestamentlichen Vorgaben und Parallelen nicht erreichen. Dennoch haben sie ihr eigenes Profil. Sie sollen vor allem zur Einübung christlicher Gesetzeserfüllung anhalten, die als Voraussetzung endzeitlicher Rettung gesehen wird. Gleichzeitig aber sollen und können sie den Gehorsam vor Äußerlichkeit bewahren. Das theologische Problem der Triaden im Barnabasbrief entsteht dadurch, daß die Aufmerksamkeit ganz dem Tun der Christen, ihrer Spiritualität und ihrer Praxis gilt. Daß Glaube, Hoffnung und Liebe christologisch-eschatologisch begründet und ermöglicht sind und daß sie überhaupt nur als gnadenverdankte Antwort auf das Evangelium gedacht werden können, hat Paulus und haben auf ihre Weise auch die neutestamentlichen Spätschriften klargestellt. Im Barnabasbrief aber kommt gerade dies kaum zum Ausdruck. Dadurch sind nicht nur die Begriffe des Glaubens, der Liebe und der Hoffnung geprägt, sondern auch der Stellenwert, die Pointe, der Skopos und die Struktur der Trias. Die Gefahr eines gesetzlichen Denkens ist groß. Doch ist der ethische Ernst des Barnabasbriefes nicht zu leugnen.

c) Clemens von Alexandrien

Bei *Clemens von Alexandrien* († vor 215)[59] findet sich die Trias sowohl in den „Teppichen" (Strom IV 54,1; V 13,4), in denen er die „wahre Philosophie" wissenschaftlich ausbreiten will, als auch in der Homilie über Mk 10,17–31 zum Thema: „Welcher Reiche wird gerettet werden?" (Quis Div Salv 3,6; 18,1; 29,4; 38,2f). *Clemens* spielt nicht nur wie die älteren Väter

---

[59] Zur kurzen Orientierung vgl. *H. v. Campenhausen,* Griechische Kirchenväter 32–42; *O. Prunet*, La morale de Clément d'Alexandrie, Paris 1966; *A. Méhat*, Art. Clemens von Alexandrien: TRE 8 (1981) 101–113; *E. Osborn*, Art. Ethik V. Alte Kirche: TRE 10 (1982) 464–473. Griechischer Text: GCS 12.15.17, hg. v. *O. Stählin,* 1905–1909; deutsche Übersetzung: *ders.*, Des Clemens von Alexandreia ausgewählte Schriften (BKV II/7.8.19), München 1934–1938.

auf die paulinische Trias an; er zitiert sie auch ausdrücklich (Strom IV 54,1; Quis Div Salv 38,2), und er beginnt mit der langen Geschichte ihrer Exegese[60].

Clemens versteht Glaube, Hoffnung und Liebe als Tugenden (Quis Div Salv 3,6; 18,1). Als solche können sie zusammen mit anderen in längeren Listen stehen.[61] Doch wird dadurch ihre singuläre Bedeutung nicht geschmälert: Sie stehen durchweg betont an der Spitze der Reihen; und andernorts findet sich die Trias in reiner Form[62]. Glaube, Hoffnung, Liebe bilden „die heilige Trias“ (Strom IV 54,1).

Durch die Qualifizierung als Tugenden will *Clemens Alexandrinus* im Gespräch mit der Gnosis und der hellenistischen Philosophie seiner Zeit zum Ausdruck bringen, daß Glaube, Hoffnung und Liebe personale Haltungen und Verhaltensweisen der Menschen sind und zugleich sittliche Güte konstituieren. Genauerhin nennt er sie „schöne Tugenden“ (Quis Div Salv 3,6), weil sie wahre Güte im Angesicht Gottes ermöglichen[63], und „Tugenden der Seele“ (Quis Div Salv 18,1), weil sich in ihnen der ganze Mensch in höchstem Maße als er selbst engagiert. Die „heilige Trias“ bildet die Grundlage vernunftgemäßen Wissens (ἡ γνῶσις ἡ λογικἡ), in dem allein (christliche) Vollkommenheit zu finden ist (Strom IV 54,1). Glaube, Hoffnung und Liebe sind der „alles überragende Weg, den Paulus zum Heil gewiesen hat“ (Quis Div Salv 38,1; mit Zitation von 1Kor 12,31). Insofern sind sie soteriologisch relevant – zusammen mit anderen Tugenden, aber mehr noch als diese: Sie sind die „unlösbaren Binden der Gesundheit und Heilung“ (Quis Div Salv 29,4); sie weisen die Integrität des Christen aus, die im Endgericht Anerkennung finden wird (Quis Div Salv 3,6); sie sind die wichtigsten inneren Werte, deren „Siegespreis das Heil ist“ (Quis Div Salv 18,1); sie bilden das Fundament des Tempels Gottes, der im vollendeten Reich Gottes steht (Strom V 13,1). Als seelsorglicher Erzieher zum wahren Christsein versäumt *Clemens* nicht den Hinweis, daß die Weisung zum Glauben, Hoffen und Lieben letztlich durch Jesus ergeht, der sie im Zusammenhang mit seiner Verkündigung der Barmherzigkeit Gottes als die entscheidenden Heils-Mittel ausweist (Quis Div Salv 29,4). Aber im übrigen

---

[60] Quis Div Salv 38,3 legt 1Kor 13,13 aus; der gesamte Abschnitt 38,1–3 ist eine paraphrasierende Exegese von 1Kor 13,5–13. In Prot III 2,1f findet sich eine Kurz-Auslegung von 1Kor 13,4f (im Rahmen von Erörterungen über wahre Schönheit).

[61] Quis Div Salv 3,6: „Liebe, Glaube, Hoffnung, Erkenntnis der Wahrheit, Güte, Sanftmut, Barmherzigkeit, Keuschheit“; 18,1: „Glaube, Hoffnung, Liebe, Güte, Erkenntnis, Sanftmut, Demut, Wahrheit.“

[62] Quis Div Salv 29,4; 38,2f; Strom IV 54,1; V 13,4.

[63] Glaube, Hoffnung und Liebe sind die „*heilige* Trias“ (Strom IV 54,1), weil sie der Heiligkeit Gottes entsprechen.

bleibt doch offen, welche innere Beziehung zwischen der Liebe Gottes bzw. Jesu Christi und der Liebe der Christen besteht[64].

Pistis[65] ist für *Clemens* das Ziel der Katechese (Paed I 30,2), die „Vollendung der Lehre“ (Paed I 29,1). Ohne Zweifel hat Pistis einen starken intellektuellen Zug. Sie ist „eine Annahme aus freiem Entschluß, eine zustimmende Anerkennung der Gottesverehrung“ (Strom II 8,4).[66] Sie besteht im sicheren Wissen, schon in der Gegenwart mit der ganzen Gnade Gottes gesegnet und in der eschatologischen Zukunft für das ewige Leben bestimmt zu sein (Paed I 28,3–29,3). Doch ist das Glaubens*wissen* an das Glaubens*vertrauen* zurückverwiesen (Strom II 4,13: Hebr 11,2–25.32). Dieser Glaube ist Bedingung des Heiles (Paed I 29,1ff; 30,2f). Einerseits kommt alles darauf an, das Glaubenswissen sich anzueignen und es als Vertrauen auf Gottes Verheißung zu verinnerlichen. Andererseits sagt *Clemens* aber auch (Paed I 30,2), es werde durch den Heiligen Geist in der Taufe bewirkt. (Wie beides verbunden ist, bleibt indessen recht offen.)

Elpis ist bei *Clemens* (mit *Aristoteles*) ein *Pathos* (vgl. Prot II 26,4), eine innere Bewegung der Seele, nämlich das Ausgerichtetsein auf die eschatologische Vollendung (Quis Div Salv 38,3). Von daher steht die Hoffnung mit dem Glauben in Verbindung: Ist die Pistis der Leib der Kirche (der ihre irdische Existenz ermöglicht), so die Elpis das Blut, das dem Leib des Glaubens Lebendigkeit verleiht (Prot I 38,2).

Wenn *Clemens* auf die Trias zu sprechen kommt, ist für ihn die Agape das wichtigste der drei Glieder (ähnlich wie für *Polykarp*).[67] Er versteht sie zumeist als Nächsten- und Bruderliebe (z. B. Quis Div Salv 3,1), aber auch als Sünderliebe (Paed III 12,91: 1Petr 4,8) und als Feindesliebe (Strom IV 14,95: Mt 5,24.44). Da sie zum Tun des Guten führt (Quis Div Salv 28), besteht in ihr die wahre Schönheit eines Menschen (Prot III 3,1f). Als Nächstenliebe geht die Agape mit der Liebe zur Wahrheit (Quis Div Salv 3,1), der Liebe zu Gott und der Liebe zu Christus einher (Quis Div Salv

---

[64] In Strom V 13,1–4 ist zwar zunächst von Gottes Liebe die Rede; doch geht es *Clemens* um die Frage, wie sie erkannt werden kann.

[65] Vgl. *K. Prümm*, Glaube und Erkenntnis im zweiten Buch der Stromata des Klemens von Alexandria: Schol.12 (1937) 17–57; *E. Osborn*, La Bible inspiratrice d'une moral chrétienne d'après Clément d'Alexandrie, in: C. Mondésert (Hg.), Le monde grec ancien et la Bible (BTT 1), Paris 1984, 127–144: 136f.142f.

[66] *Clemens* läßt sich stark von Jes 7,9[LXX] inspirieren: „Glaubt ihr nicht, so versteht ihr nicht.“

[67] Vgl. *M. Viller – K. Rahner*, Aszese und Mystik in der Väterzeit. Ein Abriß der frühchristlichen Spiritualität (1939), hg. v. K. H. Neufeld, Freiburg u. a. 1989, 70f; *M. Wacht*, Erläuterungen zum Autor und zum Text, in: Klemens von Alexandrien, Welcher Reiche wird gerettet werden? Deutsche Übersetzung von O. Stählin, bearbeitet v. M. Wacht (Schriften der Kirchenväter 1), München 1983, 65–90: 86–90.

29,4f). Die Gottes- und Christusliebe ist das grundlegende (Quis Div Salv 30,1f); weil sie sich aber im Gehorsam gegen das Gebot Gottes und die Weisung Christi zeigt (Quis Div Salv 29,5), ist ihre Konsequenz die Liebe zum Nächsten, zum Sünder und zum Feind. Liebe führt zur Ähnlichkeit mit Gott, der selbst Liebe ist (Strom V 13,1).

Das Verhältnis der drei Glieder sucht *Clemens* im Ausgang von 1Kor 13,13 zu bestimmen (Quis Div Salv 38,2f). Der Primat der Agape steht für ihn mit diesem Vers fest. Er sieht ihn darin begründet, daß allein die Liebe in der eschatologischen Vollendung Liebe bleibt, während der Glaube ins Schauen und die Hoffnung in Erfüllung überführt werden.

Zusammengefaßt: Für *Clemens* ist nicht die Soteriologie das entscheidende Problem, sondern die Ethik. Sein Interesse gilt der Protreptik und Pädagogik. Sein großes Thema ist die Kultivierung des Christseins. In diesem Sinne greift er auf die Trias zurück. Glaube, Hoffnung und Liebe sind die Grundvollzüge christlicher Existenz. Durch sie erweist man sich der Gnade Gottes würdig. Insofern sind sie Bedingung der eschatologischen Rettung.[68] Als Tugenden vorgestellt, sichern sie vor allem die personale Integrität und die sittliche Qualität der Gottes-, der Christus- und der Nächstenbeziehung. Ihr Rückbezug auf Gottes Gnade und Liebe geht nicht verloren, bleibt aber undeutlich. *Clemens* hat sich nicht die Frage gestellt, wie Indikativ und Imperativ miteinander verbunden sind, sondern wie man jenseits von Rigorismus und Synkretismus authentisch nach dem Evangelium leben kann – wenn klar ist, daß Gott die Liebe ist und fest zu seiner Verheißung steht (Strom V 13,1). Glaube, Hoffnung und Liebe sind der Höhenweg der wahren „Gnostiker“, der in Gegenwart und Zukunft zum Leben in Gemeinschaft mit Gott führt.[69]

Mit der Interpretation des Glaubens, der Hoffnung und der Liebe als Tugenden, die vom Hebräerbrief und von *Polykarp* vorbereitet worden ist, eröffnet *Clemens* eine lange Geschichte der Interpretation, die über *Augustinus* zu *Thomas* reicht und das Denken des tridentinischen Katholizismus bis in die Gegenwart hinein bestimmt.

---

[68] Doch ist es ein zu hartes Urteil, *Clemens* „Almosen- und Verdienstmentalität“ (*H.-D. Hauschild*, Christentum und Eigentum. Zum Problem eines altchristlichen „Sozialismus“: ZEE 16 [1972] 34–49: 39) zu unterstellen; vgl. *M. Wacht*, a.a.O. 88.

[69] Vgl. *H. v. Campenhausen*, Griechische Kirchenväter 37: Das Christentum ist „neues Leben aus einem neuen Sein, das sich hoch über allen früheren Lebensweisen, jenseits aller bloßen Vernunfterkenntnis und jenseits der gesetzlichen Moral als ein neuer Enthusiasmus der Gottesgemeinschaft in Glaube, Hoffnung und Liebe vollendet, und eben damit die Krönung aller menschlichen Kultur und Religion schlechthin; es ist die Vollendung des Lebens in Gott.“

3. Die frühe Rezeptionsgeschichte der Trias im Vergleich mit den paulinischen Vorgaben

Die frühe Rezeptionsgeschichte der Trias zeigt, daß die paulinische Kurzformel den Christen von Anfang an bei der Suche nach der *Mitte* eines dem Evangelium gemäßen Lebens von außerordentlich großer Hilfe gewesen ist. Das liegt nicht nur an der rhetorischen Eindringlichkeit der Trias, sondern an ihrer theologischen Prägnanz. Sie lenkt den Blick auf das Verhältnis zu Gott und zu Jesus Christus ebenso wie auf das Verhalten und die Einstellung gegenüber dem Nächsten; und sie nimmt die Beziehung zwischen beidem im Horizont des eschatologischen Heilshandelns Gottes wahr, das auf die künftige Vollendung ausgerichtet ist und von ihr aus in die gegenwärtige Geschichte weist.
Freilich zeigt sich schon früh eine große Bandbreite von Deutungen. Sie liegt nicht zuletzt in der Offenheit der Trias begründet, ohne die sie ihre Funktion, einer fundamentalen Orientierung des Christseins zu dienen, nicht hätte erfüllen können. Gerade weil die Trias so kurz und bündig formuliert wird, läßt sie Raum für unterschiedliche Interpretationen und Applikationen. Bereits bei den drei Leitbegriffen ergeben sich zahlreiche Interpretationsmöglichkeiten, größere noch beim Gesamtverständnis der Trias.

a) Agape

Den geringsten Spielraum haben die Konkretionen der Agape. Sie werden wie bei Paulus nahezu durchweg auf die Stärkung des innerkirchlichen Miteinanders bezogen. Die Liebe ist vornehmlich christliche Bruderliebe. Häufig bleibt der Blick darauf beschränkt. Doch geht weder bei *Polykarp* noch bei *Clemens* der durch Paulus bezeugte Gedanke verloren, daß auch den Nicht-Christen Liebe gebührt, selbst wenn sie sich als Feinde gebärden.
Gleichwohl entstehen auch im Agape-Verständnis signifikante Differenzen. Zwei Punkte seien genannt.
Erstens: Daß die Agape pneumatische Partizipation an der Liebe Gottes in Jesus Christus ist, läßt sich beim Kolosser- und Epheserbrief, auch noch im Ersten Petrusbrief recht gut erkennen, in den anderen Schriften jedoch weit schlechter. Das bedeutet zwar keinesfalls, daß die Ethik an die Stelle der Soteriologie tritt. Selbst im Barnabasbrief ist das nicht der Fall. Gleichwohl bleibt die Frage nach der *inneren* Verbindung zwischen dem Heilshandeln Gottes und der Agape-Paraklese schon im Hebräerbrief offen[70], auch bei *Polykarp* und *Clemens*, vor allem im Barnabasbrief. (Erst

[70] Bei der Beurteilung des Hebr ist freilich zu beachten, daß er seine Hauptaufgabe

Augustinus wird die Frage wieder scharf stellen und auf seine Weise schlüssig beantworten.)
Zweitens: Während Paulus und die anderen neutestamentlichen Autoren (auch der Barnabasbrief) die Agape, soweit von ihr im Rahmen der Trias die Rede ist, als Nächstenliebe verstehen, wird sowohl bei *Polykarp* als auch bei *Clemens Alexandrinus* die Agape als Einheit von Gottes-, Christus- und Nächstenliebe gesehen. Dies geht mit einer Reduktion des Pistis-Begriffs auf Rechtgläubigkeit (*Polykarp*) und „Gnosis" (*Clemens*) einher. Die Personalität, Intensität und Ungeteiltheit der Bejahung Gottes, die von seiner Liebe hervorgerufen wird, von ihr fasziniert ist und sich von ihr tragen läßt, verbindet sich nicht mehr wie bei Paulus mit der Pistis, sondern mit der Agape.[71] Das bestimmt weithin die spätere Rezeptionsgeschichte der Trias bis zur Reformation und noch lange Zeit über sie hinaus.

b) Pistis

Bei Paulus ist der Glaube der grundlegende Vollzug des Christseins, weil er mit der Abkehr von der Sünde und der Hinkehr zum *einen* Gott Ernst macht und in der Annahme des christlichen Evangeliums seinen qualifizierten Ausdruck findet. Das wird weder in den Spätschriften des Neuen Testaments noch in der Alten Kirche je in Abrede gestellt. Dennoch schieben sich in der Rezeption der Trias schon recht früh andere Auffassungen des Glaubens in den Vordergrund: im Kolosser- und Epheserbrief der Glaubens*inhalt*, im *Ersten Petrusbrief* die Glaubens*stärke*, im Hebräerbrief die Glaubens*zuversicht*, bei *Polykarp* die Rechtgläubigkeit, im Barnabasbrief der Glaubens*gehorsam* gegenüber dem Gesetz, bei *Clemens* schließlich die echte „Gnosis", das Glaubens*wissen*. Die spezifische Färbung der Pistis durch die Bejahung der Kreuzesbotschaft und den Verzicht auf jeglichen Selbstruhm wie im Ersten Korintherbrief bzw. durch die Antithese zu den Gesetzeswerken wie im Galaterbrief findet sich hingegen in keiner der späteren Schriften. Dadurch verliert der Glaubensbegriff vielfach an existentieller Dichte und theologischer Spannung. Freilich nicht überall: In einem anderen theologischen und situativen Bezugssystem gewinnt er sowohl im Ersten Petrusbrief als auch im Hebräerbrief auf neue

---

nicht in der Begründung der Agape-Ethik gesehen hat. Bei der für ihn zentralen Glaubens-Thematik ist die Zuordnung des Imperativs zum Heilsindikativ unzweideutig.

[71] Freilich hat auch bei Paulus die Rede von der *Liebe* zu Gott ihren genau bestimmten Platz; vgl. *Th. Söding*, Gottesliebe.

Weise durchaus ein markantes Profil – als Tugend, in der sich durch Gottes Gnade der Ernst und der Eifer der Christen artikulieren, das ihnen eröffnete Gottesverhältnis inmitten jener Bedrängnisse zu realisieren, die durch ihr Christsein hervorgerufen werden. So gewiß auf diese Weise kräftige neue Akzente gesetzt werden, so wenig ist zu übersehen, daß Paulus die im Ersten Petrusbrief und im Hebräerbrief behandelte Thematik durchaus bekannt ist und daß er sie im Ersten Thessalonicherbrief (hier und da auch noch im 1Kor) *auf seine Weise* mit dem Begriff des Glaubens verbindet.

c) Elpis

Die stärksten Unterschiede zeigen sich sowohl im Stellenwert als auch im Verständnis der Hoffnung. Elpis meint im Kolosser-, im Epheser- und im Hebräerbrief, z. T. auch bei *Polykarp* (2Phil 8,1) nicht die *spes qua,* sondern die *spes quae speratur*. Dadurch verändert sich ihr Ort im Ganzen der Trias: Sie liegt nicht mehr auf einer Ebene mit dem Glauben und Lieben, sondern ist das, worauf Pistis und Agape sich richten und gründen (Kol; Eph; Hebr). Elpis steht für den Indikativ, nicht für die Antwort der Christen.
Im Ersten Petrusbrief hingegen, im Barnabasbrief, bei *Clemens von Alexandrien* und z. T. bei *Polykarp* meint Elpis wie zumeist bei Paulus das Hoffen selbst. Daß es sich auf das vollendete Heil ausrichtet, ist gemeinsam. Recht unterschiedlich ist aber der Stellenwert der Elpis. Sowohl bei *Clemens* als auch bei *Polykarp* ist er recht gering. Das hängt mit einem Nachlassen der eschatologischen Erwartung zusammen. Im Ersten Petrusbrief aber und auch im Barnabasbrief ist Elpis das am stärksten betonte Glied der Trias – jedoch aus wiederum ganz unterschiedlichen Gründen: im Barnabasbrief vor allem deshalb, weil die Gegenwart im Grunde nur „böse Tage“ (2,1) kennt, während das eschatologische Heil der zukünftigen Vollendung zugeordnet bleibt, im Ersten Petrusbrief dagegen deshalb, weil die Gegenwart als Zeit der Bewährung erfahren wird, die in der Nachahmung Jesu Christi aufgrund seines Heilstodes möglich wird.

d) Zusammenfassung und hermeneutische Reflexion

Es wäre verfänglich, die theologische Qualität der späteren Triaden am Maßstab der paulinischen zu messen. Zwar sind alle neutestamentlichen und frühchristlichen Belege direkt oder indirekt von den paulinischen Texten beeinflußt. Einige beziehen sich direkt auf ihn. Insofern ist ein Vergleich nicht nur statthaft, sondern auch geboten. Aber er müßte in jedem Fall die Veränderungen in der Lebenssituation der Adressaten, in den theologischen Problemstellungen und in den parakletischen Intentionen der Autoren berücksichtigen; und er dürfte nicht die Augen davor verschließen, daß die spätere Zeit eine glaubwürdige Gestalt christlichen Lebens nicht einfach durch die Konservierung paulinischer Positionen, sondern nur durch die konstruktive Auseinandersetzung mit neuen geschichtlichen Entwicklungen erreichen konnte.

Allerdings zeigt sich auch im Rückblick noch einmal die überragende theologische und pastorale Kompetenz des Apostels. Daß seinen Triaden ein einzigartiges Gewicht zukommt, läßt sich auch dann schwerlich bestreiten, wenn die Bedeutung der anderen neutestamentlichen und altkirchlichen Belegstellen in ihrem Eigenwert gewürdigt werden. Die paulinische Trias ist dadurch gekennzeichnet, daß der Apostel die Frage nach der adäquaten Reaktion, die Menschen auf das eschatologische Heilshandeln Gottes geben, durch eine Reflexion auf die anthropologische Dimension dieses Heilshandelns selbst beantwortet. Paulus führt Glaube, Hoffnung und Liebe nicht nur formal auf die Gnade Gottes zurück; er zeigt vielmehr, *daß* und *weshalb* Gott durch Jesus Christus den Glauben, die Hoffnung und die Liebe der Menschen bewirkt, die das Evangelium hören; er zeigt, *daß* und *weshalb* Gott durch Jesus Christus Glaube, Hoffnung und Liebe gerade so und nicht anders hervorruft, wie es der Apostel in seinen Briefen zu beschreiben versucht; und er zeigt, *daß* und *weshalb* sie von Gott her substantiell eine Einheit bilden. Das zeichnet sich bereits im Ersten Thessalonicherbrief ab; es kommt im Ersten Korinther- und im Galaterbrief voll zum Durchbruch; und es ist hernach bis hin zu *Augustinus* so nicht wieder versucht worden, geschweige gelungen.

Doch auch dann, wenn die herausragende Bedeutung der paulinischen Triaden nicht in Abrede gestellt wird, bleiben die späteren Interpretationen in ihrer eigenen Intention zu würdigen. Dabei zeigt sich, daß es zumindest den Autoren, deren Texte später kanonisiert worden sind, durchaus gelungen ist, auf ihre Weise mit der Trias eine Gesamtgestalt des Christseins in den Blick zu nehmen, die einerseits (bei allen Unterschieden) die Kontinuität mit dem Ursprung gewahrt und andererseits (bei aller Treue zur Tradition) die Herausforderungen bestanden hat, die sich aus neuen geschichtlichen Konstellationen ergeben haben.

Daß es der *Kolosserbrief* gerade durch die Neuformulierung der Trias verstanden hat, gegenüber dem Dienst an den „Weltelementen", den die sog. „Philosophie" propagiert, die Klarheit und Eindeutigkeit der Christusbeziehung ans Licht zu bringen, wird man nicht geringschätzen dürfen. Gewiß hat er dafür einen Preis bezahlt: Mitsamt der Spannung zwischen der Theozentrik und der Christozentrik verringert er auch die Spannung zwischen der futurischen und der präsentischen Eschatologie; und ebenso wie die Pistis sieht er auch die Elpis kaum mehr als existentiellen Lebensvollzug. Insofern ist es theologisch und hermeneutisch unumgänglich, die

Trias des Kolosserbriefes auf Paulus zurückzubeziehen. Aber in der Auseinandersetzung mit der „Philosophie“ wird der *auctor ad Colossenses* (auch) durch seine Rezeption der Trias nicht nur zum authentischen Interpreten zentraler Anliegen paulinischer Theologie, sondern auch zum kreativen *Planer* neuer Wege des Christseins, die in neuen geschichtlichen Situationen beschritten werden mußten, wenn sowohl die Kontinuität mit dem Ursprung gewahrt als auch die Herausforderung einer neuen Zeit angenommen werden sollte.

Dem Autor des *Epheserbriefes* scheint die Trias geeignet, die Grundvollzüge zu nennen, welche die von Jesus Christus gestiftete *communio* des christlichen Gottesvolkes aus Juden und Heiden mit Leben erfüllen.[72] Zwar gelingt ihm dies nur dadurch, daß er (wie im Kolosserbrief vorgegeben) Pistis als *fides quae* und Elpis als *spes quae* hinstellt. Doch ist auf der anderen Seite zweierlei nicht zu übersehen: daß der Epheserbrief mit der Betonung ekklesialer Gemeinschaft, die von der Zustimmung der Gemeindeglieder getragen wird, unter einem neuen Vorzeichen eine genuin paulinische Intention zur Geltung bringt; und daß die stärkere Betonung der „Objektivität“ des Glaubens wie der Hoffnung in nachapostolischer Zeit nicht nur ein probates Mittel gegen synkretistische Aufweichungen des Christusbekenntnisses ist, sondern auch der Orientierung der Ekklesia an der normativen Anfangszeit zu dienen vermag. Freilich ist eben darin auch der sachliche Grund dafür gelegt, Eph 4,2–5 mit den Triaden bei Paulus theologisch zu verbinden und hermeneutisch zu korrelieren.

Im *Ersten Petrusbrief* gewinnt die Trias dadurch eine neue Gestalt und Funktion, daß der Verfasser mit ihr Christen anspricht, die von ihrer paganen Umwelt angefeindet werden. Das führt einerseits dazu, daß die Elpis anders als im Kolosser- und Epheserbrief, aber ähnlich wie bei Paulus als Grundvollzug des Christseins erscheint und ähnlich wie im Ersten Thessalonicherbrief am stärksten gewichtet wird. Andererseits führt es aber auch dazu, daß die Agape nur als *Philadelphia* erscheint und daß die Pistis nicht eigentlich als gehorsame Bejahung des Evangeliums, als Verzicht auf jeglichen Selbst-Ruhm und als vertrauensvolles Sich-Festmachen in Gottes Gnade vorgestellt wird wie in den paulinischen Hauptbriefen, sondern ähnlich wie im Ersten Thessalonicherbrief als Glaubens*stärke*, die in der Versuchung bestehen läßt. Doch kann kein Zweifel bestehen, daß nicht nur durch die Kontinuität mit den paulinischen Triaden, sondern auch durch die spezifischen Unterschiede gegenüber ihnen eine neue Gesamtsicht von Glaube, Liebe und Hoffnung gelingt, die der angeschriebenen Gemeinde geholfen hat, in ihrer Situation authentisch als Christen zu leben.

Ähnliches gilt für den *Hebräerbrief*. Allerdings hat der Autor nicht mit

[72] Von Eph 4,2–5 läuft eine Linie zu LG 1,8.

Verunsicherungen zu kämpfen, die aus der Minderheiten- und Verfolgungssituation der Gemeinde resultieren, sondern mit Irritationen, die aus der Länge des noch im Irdischen zurückzulegenden Weges und aus der Unanschaulichkeit des verheißenen Heiles erwachsen und sich in Ermüdungserscheinungen zeigen. Deshalb steht Pistis, als Glaubens*zuversicht* und Glaubens*geduld* verstanden, im Vordergrund – was ähnlich wie beim Ersten Petrusbrief einerseits den Abstand zu den paulinischen Hauptbriefen unverkennbar macht und andererseits doch eine gewisse Nähe zum Ersten Thessalonicherbrief sehen läßt. Freilich wird der paulinische Dreiklang der Trias, den auch das älteste Schreiben des Apostels ertönen läßt, im Hebräerbrief auf den Grundton der Pistis gestimmt, während Agape und Elpis kaum mehr eigene Noten beitragen können. Dies erweist sich einerseits als Reduktion der paulinischen Vorstellung, die ja gerade aus den Spannungsverhältnissen zwischen Glaube, Hoffnung und Liebe entsteht, bietet aber andererseits die Gewähr für eine Paraklese, die den müde gewordenen Christen durch ein genaueres Hinschauen auf das christologische Heilsgeschehen ein vertieftes Verständnis ihrer Hoffnung, eine verstärkte Motivation für ihre Bruderliebe und vor allem größere Ausdauer auf der Wanderschaft des Gottesvolkes in der Zeit zu vermitteln vermag.

In allen Fällen zeigt sich, daß zwar kaum einmal die eschatologische und anthropologische Spannung aufrechterhalten wird, die nach Paulus die Trias von Glaube, Hoffnung und Liebe bestimmt, daß aber – um den Preis mancher Einbußen an theologischer Präzision und Differenziertheit – doch ein Gewinn an problemorientierter und lebensnaher Paraklese erzielt werden kann, die jedenfalls in den damaligen Lebenssituationen der Gemeinden zu überzeugen vermochte und die man deshalb auch in einer hermeneutischen Reflexion nicht ungestraft vernachlässigt werden kann.

Etwas anders liegt der Fall bei den Schriften der frühen Väter. So sehr das pastorale Anliegen *Polykarps von Smyrna* sympathisch berührt und so sehr der ethische Ernst des *Barnabasbriefes* Respekt verdient: weder im einen noch im anderen Fall wird die theologische Qualität der neutestamentlichen Triaden erreicht. Insbesondere fehlt der eindeutige Rückbezug des Imperativs auf den Indikativ und der Anthropologie auf die Christologie und die Theo-logie, der in den Spätschriften des Neuen Testaments (auf unterschiedliche Weise) konsequent durchgeführt wird. Mit *Clemens von Alexandrien* beginnt dann bereits die ausdrückliche Kommentierung der paulinischen Triaden, die sich nahezu ausschließlich auf 1Kor 13,13 bezieht. Mit der Interpretation und ausdrücklichen Klassifikation des Glaubens, der Liebe und der Hoffnung als Tugenden dürfte er die seiner Zeit angemessene Form gefunden haben, alle drei als Grundvollzüge des Christseins zur Geltung zu bringen (und weder den Glauben auf die *fides quae* noch die Elpis auf das Hoffnungs*gut* festzulegen). Freilich ist eben damit

auch der Unterschied zu Paulus markiert: daß Glaube, Hoffnung und Liebe *in erster Linie* Machterweise der Agape Gottes sind, der in Jesus Christus seine Herrschaft über die Hörer des Evangeliums aufbaut, hat *Clemens* kaum mehr im Blick. Dem Alexandriner kommt das Verdienst zu, die Rezeption der paulinischen Trias durch die späteren Väter und dann die mittelalterlichen Theologen ermöglicht zu haben. Daß er gerade dadurch die Frage nach dem Verhältnis zum ursprünglichen Sinn beim Apostel zuspitzt, läßt sich nicht übersehen. Als Kommentator der Paulinen weiß sich *Clemens* ohnedies wie nach ihm alle anderen Ausleger an die Normativität der paulinischen Theologie zurückgebunden.
Insgesamt zeigt der Blick auf die frühe Rezeptionsgeschichte der Trias, daß der paulinischen Verbindung von Glaube, Hoffnung und Liebe nicht nur aus Gründen der Anciennität, sondern aus Gründen des theologischen Reflexionsniveaus, der parakletischen Intensität und der spirituellen Tiefe das größte Gewicht zukommt. Freilich zeigt sich auch, daß die Möglichkeiten einer konzisen Zuordnung von Glaube, Hoffnung und Liebe nicht mit den paulinischen Vorgaben erschöpft sind. Zwar fällt es schwer, zu sagen, die späteren Triaden führten über die des Apostels hinaus. Wohl aber läßt sich urteilen, daß sie rings um das paulinische Themenfeld Gebiete christlicher Spiritualität und Praxis erschließen, die von Paulus selbst nicht begangen worden sind, die sich aber nicht nur in der Vergangenheit als fruchtbar erwiesen haben, sondern auch für die Zukunft von erheblicher Bedeutung bleiben.

IX. Auswertung: Glaube, Hoffnung, Liebe als Kennzeichen des Christlichen

Folgt man dem Apostel Paulus, läßt sich die Mitte christlicher Existenz in der spannungsvollen Einheit von Glaube, Hoffnung und Liebe finden. Ebenso sehen es der Kolosser- und der Epheserbrief, der Erste Petrusbrief und der Hebräerbrief, aber auch *Polykarp von Smyrna*, der Barnabasbrief und *Clemens von Alexandrien*, hernach eine lange Kette von Paulus-Interpreten, die bis heute nicht abreißt. Freilich stellt sich die Frage nach der Relevanz der Trias in jeder Generation neu. Eine Antwort ist nicht schon gegeben, wenn man auf die Notwendigkeit der Kontinuität mit dem Ursprung und der Treue zur Tradition hinweist; entscheidend ist vielmehr die Plausibilität der Sache selbst, die Paulus vorgegeben hat. Der Apostel sieht Glaube, Hoffnung und Liebe in ihrer Einheit als notwendige, adäquate und umfassende Antwort der Menschen auf Gottes Heilshandeln im Kreuzestod und in der Auferweckung Jesu Christi. Deshalb zeichnet sich die Relevanz der Trias in vier Themenbereichen ab:
(1) in der theologischen Anthropologie,
(2) in der Soteriologie, sprich: der Gnaden- und Rechtfertigungslehre,
(3) in der Ethik und
(4) in der Spiritualität.

Um die Bedeutung der paulinischen Positionen auf diesen vier Problemfeldern sichtbar zu machen, wäre eine differenzierte hermeneutische und fundamentaltheologische Reflexion[1] angezeigt. Das kann zum Abschluß dieser Bibelstudie nicht mehr geschehen. Es können nur einige ganz wenige Aspekte schlaglichtartig beleuchtet werden, die ans Licht treten, wenn die paulinischen Gedanken, von denen der spät-neutestamentlichen und der früh-patristischen Autoren begleitet, auf die Folie der Diskussionen projiziert werden, die in der Theologie (und in der Philosophie) der Gegenwart geführt werden.

[1] Hermeneutische Überlegungen müssen fundamentaltheologische Erwägungen berücksichtigen – und umgekehrt; vgl. *H.J. Pottmeyer*, Normen, Kriterien und Strukturen der Überlieferung: HFTh 4 (1988) 124–152: 145–150.

1. Anthropologie

Der paulinischen Trias liegt eine theologische Anthropologie zugrunde, die sich auf der Strecke vom Ersten Thessalonicherbrief zu den Hauptbriefen herausbildet. Wenn Paulus das *Christsein* auf die drei Säulen des Glaubens, Hoffens und Liebens stellt, ist darin seine Sicht authentischen *Menschseins* impliziert. Nach Paulus erfährt der Mensch sein „Ich" allererst im Glauben, im Hoffen und im Lieben. Daraus folgen drei anthropologische Grunddaten.

Zuerst: Der Mensch findet sein wahres Leben immer nur von Gott her und auf Gott hin; seine Identität beruht darauf, daß in ihm der gekreuzigte Jesus Christus lebendig ist, der ihn für Gott öffnet (Gal 2,19f). Diesem Wesenszug entspricht der Glaube.

Sodann: Für den Menschen sind die Relationen zu den anderen Menschen nicht akzidentiell, sondern substantiell; so sehr er als individuelle Person unverwechselbar und unersetzbar ist, so sehr zeitigt sich seine Identität in den Beziehungen, die er zu anderen Menschen hat – gewollt oder ungewollt, aktiv oder passiv, leidend oder handelnd. Diesem Wesenszug entspricht die Liebe.

Schließlich: Der Mensch lebt sein Leben zusammen mit anderen Menschen in einem begrenzten Zeitraum. Die Zeitlichkeit und Geschichtlichkeit, damit auch die Endlichkeit bestimmt seine Identität. Aus eigener Kraft kann er die ihm als Mensch gesetzten Grenzen nicht überspringen; wenn gleichwohl umfassende Erfüllung Wirklichkeit werden soll, setzt dies ein schöpferisches Handeln Gottes voraus. Diesem Wesenszug entspricht die Hoffnung.

In der theologischen Anthropologie der Gegenwart spielen diese drei Wesensmomente eine entscheidende Rolle.[2] Ihre Bedeutung läßt sich bis zu einem gewissen Grade im Gespräch mit den Humanwissenschaften und mit der Philosophie verifizieren.

(1) Der Theologie und der Religionsphilosophie ist die Transzendentalität des Menschen evident; sie läßt sich im Grunde nur in einer theologischen und religionsphilosophischen Reflexion einholen. Sowohl in den Sozial-

---

[2] Vgl. vor allem *W. Pannenberg*, Anthropologie; *ders.*, Systematische Theologie II, Göttingen 1992, 203–314 (an dem sich die folgenden Überlegungen vor allem orientieren); aber auch *J. Splett*, Konturen der Freiheit; *E. Jüngel*, Der Gott entsprechende Mensch. Bemerkungen zur Gottebenbildlichkeit des Menschen als Grundfigur theologischer Anthropologie, in: H. G. Gadamer – H. P. Vogel (Hg.), Neue Anthropologie 6, Stuttgart 1975, 342–372; *O. H. Pesch*, Frei sein aus Gnade 219–249.403–415; *P. Hünermann*, Anthropologische Dimensionen der Kirche, in: HFTh 3 (1986) 153–175; *G. Greshake*, Geschenkte Freiheit².

und Humanwissenschaften als auch in der allgemeinen Philosophie wird sie hingegen geradezu methodisch ausgeblendet (bzw. nur phänomenologisch untersucht). Um so aufschlußreicher ist es dann aber, daß der philosophischen, pädagogischen und psychologischen Anthropologie zunehmend selbst die Begrenztheit ihres Fragehorizontes bewußt wird und daß ihr innerhalb dieses Horizontes Strukturmomente des menschlichen Lebens aufgehen können, an die sich eine theologische Reflexion anknüpfen läßt. Das wichtigste Beispiel liefert *Helmuth Plessner*[3]. Er arbeitet (im Gespräch mit der Biologie) heraus, daß der Mensch, gerade weil er ein Selbst-Bewußtsein hat, in seinem Wesen exzentrisch ist; auf den Bezug zu seiner Mit-Welt elementar angewiesen, tritt er ihr doch immer aus der Distanz gegenüber; darin aber wird er zur Transzendierung seiner selbst und seiner Welt geführt – und damit vor die Frage nach Gott gestellt. Sofern sich die systematische Theologie auf den Dialog mit dieser Konzeption einzulassen bereit ist, kann ihr der paulinische Glaubensbegriff von außerordentlicher Hilfe sein, um zu einer differenzierten Kritik zu gelangen: Denn *einerseits* hat der Glaube bei Paulus seinen genuinen Ort nicht im vollendeten Reich Gottes, sondern in den geschichtlichen Lebensvollzügen der Menschen, die von der Macht der Sünde und des Todes beeinflußt werden. *Andererseits* entsteht der Glaube gerade nicht durch die Selbsttranszendenz des Menschen, sondern durch die Selbsterniedrigung Jesu Christi (Phil 2,6–11), in der Gottes gnädiges Sich-Einlassen auf die Menschen seine eschatologische Gestalt findet. Ist der Glaubensbegriff des Paulus also einerseits geeignet, die faktische Gebrochenheit des Menschen nicht zu verdrängen, sondern gerade in Verbindung mit seiner essentiellen Offenheit zu thematisieren, so radikalisiert er andererseits die Einsicht in die Transzendentalität des Menschen: indem er Identität gerade nicht im Selbstvollzug des (über sich selbst hinausweisenden) Subjekts, sondern in der Zuwendung Gottes zum ihm begründet sieht.

(2) Der traditionellen Philosophie gilt von der Antike bis zum Idealismus das Wesen des Menschen als zeitlos, ewig und unveränderlich, während sein konkretes Leben in der Geschichte, weil es kontingent ist, als *accidens* erscheint. Diesem Axiom widerspricht die moderne Anthropologie. Ihren herausragenden Vertretern gilt die Geschichtlichkeit als *Konstitutivum* des Menschseins. Einen Markstein hat *Martin Heidegger* mit seiner existentialphilosophische Rekonstruktion des Wesensbezuges von Sein und Zeit

---

[3] Die Stufen des Organischen und der Mensch. Einleitung in die philosophische Anthropologie, Berlin [2]1965 ([1]1928); *ders.*, Conditio humana, Pfullingen 1964 (zuerst: PWG 1, 1961); *ders.*, Philosophische Anthropologie. Lachen und Weinen. Das Lächeln. Anthropologie der Sinne, Frankfurt/M. 1970.

gesetzt.[4] *Georg Picht* weist darauf hin, daß eine philosophische Anthropologie, die den Blick nicht vor den Erkenntissen der modernen Naturwissenschaften verschließt, die Identität des Menschen im Horizont der Geschichte suchen muß – aber nicht ohne das Postulat einer transzendental-eschatologisch begrenzten Zeitlichkeit auskommen kann, wenn sie Sein und Zeit vermitteln will.[5] Daß Paulus zusammen mit dem Glauben und der Liebe auch die Hoffnung als *Wesens*vollzug des Menschen begreift, erweist sich auch im Kontext dieser Überlegungen als aufschlußreich.[6] Der Apostel sieht die Identität des Menschen im *eschatologischen* Heilshandeln Gottes gegründet. Durch seine Selbsterschließung in Jesus Christus läßt Gott einerseits die Geschichte in all ihrer Kontingenz zum Ort authentischer Gotteserfahrungen und wirklicher Ichfindung werden; andererseits aber antizipiert er um der Heraufführung umfassenden Heiles willen das Ende der Geschichte und verheißt die Erfüllung der Hoffnung ausschließlich für das Jenseits dieses Endes. Indem Paulus seine Anthropologie der Hoffnung in diesem Horizont entwirft, gewinnt er die Möglichkeit, die Erfahrung der Endlichkeit, des „Seins zum Tode", ernstzunehmen, ohne einer letzten Absurdität das Wort reden zu müssen[7]. Weil das transhistorische Ende der Geschichte um der vollendeten Verwirklichung der Liebe Gottes willen notwendig ist, wächst dem Menschen, sofern er auf Gott hofft, die Kraft zu, die gegenwärtigen Bedrängnisse auszuhalten und in Geduld zu ertragen – jenseits stiller Resignation oder stoischer Ataraxie, ohne die Nötigung, die gegenwärtigen Leiden als Preis für das Glück der Nachgeborenen rechtfertigen zu müssen, dafür aber mit der Fähigkeit und dem Mut zur Kritik des Bösen, nicht zuletzt mit der realistischen Perspektive, im Rahmen der Möglichkeiten am Abbau dessen mitzuarbeiten, was die Beziehungen der Menschen untereinander und zu Gott belastet. In der Haltung jener geduldigen und beharrlichen Hoffnung, die auf den *Deus semper maior* baut, wird es überdies möglich, die Endlichkeit nicht nur als Begrenzung menschlicher Freiheit zu beklagen, sondern als eschatologische Vorläufigkeit zu bejahen und mitten in der Ambivalenz der Welt- und

---

[4] Sein und Zeit (1927), Tübingen 1972. Daß er diese Linie seines Denkens später nicht weiter verfolgt hat, ändert nichts daran, daß sie die Grenze einer modernen Anthropologie markiert.

[5] Die Erfahrung der Geschichte (1958), in: ders., Wahrheit 281–317.

[6] *M. Heidegger* hat die Auseinandersetzung mit 1Thess 4,13–5,11 einen wichtigen, wahrscheinlich den entscheidenden Anstoß zur Ausarbeitung von „Sein und Zeit" gegeben; vgl. *O. Pöggeler,* Der Denkweg Martin Heideggers, Pfullingen 1963, 36f. (Den Hinweis finde ich bei *K. M. Woschitz,* Elpis 457f).

[7] Wie dies bei *J.-P. Sartre* in durchaus konsequenter Deutung der Aporien von „Sein und Zeit" unumgänglich ist: Das Sein und das Nichts. Versuch einer phänomenologischen Ontologie (frz. Orig. 1943), Hamburg 1962 u. ö. Zur Kritik vgl. *W. Pannenberg,* Anthropologie 255f.

Ich-Erfahrungen die Präsenz des Geistes Gottes wahrzunehmen. Indem aber christliche Hoffnung mit Paulus und allen anderen neutestamentlichen Autoren die Erfüllung allein Gott zutraut, redet sie von der eschatologischen Vollendung nur so, daß jede menschliche Sehnsucht, Erwartung und Wunschvorstellung ins Unendliche transzendiert wird. Eben dadurch wahrt sie nicht nur den Unterschied zwischen Gott und Mensch; sie wehrt auch einerseits der Illusion, es liege in der Macht der Menschen, sich selbst zu vollenden, und schärft andererseits den Blick für das, was *hic et nunc* mit den anderen Menschen und für sie getan werden kann und getan werden muß.

(3) Die Anthropologie der Aufklärung hat in der „kopernikanischen Wende" zum Subjekt einem (idealistischen) Subjektivismus das Wort geredet, der mit *René Descartes*[8] die Identität des Menschen in seiner Selbstreflexion gegründet sieht. Demgegenüber ist die neuere Anthropologie, ob sie sozialwissenschaftlich, pädagogisch, psychologisch oder philosophisch ansetzt, dadurch gekennzeichnet, daß die Sozialität als *Wesens*element menschlicher Existenz begriffen wird.[9] Ihre profilierteste Gestalt findet diese Einsicht in der Philosophie des dialogischen Personalismus[10], die *Franz Rosenzweig*[11] und *Martin Buber*[12] entwickelt haben und *Emmanuel Levinas*[13] weiterführt.[14] Die Nähe zur biblischen Sicht des Menschen (durch die er inspiriert ist) läßt sich nicht verkennen. Von besonderer

---

[8] Meditationes de prima philosophia (dt.-lat. Ausg. v. L. Gäbe), Hamburg 1959, Meditatio II 40–61.

[9] Vgl. neben *H. Plessner* (s. o. S. 206 Anm. 3) *G. H. Mead*, Geist, Identität und Gesellschaft aus der Sicht des Sozialbehaviorismus (amerik. 1934), Frankfurt/M. 1973; *A. Gehlen*, Der Mensch. Seine Natur und seine Stellung zur Welt (1940), Frankfurt/M. 1966; *E. Cassirer*, Versuch über den Menschen. Einführung in eine Philosophie der Kultur (amerik. 1944), Frankfurt/M. 1990.

[10] Vgl. dazu *B. Casper*, Das dialogische Denken. Eine Untersuchung der religionsphilosophischen Bedeutung F. Rosenzweigs, F. Ebners und M. Bubers, Freiburg u. a. 1967; *M. Theunissen*, Der Andere. Studien zur Sozialontologie der Gegenwart, Berlin 1965.

[11] Der Stern der Erlösung (1921). Gesammelte Schriften II, Haag [4]1976.

[12] Ich und Du (1923), Darmstadt [11]1983; Urdistanz und Beziehung. Beiträge zu einer philosophischen Anthropologie I (1950), Heidelberg [4]1978; Das dialogische Prinzip (1954), Heidelberg [4]1979.

[13] Wenn Gott ins Denken einfällt. Diskurse über die Betroffenheit von Transzendenz, Freiburg–München 1985; Totalität und Unendlichkeit. Versuch über die Exteriorität (frz. 1961), Freiburg–München 1987; Die Spur des anderen. Untersuchungen zur Phänomenologie und Sozialphilosophie, Freiburg–München [2]1987; Dialog: CGG 1 (1981) 61–85.

[14] Sehr eindringend sind, ähnliche Spuren verfolgend, die religionsphilosophischen Erwägungen von *B. Welte*, Dialektik der Liebe.

Relevanz ist der paulinische Begriff der Agape. Der Apostel identifiziert das Sein des Glaubenden (und damit implizit das eines jeden Menschen) mit seiner Liebe (vgl. 1Kor 13). Dadurch, daß er diese Liebe letztlich in der Liebe Gottes begründet siegt, öffnet Paulus dem dialogisch-kommunikativen Ansatz der neueren Anthropologie eine doppelte Perspektive. *Zum einen* führt er ihn von idealistischen und utopistischen Konzepten gelungener Kommunikation fort in die Realität der Geschichte, die Beziehungen zwischen Menschen immer nur in der Gebrochenheit durch Versagen, Schuld, Aggression und Tod kennt. Die Vorstellung der Agape als Partizipation an der Proexistenz des Gekreuzigten zeigt, daß sich das kommunikative Wesen des Menschen nicht jenseits, sondern inmitten dieser Konflikte zeitigt, sei es durch aktives Handeln, das Gewalt abzubauen versucht, sei es durch leidendes Aushalten. *Zum anderen* weist der paulinische Begriff der Agape auf die transzendentale Dimension jeglicher Kommunikation. Damit wehrt er einerseits einer Überforderung menschlicher Anstrengungen, indem er die Vorstellung kritisiert, allgemeine Glückseligkeit ließe sich *in* der Geschichte verwirklichen; andererseits wehrt er der Versuchung neuzeitlichen Denkens, zwischenmenschliche Beziehungen auf die Befriedigung von Bedürfnissen zu reduzieren. Die Wahrnehmung der unverlierbaren Personwürde eines Menschen und die Begründung seiner unveräußerlichen Rechte setzt eine transzendentale Reflexion voraus.[15] Dem Nächsten widerfährt nur dann Gerechtigkeit, wenn er in seinem tiefsten Grund als der gesehen wird, dem unwiderruflich Gottes Liebe gilt.[16]

2. Soteriologie

In der gegenwärtigen Diskussion über Gnade und Rechtfertigung müßte die Trias eine größere Rolle spielen, als ihr zumeist zuerkannt wird. Das ergibt sich nicht nur aus der Bedeutung, die ihr in der Auslegungsgeschichte und besonders während der Reformationszeit zugefallen ist. Entscheidend ist der Stellenwert, den sie in der Soteriologie des Apostels einnimmt. Zwar ist nicht zu leugnen, daß die zentralen rechtfertigungstheologischen Texte, insbesondere Gal 2,16–21 und Röm 3,21–31, gerade nicht von Glaube, Hoffnung und Liebe, sondern absichtsvoll nur vom Glauben reden. Das bleibt für jede Soteriologie, die Kontakt mit Paulus

---

[15] Das ist ein zentrales Ergebnis der neueren Diskussion über die Menschenrechte; vgl. *P. Hünermann*, Erlöste Freiheit. Dogmatische Reflexion im Ausgang von den Menschenrechten (1985), in: ders., Offenbarung Gottes in der Zeit. Prolegomena zur Christologie, Münster 1989, 183–198.

[16] Vgl. *J. B. Lotz*, Liebe 208ff.

halten will, normativ. Aber bei der Rekapitulation seiner Rechtfertigungslehre im Galaterbrief rekurriert Paulus selbst auf die Trias (5,5f); und sowohl der Erste Thessalonicherbrief als auch der Erste Korintherbrief entwickeln, ohne im präzisen Sinn eine Rechtfertigungs*lehre* vorzutragen, eine reflektierte Soteriologie, in der die Trias einen herausragenden Platz einnimmt. Paulus versucht zu zeigen, daß die Menschen, so sie sich von Gottes Gnade bestimmen lassen, in Jesus Christus zu Glaubenden, Hoffenden und Liebenden werden; deshalb gewinnen sie im Glauben, Hoffen und Lieben Anteil am eschatologischen Heil, das Gott durch Jesus Christus den Glaubenden präsentisch- und futurisch-eschatologisch schenkt. Paulus stellt gerade auf „diese drei" ab, weil er durch sie einerseits der christologisch-pneumatologischen Weise, der geschichtlichen Wirklichkeit und der eschatologischen Dynamik des Heilshandelns Gottes gerecht werden will und andererseits dem Wesen des Menschen als einer auf Gemeinschaft angelegten und angewiesenen Person, die als geschichtliches Wesen lebt und ihr „Ich" mitsamt ihrer Freiheit nur dort findet, wo Jesus Christus in ihr lebendig ist.
Zu überlegen, welche Konsequenzen sich daraus für die Rechtfertigungstheologie ergeben, würde eine eingehende Analyse erfordern. Wenige vorläufige Andeutungen müssen an dieser Stelle genügen. Weder 1Thess 1,3 und 5,8 noch auch 1Kor 13,13 relativieren das *sola fide* der paulinischen Rechtfertigungslehre und der gesamten paulinischen Soteriologie. Gal 5,5f bestimmt den Glauben als Grund der Hoffnung und als Antrieb der Liebe. Auch im Ersten Thessalonicherbrief und im Ersten Korintherbrief, da die Rechtfertigungs*lehre* noch nicht ausgearbeitet und der Gegensatz zu den Gesetzeswerken noch nicht problematisiert ist, kann nicht bezweifelt werden, daß es der Glaube ist, der das Heil vermittelt. Gleichwohl beläßt es der Apostel nicht beim Hinweis auf die Heilsnotwendigkeit und Heilssuffizenz der Pistis. Vielmehr verbindet er den Glauben von innen heraus mit der Hoffnung und der Liebe, ohne alle drei in eins zu setzen oder gar der Pistis zu subsumieren. Dies geschieht deshalb, weil für ihn das Rechtfertigungsgeschehen einerseits eine eschatologische Dialektik zwischen der Heilsgegenwart und der Heilszukunft konstituiert, von der die Geschichte geprägt wird, und sich andererseits nicht in der Konstituierung individueller Gottesbeziehungen erschöpft, sondern ekklesiale, letztlich universale Dimensionen gewinnt. Gerade die Hoffnung aber ist es, die das Leben des Glaubenden *in der Zeit* unter der Gnadenherrschaft Jesu Christi ausfüllt; und die Liebe ist es, die sich vom Pneuma bewegen läßt, in der Hinwendung zum Nächsten der Liebe Gottes zuzustimmen. Glaube, Hoffnung und Liebe gehören als Antwort auf das Evangelium zusammen, weil sie nach Paulus dem eschatologischen Gnadenhandeln Gottes im gekreuzigten Jesus Christus entsprechen *und* dem Wesen des Menschen, der als Gottes

Geschöpf in der Zeit lebt, als Sünder dem Tode verfallen ist und als Gerechtfertigter nur auf Hoffnung hin in der Gnade Gottes leben kann, die ihn zum Glauben und zur Liebe befreit.

Vergleicht man das scholastische, tridentinische und reformatorische Verständnis der Trias mit dem ursprünglichen, soweit es mit den Methoden historisch-kritischer Exegese in den Blick kommen kann, zeigen sich Gemeinsamkeiten und Differenzen mit jeder der kontroversen Positionen. *Einerseits* ist nicht zu verkennen, daß der lutherische Begriff des Glaubens näher bei Paulus liegt als der scholastische, den das Tridentinum voraussetzt.[17] *Andererseits* fragt sich, ob Paulus die Agape wirklich als „Werk" verstanden hat und ob mithin tatsächlich im theologischen Sinn ein *konsekutives* Verhältnis zwischen Glaube und Liebe besteht. Die Trias läßt eher an eine Gleich-Ursprünglichkeit im Pneuma denken. Überdies ist kaum zu verkennen, daß in der Kontroverse des 16. Jh. der Begriff und die Relevanz der Hoffnung nicht im vollen paulinischen Sinn entfaltet worden sind. Sowohl in einer neuen Zuordnung von Glaube und Liebe als auch in deren innerer Verbindung mit der Hoffnung ist der systematischen Theologie der Gegenwart eine Aufgabe gestellt, die sie in der Soteriologie erst allmählich wahrzunehmen scheint.[18]

Schließlich ein weiteres: An eine Neuauflage der scholastischen Tugendlehre ist gewiß auch dann nicht zu denken, wenn man geneigt ist, den theologischen Stellenwert der Trias hoch zu veranschlagen. Die aristotelischen Kategorien, die von der Scholastik eingeführt worden sind, um die paulinischen Gedanken zu interpretieren, sind nicht sehr geeignet, einer historisch-kritischen Exegese den Weg zu weisen, die sich streng am Ursprungssinn orientieren muß; sie lassen sich auch mit der neuzeitlichen Anthropologie nicht ohne weiteres vermitteln. Gleichwohl ist gerade die Konzeption der „theologischen Tugenden", die *Thomas von Aquin* im Horizont des Denkens seiner Zeit entwickelt hat, dadurch ausgezeichnet, daß sie eine (durch Gottes Gnade konstituierte) innere Entsprechung zwischen der Liebe Gottes und der Antwort der Menschen aufzuweisen bemüht ist – und zwar in einer Konzinnität und Luzidität, die später schwerlich wieder erreicht worden ist. Wie dies – auf gewandelter exegetischer Basis – im Horizont neuzeitlichen Denkens neu geschehen könnte, so daß die alles bestimmende Dynamik der

---

[17] Im Zuge einer neuen Aneignung der paulinischen Theologie kann deshalb auch das *Zweite Vatikanische Konzil* (obgleich es sich mit der Soteriologie nicht eigens auseinandersetzt) zu umfassenderen Aussagen über den Glauben als das Tridentinum gelangen (DV 5).

[18] Vgl. vor allem *O.H. Pesch,* Frei sein aus Gnade 239–249.

Gnade Gottes gerade als Ermöglichung menschlicher Freiheit und ständiges Durchbrechen menschlicher Sündhaftigkeit gedacht wird, ist noch kaum in ersten Umrissen zu erkennen.

3. Ethik

Soweit sich die christliche Moraltheologie auf Fragen der normativen Ethik konzentriert, also richtiges von falschem Verhalten zu unterscheiden hat, haben Glaube, Hoffnung und Liebe keine zentrale Bedeutung – ebensowenig wie etwa die Kardinaltugenden.[19] Anders verhält es sich, wenn die Aufmerksamkeit dem gilt, was nach christlichem Verständnis sittliche Güte konstituiert und Wirklichkeit werden läßt.[20] Zwar ist für die moralische Bewertung eines Einzelfalls nur die *subjektive* Überzeugung entscheidend, die jemand von der Richtigkeit einer Handlung gewonnen hat. Aber wollte sich die Moraltheologie mit dieser Feststellung begnügen, verfiele sie einem ethischen Subjektivismus. Als Moral*theologie* hat sie sich vielmehr zuerst zu fragen, worin sittliche Güte *im Lichte des Evangeliums* besteht. Sie fragt dann nach nichts geringerem als nach der Identität des Menschen und der Qualität seiner kommunikativen Beziehungen. Beides wird, wie zumal Paulus herausgestellt hat, durch den Heilswillen Gottes konstituiert, der in Jesus Christus seine eschatologische Gestalt findet.

Darüber hinaus stellt sich aber die weitere Frage nach der Verwirklichung des sittlichen Guten. Wie wird ein Mensch in die Lage versetzt, das was *coram Deo* gut ist, auch als gut zu erkennen? Wie wird er dazu bewegt, das Gute, das er sieht, auch wirklich zu wollen? Wie wird er fähig, das Gute, das er will, auch zu tun? Und wie wird er instand gesetzt, das Gute, das er tut, auch um des Guten selbst willen zu vollbringen? Daß die ehrliche Überzeugung vom dem, was gut ist, nicht schon die Erkenntnis der Wahrheit garantiert und daß aus dem Wissen um das Gute und Richtige keineswegs schon moralisches Handeln folgt, gehört zur Realität menschlichen Lebens. Paulus hat diese schmerzliche Erfahrung in Röm 7,15 ausdrücklich thematisiert und theologisch plausibel auf die Macht der Sünde über das menschliche Leben zurückgeführt. Damit sich sittliche Güte realisiert, käme es nicht nur darauf an, daß die Macht der Sünde über den

---

[19] Vgl. *B. Schüller*, Die Begründung sittlicher Urteile. Typen ethischer Argumentation in der Moraltheologie, Düsseldorf ²1980 (¹1973), 299–305; *ders.*, Zu den Schwierigkeiten, die Tugend zu rehabilitieren (1983), in: ders., Pluralismus in der Ethik. Zum Stil wissenschaftlicher Kontroversen (MBT 55), Münster 1988, 83–104.

[20] Vgl. *A. Auer*, Glaube, Hoffnung und Liebe; *D. Mieth*, Die neuen Tugenden 170–189; *E. Schockenhoff*, Bonum hominis 573–587.

Menschen *prinzipiell* gebrochen wird. Es liegt vielmehr daran, im Bestreben zur Moralität, dann aber auch im *Tun* des Guten und Richtigen selbst nicht wiederum der Sünde Tribut zu leisten – sei es dadurch, daß es auf die Bestätigung eigener Vollkommenheit zielt, sei es dadurch, daß es auf die Anerkennung durch Gott aus ist. Beide Versuchungen hat Paulus in der Kritik des pneumatischen Enthusiasmus und des christlichen Nomismus deutlich vor Augen gehabt. Die Antwort, die der Apostel auf die Frage nach dem sittlichen *Können* gibt, ist eindeutig: Nicht der auf sich selbst gestellte Mensch mit seinen besten Absichten, seinem klarsten Verstand und seiner stärksten Kraft, allein Gott in seiner Gnade ist es, der sittliches Handeln ermöglicht. Von Seiten des Menschen setzt dies die (vom Pneuma gewirkte und deshalb in Freiheit vollzogene) Öffnung für Gottes Heilshandeln voraus.

Wenn sich die christliche Ethik den Fragen nach der sittlichen Güte und ihrer Verwirklichung stellt, wird sie vom Problem des Sollens auf das Problem des Seins und des Könnens zurückverwiesen. Folgt sie diesem Hinweis, wird sie zu ihren Wurzeln in der theologischen Anthropologie und der Soteriologie geführt (wie dies der neutestamentlichen Abfolge von Indikativ und Imperativ entspricht). Gerade auf diesem Wege aber zeigt sich ihr Proprium als Moral*theologie*.

Dieses Proprium auch in der anthropologischen Reflexion zur Geltung zu bringen, bieten sich im Neuen Testament verschiedene Möglichkeiten an. Die paulinische Trias zeichnet sich dadurch aus, daß sie selbst aus einer intensiven Reflexion des Apostels über den Zusammenhang von Christologie und Anthropologie wie über den Zusammenhang von Soteriologie und Ethik hervorgegangen ist und in einem umfassenden Sinn die Einstellung und das Verhalten bezeichnet, die dem eschatologischen Heilshandeln Gottes in Jesus Christus konform gehen. Zwar kann es heute nicht mehr darum zu tun sein, die neuscholastische Konzeption der „theologischen Tugenden" als Basis der Sittlichkeit zu repristinieren; dazu war das biblische Fundament zu dünn. Wohl aber wäre zu überlegen, welche Perspektiven sich einer christlichen Ethik (im Gespräch mit philosophischen Ethik-Konzepten) öffnen, wenn sie sich von jenem Verständnis des Glaubens, Hoffens und Liebens bei Paulus leiten ließe, das die heutige historisch-kritische Exegese zu erschließen vermag. Eine Ethik, die auf die theologischen Tugenden rekurriert, markiert ihre Position als *christliche* Ethik – und damit zugleich jene Distanz zu allen *philosophischen* Ethiktheorien, die sie überhaupt erst zum kritischen Dialog mit ihnen befähigt[21]. Freilich stellt sich dann um so schärfer die (fundamentaltheologische) Frage nach der

[21] Darauf hebt bemerkenswerter Weise *K. O. Apel* ab: Kein Ende der Tugenden: Frankfurter Hefte 29 (1974) 783–794: 786.

Berechtigung und der Relevanz dieses Rekurses auf den Glauben, die Hoffnung und die Liebe. Dazu können im folgenden nur einige wenige Stichpunkte genannt werden, die eingehend diskutiert, erheblich differenziert und stark ergänzt werden müßten.

(1) Der Glaube, gerade im paulinisch akzentuierten Verständnis, kann den, der zum Wollen und zum Tun des Guten und Richtigen entschlossen ist, vor zwei Grundversuchungen bewahren, denen er gerade wegen seines Entschlusses zur Moralität ausgesetzt ist: vor der Versuchung der Gesetzlichkeit und vor der Versuchung des Selbstruhmes. Der Glaube erkennt und bejaht, daß die Kraft zum sittlichen Handeln von Gott geschenkt wird, also immer nur insoweit dem Vermögen des Handelnden zuzurechnen ist, wie sie durchgehend zuerst und zuletzt Gnade ist. Darüber hinaus: Weil der Glaube Gott als den *Einen* sieht, der im Kreuzestod Jesu Christi seine Liebe zu den Menschen unwiderruflich und unüberbietbar erwiesen hat, begründet er ein Ethos *universaler* Solidarität.[22] Und schließlich: Eine Ethik, die auf dem Glauben gründet, kritisiert jede Dichotomie von Autonomie und Theonomie und schafft damit die Möglichkeit, die neuzeitliche Freiheitsthematik, die der gesamten ethischen Diskussion seit der Aufklärung zugrundeliegt, mit der christlichen Grundüberzeugung zu vermitteln, daß die Identität des Menschen von Gott konstituiert wird.[23]

(2) Eine Ethik der Hoffnung richtet sich daran aus, daß Gott in der Zukunft umfassendes Heil verwirklichen wird und daß die Dynamik seines Heilshandelns sich kraft des Geistes bis zur eschatologischen Vollendung *in* der Geschichte zeitigt. Daraus wächst eine starke Motivation sowohl zur Entwicklung des individuellen sittlichen Bewußtseins als auch zum politischen Engagement für mehr Gerechtigkeit und Frieden.[24] Gleichzeitig aber bewahrt die Perspektive der Hoffnung die christliche Ethik davor, sich in ein technokratisches Krisenmanagement aufzulösen, dem die Perspektive realisierter Freiheit und geglückter Kommunikation verstellt ist. Freilich geht eine Ethik der Hoffnung auch von der Prämisse aus, daß jedes menschliche Handeln unter dem eschatologischen Vorbehalt steht. Das bewahrt sie vor der Errichtung einer Tugenddiktatur ebenso wie vor

---

[22] Vgl. *D. Mieth,* Die neuen Tugenden 188f (auf die Gottesliebe bezogen). – *H. Peukert* zeigt auf, daß ein Konzept universaler Solidarität spätestens dort auf seine theologischen Voraussetzungen stößt, wo es um die „Solidarität mit den Toten" geht: Wissenschaftstheorie – Handlungstheorie – Fundamentale Theologie. Analysen zu Ansatz und Status theologischer Theoriebildung, Düsseldorf 1976, 283–302.

[23] Vgl. *E. Schockenhoff,* Bonum hominis 584.

[24] Vgl. *A. Auer,* Glaube, Hoffnung und Liebe 106.

Utopismen, die sich letztlich einer Idealisierung menschlicher Möglichkeiten verdanken.[25] Gerade weil christliche Ethik mit Paulus wissen kann, daß sie ihre letzte Hoffnung nur *auf Gott* werfen darf, vermag sie guten Gewissens den Blick auf das Naheliegende, das Mögliche und das Realistische zu richten, auf das, was wirklich Not tut und sowohl im privaten wie im politischen Bereich um der Gerechtigkeit willen angegangen werden muß.

(3) Der zentrale Begriff christlicher Ethik ist *Agape*. Alle sittlichen Grundwerte, Freiheit, Gerechtigkeit, Sympathie, Toleranz, Solidarität, haben in ihr ihren Wurzelgrund. Die Agape umfaßt das, was auch einer profanen Ethik als Liebe erscheint: das uneingeschränkte Wohl-Wollen, das dem Nächsten entgegengebracht wird, und das engagierte Vollbringen des Guten, das ihm nützen soll. Sie geht aber darüber hinaus, weil sie im Nächsten den sieht, dem die Liebe Gottes gilt. Das verändert die Einstellung zu ihm: Die Verpflichtung, ihn um seiner selbst willen zu lieben, unabhängig davon ob er sich als Freund oder als Feind, als Gerechter oder als Sünder präsentiert, resultiert dann weder aus dem sittlichen Vollkommenheitsstreben des Liebenden noch aus den Ansprüchen des anderen noch auch aus einer humanistischen Idee, sondern aus der Liebe, die Gott ihm schenkt.[26] Damit aber gründet die Verpflichtung in nichts anderem als dem, was dem Liebenden selbst zu leben und zu lieben ermöglicht. Liebe ist deshalb zwar Hin-Gabe, begründet aber gerade kein Gefälle vom Geber zum Nehmer, sondern ist ein Reflex jener Gemeinschaft in der Liebe Gottes, die sich durch Jesus Christus eschatologisch vollenden wird.

Glaube, Hoffnung und Liebe konstituieren, was im christlichen Sinn Moralität genannt zu werden verdient, also die Realisierung sittlicher Güte. Selbstverständlich bedeutet das nicht, daß dort, wo Pistis, Elpis und Agape fehlen, nicht von Sittlichkeit gesprochen werden könnte. Wohl aber bedeutet es, daß einerseits erst im Glauben, Hoffen und Lieben aufgehen kann, was sittliche Güte im theologischen Verständnis ausmacht, und daß andererseits erst im Glauben, Hoffen und Lieben die Fähigkeit zuwächst, dieses

---

[25] Vgl. *K. M. Woschitz*, Elpis 770.

[26] Wenn der Eindruck nicht täuscht, neigt die Ethik philosophischer und theologischer Provenienz in der Gegenwart zu der Auffassung, die Begründung der Pflicht, den Nächsten um seiner selbst willen zu lieben, setze zwar nicht den biblischen Gottesbegriff und die philosophische Gotteslehre voraus, wohl aber eine transzendentale Reflexion – zumindest in der Gestalt, daß wie bei *Immanuel Kant* Gott als Postulat der praktischen Vernunft plausibel gemacht wird. Vgl. *G. Picht*, Der Begriff der Verantwortung (1967), in: ders., Wahrheit 318–342; *F. Ricken*, Allgemeine Ethik (UB 348), Stuttgart u. a. 1983, 23–26.

Gute, soweit es am Menschen ist, auch zu verwirklichen.[27] Die ethische Schlüsselfunktion der Trias ist in ihrer soteriologischen Relevanz begründet: Sittlichkeit können Glaube, Hoffnung und Liebe nur deshalb konstituieren, weil sich in ihnen Jesus Christus selbst als derjenige zur Geltung bringt, der Menschen für Gott und für den Nächsten öffnet.

4. Spiritualität

Für Paulus sind Glaube, Hoffnung und Liebe als Grundvollzüge des Christseins auch die wesentlichen Elemente christlicher Spiritualität. Die Qualität der Trias hat sich, angefangen mit dem Kolosserbrief, durch die Jahrhundert hindurch immer wieder dort bewiesen, wo es nötig geworden ist, in einer überbordenden Fülle von religiösen Praktiken die zentrale Perspektive auf das Christusgeschehen wieder zu öffnen. Dies dürfte auch die entscheidende Herausforderung der Gegenwart sein[28], die eine reiche Vielfalt neuer Formen religiösen Lebens entdeckt hat, aber gerade deshalb auch der Gefahr des Synkretismus ausgesetzt ist. Was es bedeuten könnte, sich in diesem Kontext neu von der paulinischen Trias inspirieren zu lassen, kann freilich nur in ganz wenigen Punkten angedeutet werden.[29]

(1) Durch den paulinischen Begriff der Pistis gefüllt, gewinnt christliche Spiritualität eine unverwechselbare Gestalt. Entscheidend ist, daß sie am grundlegenden Heilsgeschehen des Todes wie der Auferweckung Jesu Christi orientiert wird. Darin geht nicht nur der essentielle Unterschied zwischen Gott und Mensch auf, sondern gleichzeitig die Größe Gottes, die in seiner Liebe besteht und letztlich nur als Geheimnis vor Augen treten kann. Indem der Glaube alles darauf ausrichtet, bewahrt er die Frömmigkeit vor der großen Versuchung, gesetzlich zu werden oder der Skrupulosität zu verfallen, am Ende gar dem religiösen Leistungsdenken zu huldi-

[27] Daraus leitet sich dann ab, was man (nicht ohne naheliegende Mißverständnisse zu provozieren) als ethische Verpflichtung zum Glauben, Hoffen und Lieben bezeichnen kann: in dem Sinn, daß es zur Annahme der Gnade Gottes *auch* gehört, das Glauben, Hoffen und Lieben einzuüben, so daß das zugeteilte „Maß des Glaubens" (Röm 12,3), des Hoffens und des Liebens auch ausgefüllt wird. Vgl. zum (besonders heiklen) Beispiel des Glaubens *B. Fraling*, Art. Glaube, in: NLCM 286–295: 292ff.

[28] Vgl. *K. Rahner*, Elemente der Spiritualität in der Kirche der Zukunft (1977), in: ders., Schriften zur Theologie 14, Zürich u. a. 1980, 368–381: 372ff.

[29] Eine eingehende Darstellung, die etwas andere Akzente setzt, gibt *J. Weismayer*, Leben in Fülle. Zur Geschichte und Theologie der Spiritualität, Innsbruck 1983, 38–53. Vgl. vor allem noch *E. Przywara*, Deus semper maior 89f.96; auch *Th. Soiron*, Glaube, Hoffnung und Liebe.

gen.[30] Im Glauben leuchtet ein, daß die Erfahrung Gottes, wie immer sie zustande kommt, nichts als Gnade ist und daß ebenso jede Form einer echten Hinwendung zu Gott immer nur von den Möglichkeiten Gottes lebt, sich im Geist den Menschen mitzuteilen. Mehr noch: Im Glauben leuchtet ein, daß die christliche Spiritualität letztlich darin besteht, Gott als den Abba (Gal 4,15; Röm 8,15) zu sehen und sich ihm mit dem ganzem Leben anzuvertrauen. Die Entwicklung einer solchen personalen Beziehung kann nur aus der geistgewirkten Teilhabe an der Theozentrik Jesu Christi erwachsen. Sie schließt freilich nicht die Erfahrung der Gottferne aus: Weil der Glaube sich Gott als dem *Deus semper maior* öffnet, lernt er ihn nicht nur als den *Deus präsens*, sondern auch als den *Deus absconditus* kennen – ohne daran zu zerbrechen.[31] Doch nicht nur durch die Personalität, auch durch die „Objektivität" des paulinischen Glaubensbegriffs kann christliche Spiritualität geläutert werden: Der Zusammenhang zwischen der *fides qua* und der *fides quae*, der nach Paulus essentiell ist, bewahrt die Suche nach einer personalen Gottesbeziehung vor den Gefahren des Subjektivismus und der Auflösung in eine allgemein-menschliche Religiosität, die amorph ist und sentimental wird. Durch den Rekurs auf das Bekenntnis wird nicht nur der Inhalt des Evangeliums als Kriterium authentischer Gottesbeziehung zur Geltung gebracht, sondern zugleich die Verbindung mit der Tradition und mit der gegenwärtigen Gemeinschaft der gesamten Ekklesia ermöglicht. Ist aber christliche Spiritualität durch den Glauben an das Evangelium zurückgebunden, erhellt, daß sie vor allem anderen die Kunst des rechten *Hörens* ist – des Hörens auf das Wort Gottes, wo immer es durch Jesus Christus seinen Ausdruck findet: gewiß vor allem in der Schrift, aber auch in der Liturgie, dann in den Glaubenseinsichten anderer Christen, nicht zuletzt in der Person des Nächsten. Nur im Hören auf das Evangelium findet der Glaube jene Sprache der Frömmigkeit, die sowohl dem Heilswillen Gottes wie auch der Person des Glaubenden gemäß ist.

Auf diesem Hintergrund kann sich die christliche Spiritualität mit großem Gewinn auch an anderen Vorstellungen des Glaubens im Neuen Testament orientieren: wo es um das Bestehen von Bedrängnissen geht, vor allem am Ersten Petrusbrief, der aus der *imitatio Christi* den Glauben als Stärke und Treue hervorwachsen sieht; wo es um die Ausdauer auf der langen Pilger-

---

[30] Daß dieser Versuchung gerade auch christliche Frömmigkeit noch und noch erlegen ist und erliegt, zeigt immer wieder neu die Brisanz des paulinischen Glaubensbegriffs.

[31] Das ist die Erfahrung einer jeden authentischen Mystik, besonders ausgeprägt bei *Johannes vom Kreuz* und *Theresia von Lisieux*; vgl. *J. Sudbrack*, Abwesenheit Gottes, Zürich 1971.

schaft der Kirche und um die Bewältigung von persönlichen Durststrecken geht, insbesondere am Hebräerbrief, der aus dem Hinschauen auf Jesus als den Anfänger und Vollender des Glaubens (12,2) den Glauben als Zuversicht und Geduld entstehen sieht.

(2) Wenn sich christliche Spiritualität am paulinischen Begriff der Hoffnung orientiert, läßt sie sich von der eschatologischen Spannung bestimmen, die zwischen der schon erfahrbaren Nähe Gottes und der noch ausstehenden vollendeten Gemeinschaft mit ihm besteht. Gleichzeitig öffnet sie den Blick über den Horizont des Einzelnen hinaus für die gesamte Geschichte der Menschheit. Durch die Wahrung des eschatologischen Vorbehalts kann die Gefahr verringert werden, in Momenten der mystischen Versenkung, der intensiven Meditation und des geisterfüllten Betens schon die ganze Fülle der Gottesbeziehung zu sehen. Dafür steigt die Chance, den *status viatoris* als Grundbestimmung menschlichen Lebens auch in der Gottesbeziehung zu realisieren. Dies ist zum einen die Voraussetzung dafür, sich gerade in der Betrachtung *kein* Bild von Gott zu machen, sondern für den *Deus semper maior* offen zu bleiben. Es ist aber zum anderen auch die Voraussetzung dafür, das Leben in der Zeit, das unter der Verheißung Gottes steht und doch noch nicht die Erfüllung bringt, mit dem Gottesverhältnis in eine positive Beziehung zu bringen, ohne auf eine allgemeine Weltfrömmigkeit zu verfallen. Spiritualität, die sich von der Hoffnung bestimmen läßt, weiß um die Vorläufigkeit des Gegenwärtigen und alles Geschichtlichen, ohne es abzuwerten oder in die mythische Wiederkehr des immer Gleichen aufzuheben[32]; sie weiß aber auch um den Anspruch der Gegenwart und der Geschichte, dem inmitten aller Begrenztheit und Anfechtung gerecht werden muß, wer Gottes Wort annehmen will. Von der Hoffnung lernt christliche Spiritualität das Warten, die Geduld, die Gelassenheit, die Ausdauer und die Standfestigkeit, aber auch die Freude im Leiden, überhaupt Zuversicht und Fröhlichkeit. *Einerseits* kann sie jenen schier unverwüstlichen Optimismus durchschauen, der sich zwar als Ausdruck genuin christlicher Freude gibt, aber nur aus mangelnder Fähigkeit zur Wahrnehmung von Unrecht und Schuld entsteht; *andererseits* kann sie die Verkrampfungen lösen, die nicht wenige Formen christlicher Frömmigkeit verzerren. Vor allem aber lernt sie das Sich-Ausstrecken nach jenem Heil, dessen Realisierung das Ende geschichtlicher Kontingenz voraussetzt. Gerade in dieser Haltung aber, die weder angesichts des Leidens verzweifelt noch der Faszination menschli-

---

[32] Das viel kritisierte „als ob“ von 1Kor 7 ist nichts anderes als das Spiegelbild der Hoffnung angesichts der Lebens*wirklichkeit*; vgl. *W. Thüsing*, Die neutestamentlichen Theologien und Jesus Christus 344–347.

chen Könnens erliegt, sondern das Wissen um die Macht der Sünde mit dem Vertrauen auf die Gnade Gottes verbindet, gewinnt die christliche Spiritualität ein inneres Verhältnis zur Geschichte, sowohl hinsichtlich ihrer Endlichkeit als auch hinsichtlich ihrer Ausrichtung durch das Heilshandeln Gottes.[33] Darin öffnet sich geistliches Leben für die Not der Welt und für die Aufgabe caritativen und politischen Engagements.[34] Umgekehrt ist im Bezug auf die Geschichte auch das Verhältnis zum Tod begründet. Geleitet von der Hoffnung, wird es christlicher Spiritualität möglich, den Tod (in jedweder Gestalt) weder zu verleugnen und zu verdrängen noch zu heroisieren oder als Befreiung der Seele von den Fesseln des Leibes zu stilisieren, sondern in seiner tiefen Anstößigkeit wahrzunehmen – und dennoch auf Gottes Liebe zu vertrauen, die um der Verwirklichung der universalen Herrschaft Gottes willen nicht am Tod vorbei, sondern durch den Tod hindurch das Leben rettet, indem sie es neu erschafft.

(3) Für Paulus gehört der Glaube mit der Liebe zusammen. Sofern sich christliche Spiritualität davon leiten läßt, wird sie vor frommer Weltflucht und individualistischer Innerlichkeit gewarnt. Sie wird der kommunikativen und damit der ekklesialen Gestalt jeder authentischen Gottesbeziehung ansichtig. Vor allem macht sie damit ernst, daß jede Hinwendung zu Gott, so sie den Vater Jesu Christi nicht verfehlen will, die Kehrseite einer Hinwendung zu den Menschen sein muß.[35] So wie im Nächsten, im Bruder, in der Schwester, selbst im Feind immer Jesus Christus als der begegnet, der um ihretwillen gestorben ist (1Kor 8,11), so begegnen in Jesus Christus immer die anderen Menschen als diejenigen, die er in seiner Liebe lebendig hält (Gal 2,20). Durch die wechselseitige Verbindung werden sowohl das explizite Gottes- und Christusverhältnis der Glaubenden als auch ihre Relationen zu den anderen Menschen zutiefst geprägt. *Einerseits* fließen die positiven und die negativen Erfahrungen, die Christen im Verhältnis mit anderen Menschen machen, direkt in ihre Beziehung zu Gott und zu Jesus ein – mit dem Ziel, im Widerspruch und in der Zustimmung die Gemeinschaft mit den anderen vor Gott zu suchen, der diese *communio* ständig neu konstituiert und dereinst eschatologisch vollenden wird. Wer sich in dieser Weise mit dem Nächsten zusammen vor Gott stellt, wird dazu geführt, sein

---

[33] Hier liegt das Recht des scholastischen Nachdenkens, das die Hoffnung einerseits mit der Hochgemutheit (*magnanimitas*) und andererseits mit der Demut verbindet; *vgl. Thomas von Aquin*, S.Th. II–II 161,1; dazu *J. Pieper*, Über die Hoffnung 28ff.

[34] Vgl. Unsere Hoffnung. Ein Bekenntnis zum Glauben in dieser Zeit (Synodenbeschlüsse Nr. 18), Bonn 1975.

[35] Daß dies nicht nur in der *vita activa*, sondern auch in der *vita contemplativa* (etwa durch fürbittendes Beten) geschehen kann, braucht nicht eigens betont zu werden.

eigenes Verhalten zu verändern, so daß es dem Willen Gottes etwas besser entspricht. Vom Geist geführt, kann er dann womöglich sogar anderen Menschen helfen, einen Zugang zum Wort Gottes zu finden – wie umgekehrt der Nächste, mit dem er zusammentrifft, sich als derjenige zu erweisen vermag, der ihn näher zu Jesus Christus und durch ihn zu Gott führt. *Andererseits* werden die Beziehungen zum Nächsten selbst zum Ort der Gotteserfahrungen – sei es, daß erfahrene und anderen erwiesene Liebe Anlaß gibt, Gott zu danken und zu loben, sei es, daß erlittener Haß Anlaß gibt, Gott das Leid zu klagen, sei es auch, daß persönliches Versagen Anlaß gibt, Gott um Vergebung zu bitten. Geglückte Beziehungen zu anderen Menschen lassen, von der Agape geformt, eine Ahnung der Liebe aufdämmern, die Gott durch Jesus Christus den Menschen schenkt;[36] Leiden und Entbehrungen, die um der Liebe zum Nächsten willen entstehen, entfernen nicht von Gott, sondern werden in eine um so engere Gemeinschaft mit ihm hineingeführt, weil sie zur Konformität mit dem leidenden Jesus Christus führen; in der mühseligen Arbeit an der Versöhnung, in zahlreichen Enttäuschungen und halben Erfolgen, führt die Liebe kraft des Geistes den Menschen über sich selbst hinaus zur Offenheit für Gott.[37]

Die Trias von Glaube, Liebe und Hoffnung begründet die Einheit und ermöglicht die Vielfalt christlicher Spiritualität. Glaube, Hoffnung und Liebe lassen das *gesamte* Leben zum *geistlichen* Leben werden – weil sie es unter die Herrschaft der Gnade stellen, die in Jesus Christus Person geworden ist. Glaube, Hoffnung und Liebe bringen den Menschen zu sich selbst, der sein Leben in der Zeit und angesichts des Todes immer nur in der Gemeinschaft mit Gott und der dadurch begründeten Gemeinschaft mit anderen Menschen finden kann; Glaube, Hoffnung und Liebe weisen zuerst und zuletzt auf Gott, der sich in Jesus Christus der Menschen annimmt, um sie kraft des Geistes zu rechtfertigen und in der Zukunft an der vollendeten Herrschaft seiner Liebe teilhaben zu lassen.

---

[36] Nach Eph 5,21–33 ist der Ort, da dies am ehesten erfahren (und deshalb am schmerzlichsten verfehlt) werden kann, die Ehe.

[37] Vgl. *B. Welte*, Dialektik der Liebe 62.

Literaturverzeichnis

Auer, A., Glaube, Hoffnung und Liebe. Die Öffnung eines traditionellen Traktats in die Dimension des Gesellschaftlichen, in: J. Hepp u. a., Funktion und Struktur christlicher Gemeinde. FS H. Fleckenstein, Würzburg 1971, 91–114

Balthasar, H. U. v., Glaube, Hoffnung, Liebe aus Gott (1984), in: ders., Homo Creatus est. Skizzen zur Theologie V, Einsiedeln 1986, 277–287

Bars, H., Die göttlichen Tugenden Glaube – Hoffnung – Liebe (CiW VIII/2), Aschaffenburg 1963 (frz. 1960)

Barth, K., Die Auferstehung der Toten. Eine akademische Vorlesung über 1Kor 15, München [3]1935 ([1]1924)

Baur, F. Ch., Paulus, der Apostel Jesu Christi, 2Bde., hg. v. E. Zeller, Leipzig [2]1866.1867

Becker, J., Auferstehung der Toten im Urchristentum (SBS 82), Stuttgart 1976

– Die Erwählung der Völker durch das Evangelium. Theologiegeschichtliche Erwägungen zum 1Thess, in: W. Schrage (Hg.), Studien zum Text und zur Ethik des Neuen Testaments. FS H. Greeven (BZNW 47), Berlin 1986, 82–101

– Feindesliebe – Nächstenliebe – Bruderliebe. Exegetische Beobachtungen als Anfrage an ein ethisches Problemfeld: ZEE 25 (1981) 5–17

– Paulus. Der Apostel der Völker, Tübingen 1989

Bengel, J. A., Gnomon Novi Testamenti (1742). Deutsche Übersetzung, 2 Bde., Stuttgart [8]1970

Berger, K., Die Gesetzesauslegung Jesu. Teil I: Markus und Parallelen (WMANT 40), Neukirchen-Vluyn 1972

Boismard, M.-E., La Foi selon Saint Paul: LumVie 22 (1954) 489–513

Bornkamm, G., Der köstlichere Weg. 1Kor 13 (1937), in: ders., Das Ende des Gesetzes. Paulusstudien (BevTh 16), München [2]1958, 93–112

– Paulus (UT 119), Stuttgart u. a. [6]1987 ([1]1969)

Brandenburger, E., Pistis und Soteria. Zum Verstehenshorizont von „Glaube“ im Urchristentum: ZThK 85 (1988) 165–198

Brieger, A., Die urchristliche Trias Glaube – Liebe – Hoffnung, masch. Diss. Heidelberg 1925

Bultmann, R., Exegetica. Aufsätze zur Erforschung des Neuen Testaments, hg. v. E. Dinkler, Tübingen 1967

– Das christliche Gebot der Nächstenliebe (1930): GuV I 229–244

– Glauben und Verstehen I–IV, Tübingen [8]1966 (GuV)

– Karl Barth, „Die Auferstehung der Toten“ (1926): GuV I 38–64

– Das Problem der Ethik bei Paulus: ZNW 23 (1924) 123–140

– Theologie des Neuen Testaments, hg. v. O. Merk, Tübingen [9]1984 ([1]1958)

– Art. γινώσκω κτλ.: ThWNT 1 (1933) 688–671

– Art. ἐλπίς κτλ.: ThWNT 2 (1935) 515–520.525–531

– Art. πιστεύω κτλ.: ThWNT 6 (1959) 174–182.197–230

Campenhausen, H. v., Griechische Kirchenväter (UB 14), Stuttgart u. a. [5]1977 ([1]1955)

Collins, R. F., Studies on the First Letter to the Thessalonians (BEThL 66), Leuven 1984

Conzelmann, H., Grundriß der Theologie des Neuen Testaments (1968). 5. Aufl. bearb. v. A. Lindemann, München 1991

Dassmann, E., Der Stachel im Fleisch. Paulus in der frühchristlichen Literatur bis Irenäus, Münster 1979

Deissmann, A., Paulus. Eine kultur- und religionsgeschichtliche Skizze, Tübingen [2]1925 ([1]1911)

Delhaye, Ph., Art. Theologische Tugenden: LThK 10 (1965) 76–79

Delling, G., Art. τρεῖς: ThWNT 8 (1969) 215–225

Dobbeler, A. v., Glaube als Teilhabe. Historische und semantische Grundlagen der paulinischen Theologie und Ekklesiologie des Glaubens (WUNT II 22), Tübingen 1987

Ebeling, G., Dogmatik des christlichen Glaubens, 3 Bde., Tübingen 1979

Friedrich, G., Glaube und Verkündigung bei Paulus, in: F. Hahn – G. Friedrich (Hg.), Glaube im Neuen Testament. FS H. Binder (BThSt 7), Neukirchen-Vluyn 1982, 93–113

Froitzheim, F., Christologie und Eschatologie bei Paulus (FzB 35), Würzburg [2]1982 ([1]1979)

Garlington, D. B., „The Obedience of Faith". A Pauline Phrase in Historical Context (WUNT II/38), Tübingen 1991

Gerhardsson, B., 1Kor 13. Zur Frage von Paulus' rabbinischem Hintergrund, in: E. Bammel – Ch. K. Barrett – W. D. Davies (Hg.), Donum Gentilicium. FS D. Daube, Oxford 1978, 185–209

Gräßer, E., Der Glaube im Hebräerbrief (MThSt 2), Marburg 1965

Greshake, G., Geschenkte Freiheit. Einführung in die Gnadenlehre, Freiburg u. a. [2]1990 ([1]1977)

Grossouw, W., L'espérance dans le NT: RB 61 (1954) 508–532

Guardini, R., Die christliche Liebe. Eine Auslegung von 1Kor. 13, Würzburg 1940

Gundry Volf, J. M., Paul and Perseverance. Staying in and Falling Away (WUNT II/37), Tübingen 1990

Hahn, F., Das Gesetzesverständnis im Römer- und Galaterbrief: ZNW 67 (1976) 29–63

Harnack, A. v., Das Hohe Lied des Apostels Paulus von der Liebe (I.Kor 13) und seine religionsgeschichtliche Bedeutung: SPAW 1 (1911) 132–163

– Über den Ursprung der Formel: Glaube, Liebe, Hoffnung: PrJb 1964 (1916) 1–14

Harnisch, W., Eschatologische Existenz. Ein exegetischer Beitrag zum Sachanliegen von 1.Thessalonicher 4,13–5,11 (FRLANT 110), Göttingen 1973

– Einübung des neuen Seins. Paulinische Paränese am Beispiel des Galaterbriefes: ZThK 84 (1987) 279–296

Hoffmann, P., Die Toten in Christus. Eine religionsgeschichtliche und exegetische Untersuchung zur präsentischen Eschatologie (NTA 2), Münster [3]1978 ([1]1966)

Hofius, O., Das Gesetz des Mose und das Gesetz Christi (1980), in: ders., Paulusstudien 50–74

– Paulusstudien (WUNT 51), Tübingen 1989

– Wort Gottes und Glaube bei Paulus (1989), in: ders., Paulusstudien 148–174

Holtz, T., „Euer Glaube an Gott". Zu Form und Inhalt von 1Thess 1,9f (1977), in: ders., Geschichte und Theologie des Urchristentums. Gesammelte Aufsätze, hg. v. E. Reinmuth und Chr. Wolff, Tübingen 1991, 270–296

Hübner, H., Das Gesetz bei Paulus. Ein Beitrag zum Werden der paulinischen Theologie (FRLANT 119), Göttingen [3]1982 ([1]1978)

Johanson, B. C., To All the Brethren. A Text-Linguistic and Rhetorical Approach to IThessalonians (CB.NTS 16), Stockholm 1987

Jonas, H., Gnosis und spätantiker Geist I: Die mythologische Gnosis (FRLANT 51), Göttingen [3]1964 ([1]1934); Bd. II/1: Von der Mythologie zur gnostischen Philosophie (FRLANT 63), Göttingen [2]1966 ([1]1954).

Kertelge, K., Gesetz und Freiheit im Galaterbrief (1983), in: ders., Grundthemen 184–195.

– Freiheitsbotschaft und Liebesgebot im Galaterbrief (1989), in: ders., Grundthemen 197–208
– Grundthemen paulinischer Theologie, Freiburg u. a. 1991
– „Rechtfertigung" bei Paulus. Studien zur Struktur und zum Bedeutungsgehalt des paulinischen Rechtfertigungsbegriffs (NTA 3), Münster [2]1971 ([1]1966)
– Art. δικαιοσύνη/δικαιόω: EWNT 1 (1980) 784–796.796–810

Kieffer, R., Le Primat de l'Amour. Commentaire épistémologique de 1 Corinthiens 13 (LeDiv 85), Paris 1975

Klaiber, W., Rechtfertigung und Gemeinde. Eine Untersuchung zum paulinischen Kirchenverständnis (FRLANT 127), Göttingen 1982

Koch, D.-A. – G. Sellin – A. Lindemann (Hg.), Jesu Rede von Gott und ihre Nachgeschichte im frühen Christentum. Beiträge zur Verkündigung Jesu und zum Kerygma der Kirche. FS W. Marxsen, Gütersloh 1989

Kümmel, W. G., Heilsgeschehen und Geschichte. Gesammelte Aufsätze 1933 – 1964, hg. v. E. Gräßer, O. Merk und A. Fritz (MThSt 3), Marburg 1964

Kuhn, H.-W., Das Liebesgebot Jesu als Tora und als Evangelium. Zur Feindesliebe und zur christlichen und jüdischen Auslegung der Bergpredigt, in: H. Frankemölle – K. Kertelge (Hg.), Vom Urchristentum zu Jesus. FS J. Gnilka, Freiburg u. a. 1989, 194–230

Lacan, M. F., Les Troi qui demeurent (1Cor XIII,13): RSR 46 (1958) 321–343

Laub, F., Eschatologische Verkündigung und Lebensgestaltung nach Paulus. Eine Untersuchung zum Wirken des Apostels beim Aufbau der Gemeinde von Thessalonike (BU 10), Regensburg 1973

Lehmann, E. – A. Fridrichsen, 1Kor 13: ThStKr 94 (1922) 55–95

Lindemann, A., Paulus im ältesten Christentum. Das Bild des Apostels und die Rezeption der paulinischen Theologie in der frühchristlichen Literatur bis Marcion (BHTh 58), Tübingen 1979

Lohfink, G., Wie hat Jesus Gemeinde gewollt? Zur gesellschaftlichen Dimension des christlichen Glaubens, Freiburg u. a. 1982

Lohse, E., Die Entstehung des Neuen Testaments (ThW 4), Stuttgart u. a. [5]1991 ([1]1972)
– Theologische Ethik des Neuen Testaments (ThW 5,2), Stuttgart u. a. 1988
– Glauben im Neuen Testament, in: H.-J. Hermisson – E. Lohse, Glauben (UB 1005), Stuttgart u. a. 1978, 79–132

Lorenzi, L. de (Hg.), Charisma und Agape (1Kor 12–14), Rom 1983

Lotz, J. B., Die Drei-Einheit der Liebe. Eros – Philia – Agape, Frankfurt/M. 1979

Lüdemann, G., Paulus der Heidenapostel. Bd. 1: Studien zur Chronologie (FRLANT 123), Göttingen 1980

Lührmann, D., Glaube im frühen Christentum, Gütersloh 1976
– Pistis im Judentum: ZNW 64 (1973) 19–38

Lührmann, D. – G. Strecker (Hg.), Kirche. FS G. Bornkamm, Tübingen 1980

Lütgert, W., Die Liebe im Neuen Testament. Ein Beitrag zur Geschichte des Urchristentums, Gießen 1986 (Nachdr. der Ausg. Leipzig 1905)

Luz, U., Das Geschichtsverständnis des Paulus (BevTh 49), München 1968

Lyonnet, St., Foi et charité d'après saint Paul, in: Foi et Salut selon S. Paul (Epître aux Romains 1,16) (AnBib 42), Rom 1970

Malherbe, A. J., Exhortation in First Thessalonians: NT 25 (1983) 238–256

Maly, K., Mündige Gemeinde. Untersuchungen zur pastoralen Führung des Apostels im 1. Korintherbrief (SBM 2), Stuttgart 1967

Marxsen, W., Das „Bleiben" in 1Kor 13,13, in: H. Baltensweiler – B. Reicke (Hg.), Neues Testament und Geschichte. FS O. Cullmann, Zürich–Tübingen 1972, 223–229

– „Christliche“ und christliche Ethik des Neuen Testaments, Gütersloh 1989
Merk, O., Handeln aus Glauben. Die Motivierungen der paulinischen Ethik (MThSt 5), Marburg 1968
Merklein, H., Die Bedeutung des Kreuzestodes Christi für die paulinische Gerechtigkeits- und Gesetzesthematik (1987), in: ders., Studien 1–106
– Studien zu Jesus und Paulus (WUNT 43), Tübingen 1987
– (Hg.), Neues Testament und Ethik. FS R. Schnackenburg, Freiburg u. a. 1989
Mieth, D., Die neuen Tugenden. Ein ethischer Entwurf, Düsseldorf 1984
Miguens E., 1Cor 13: 8–13 reconsidered: CBQ 37 (1975) 76–97
Nebe, G., „Hoffnung“ bei Paulus. Elpis und ihre Synonyme im Zusammenhang der Eschatologie (StUNT 16), Göttingen 1983
Neugebauer, F., In Christus. Eine Untersuchung zum Paulinischen Glaubensverständnis, Göttingen 1961
Nissen, A., Gott und der Nächste im antiken Judentum. Untersuchungen zum Doppelgebot der Liebe (WUNT 15), Tübingen 1974
Noyen, C., Foi, charité, espérance et ‚connaissance‘ dans les Epîtres de la Captivité: NRTh 9 (1972) 897–911.1031–1053
Pannenberg, W., Anthropologie in theologischer Perspektive, Göttingen 1983
Pedersen, S., Agape – der eschatologische Hauptbegriff bei Paulus, in: ders. (Hg.), Die paulinische Literatur und Theologie, Århus – Göttingen 1980, 159–186
Pesch, O. H., Frei sein aus Gnade. Theologische Anthropologie, Freiburg u. a. 1983
– Theologie der Rechtfertigung bei Martin Luther und Thomas von Aquin. Versuch eines systematisch-theologischen Dialoges (Walberberger Studien. Theologische Reihe 4), Mainz 1967
– Thomas von Aquin. Grenze und Größe mittelalterlicher Theologie. Eine Einführung, Mainz 1988
– Die Theologie der Tugend und die theologischen Tugenden: Conc (D) 23 (1987) 233–245
Picht, G., Wahrheit – Vernunft – Verantwortung. Philosophische Studien, Stuttgart 1969
Pieper, J., Über den Glauben. Ein philosophischer Traktat, München 1962
– Über die Hoffnung (1935), München [6]1970
– Über die Liebe, München 1972
Pott, A., Das Hoffen im Neuen Testament in seiner Beziehung zum Glauben (UNT 7), Leipzig 1915
Przywara, E., Deus semper maior. Theologie der Exerzitien, 2 Bde. (1938), Wien–München 1964
Quinten, E., Liebe als Angelpunkt theologischen Denkens. Das paulinische Modell einer Theologie der Liebe, Diss. masch. Saarbrücken 1983
Reitzenstein, R., Die Formel „Glaube, Liebe, Hoffnung“ bei Paulus: NkGWG phil.-hist.Kl. 1916, 367–416
– Historia Monachorum und Historia Lausiaca. Eine Studie zur Geschichte des Mönchtums und der frühchristlichen Begriffe Gnostiker und Pneumatiker (FRLANT 24), Göttingen 1916
Schade, H.-H., Apokalyptische Christologie bei Paulus. Studien zum Zusammenhang von Christologie und Eschatologie in den Paulusbriefen (GTA 18), Göttingen [2]1984 ([1]1981)
Schlatter, A., Der Glaube im Neuen Testament. Studienausgabe 1982 mit einer Einführung von P. Stuhlmacher (nach [4]1927), Stuttgart [6]1982 (zuerst 1882)
Schlier, H., Der Apostel und seine Gemeinde. Auslegung des ersten Briefes an die Thessalonicher, Freiburg u. a. 1972

– Besinnung auf das Neue Testament. Exegetische Aufsätze und Vorträge II, Freiburg u. a. ²1964
– Nun aber bleiben diese Drei. Grundriß des christlichen Lebensvollzuges, Einsiedeln 1971
– Über die Liebe. 1Kor 13 (1949), in: ders., Die Zeit der Kirche, Freiburg u. a. ⁵1972, 186–193
Schmid, U., Die Priamel der Werte im Griechischen von Homer bis Paulus, Wiesbaden 1964
Schmithals, W., Paulus und die Gnostiker. Untersuchungen zu den kleinen Paulusbriefen (ThF 35), Hamburg 1965
Schnackenburg, R., Die sittliche Botschaft des Neuen Testaments. Völlige Neubearbeitung, Bd. I: Von Jesus zur Urkirche (HThK.S 1), Freiburg u. a. 1986. Bd. II: Die urchristlichen Verkündiger (HThK.S 2), ebd. 1988
Schnelle, U., Neutestamentliche Anthropologie. Jesus – Paulus – Johannes (BThSt 18), Neukirchen-Vluyn 1991
– Die Ethik des 1 Thessalonicherbriefes, in: R. F. Collins (Hg.), The Thessalonian Correspondance (BEThL 87), Leuven 1990, 295–305
– Der Erste Thessalonicherbrief und die Entstehung der paulinischen Anthropologie: NTS 32 (1986) 207–224
Schockenhoff, E., Bonum hominis. Die anthropologischen und theologischen Grundlagen der Tugendethik des Thomas von Aquin (TTS 28), Mainz 1987
Schrage, W., Die konkreten Einzelgebote in der paulinischen Paränese. Ein Beitrag zur neutestamentlichen Ethik, Gütersloh 1961
– Ethik des Neuen Testaments (NTD.E GNT 4), Göttingen ²1989 (¹1982)
Schreer, W., Der Begriff des Glaubens. Das Verständnis des Glaubensaktes in den Dokumenten des Vatikanum II und in den theologischen Entwürfen Karl Rahners und Hans Urs von Balthasars (EHS 448), Frankfurt/M. 1992
Schulz, S., Neutestamentliche Ethik (ZGB), Zürich 1986
Schürmann, H., Das „Gesetz des Christus" (Gal 6,2). Jesu Verhalten und Wort als letztgültige sittliche Norm nach Paulus (1974), in: ders., Ethik 53–76
– Studien zur neutestamentlichen Ethik, hg. v. Th. Söding (SBAB 7), Stuttgart 1990
Schwarz, R., Fides, Spes und Caritas beim jungen Luther unter besonderer Berücksichtigung der mittelalterlichen Tradition (AKG 34), Berlin 1962
Schweizer, E., Altes und Neues zu den „Elementen der Welt" in Kol 2,20; Gal 4,3.9, in: K. Aland – S. Meurer (Hg.), Wissenschaft und Kirche. FS E. Lohse, Bielefeld 1989, 111–118
– Die „Elemente der Welt" Gal 4,3.9; Kol 2,8.20 (1970), in: ders., Beiträge zur Theologie des Neuen Testaments, Zürich 1970, 147–163
Sellin, G., Der Streit um die Auferstehung der Toten. Eine religionsgeschichtliche und exegetische Untersuchung von 1Korinther 15 (FRLANT 138), Göttingen 1986
Söding, Th., Zur Chronologie der paulinischen Briefe. Ein Diskussionsvorschlag: BN 56 (1991) 31–59
– Erniedrigung und Erhöhung. Erwägungen zum Verhältnis von Christologie und Mythos am Beispiel des Philipperhymnus (Phil 2,6–11): ThPhil 67 (1992) 1–28
– Der Erste Thessalonicherbrief und die frühe paulinische Evangeliumsverkündigung. Zur Frage einer Entwicklung der paulinischen Theologie: BZ 35 (1991) 180–203
– Die Gegner des Apostels Paulus in Galatien. Beobachtungen zu ihrer Theologie und ihrem Konflikt mit Paulus: MThZ 42 (1991) 305–321
– Gottesliebe bei Paulus: ThGl 79 (1989) 219–242

– Kreuzestheologie und Rechtfertigungslehre. Zur Verbindung von Christologie und Soteriologie im Ersten Korintherbrief und im Galaterbrief: Cath (M) 46 (1992) 31–60
– Das Liebesgebot bei Paulus. Die Mahnung zur Agape im Rahmen der paulinischen Ethik, Hab.-Schrift Münster 1991
– „Ihr aber seid der Leib Christi" (1Kor 12,27). Exegetische Beobachtungen an einem zentralen Motiv paulinischer Ekklesiologie: Cath (M) 45 (1991) 135–162
– „Was schwach ist in der Welt, hat Gott erwählt" (1Kor 1,27). Kreuzestheologie und Gemeinde-Praxis nach dem Ersten Korintherbrief: BiLit 60 (1987) 58–65.
– Widerspruch und Leidensnachfolge. Neutestamentliche Gemeinden im Konflikt mit ihrer paganen Umwelt: MThZ 41 (1990) 137–155
– Das Wortfeld der Liebe im paganen und biblischen Griechisch. Philologische Untersuchungen an der Wurzel αγαπ-: EThL 1992 (im Druck)
– Zuversicht und Geduld im Schauen auf Jesus. Zum Glaubensbegriff des Hebräerbriefes: ZNW 82 (1991) 214–241

Soiron, Th., Glaube, Hoffnung und Liebe. Ein Buch über das Wesen christlicher Frömmigkeit, Regensburg 1934

Spicq, C., Agapè dans le Nouveau Testament. Analyse des textes (EB), 3 Bde., Paris 1958.1959
– Agapè. Prolégomènes à une étude de théologie néotestamentaire, Louvain 1955
– Notes de Lexicographiquée Néo-Testamentaire, 2 Bde. (OBO 22/1.2), Fribourg–Göttingen 1978

Splett, J., Konturen der Freiheit. Zum christlichen Sprechen vom Menschen, Frankfurt 1974

Stuhlmacher, P., Gerechtigkeit Gottes bei Paulus (FRLANT 87), Göttingen 1965

Theobald, M., Die überströmende Gnade. Studien zu einem paulinischen Motivfeld (FzB 22), Würzburg 1982

Thüsing, W., Die Botschaft des Neuen Testaments – Hemmnis oder Triebkraft der gesellschaftlichen Entwicklung?: GuL 43 (1970) 136–148
– Neutestamentliche Zugangswege zu einer transzendental-dialogischen Christologie, in: K. Rahner – W. Thüsing, Christologie – systematisch und exegetisch (QD 55), Freiburg u. a. 1972, 82–315
– Gott und Christus in der paulinischen Soteriologie. Bd. I: Per Christum in Deum. Das Verhältnis der Christozentrik zur Theozentrik (NTA 1/I), Münster [3]1986 ([1]1965)
– Rechtfertigungsgedanke und Christologie in den Korintherbriefen, in: J. Gnilka (Hg.), Neues Testament und Kirche. FS R. Schnackenburg, Freiburg u. a. 1974, 301–324
– Die neutestamentlichen Theologien und Jesus Christus. Bd. 1: Kriterien aufgrund der Rückfrage nach Jesus und des Glaubens an seine Auferweckung, Düsseldorf 1981

Vanhoye, A. (Hg.), L'Apôtre Paul. Personnalité, style et conception du ministère (BEThL 73), Leuven 1986

Van Menxel, F., 'Ελπίς. Espoir. Esperance. Etudes sémantiques et théologiques du vocabulaire de l'espérance dans l'Hellénisme et le Judaïsme avant le Nouveau Testament (EHS 213), Frankfurt/M.–Bern–New York 1983

Walter, E., Glaube, Hoffnung und Liebe im Neuen Testament, Freiburg 1942

Warnach, V., Agape. Die Liebe als Grundmotiv der neutestamentlichen Theologie, Düsseldorf 1951
– Art. Liebe: BthWb 2 ([3]1967) 927–965

Weder, H., Art. Hoffnung II. Neues Testament: TRE 15 (1986) 484–491

- Das Kreuz Jesu bei Paulus. Ein Versuch, über den Geschichtsbezug des christlichen Glaubens nachzudenken (FRLANT 125), Göttingen 1981
Welte, B., Dialektik der Liebe. Gedanken zur Phänomenologie der Liebe und zur christlichen Nächstenliebe im technischen Zeitalter, Frankfurt/M. 1973
Wendland, H.-D., Ethik des Neuen Testaments. Eine Einführung (NTD Erg.R. GNT 4), Göttingen [3]1978 ([1]1970)
Wischmeyer, O., Das Gebot der Nächstenliebe bei Paulus: BZ 30 (1986) 161–187
- Traditionsgeschichtliche Untersuchung der paulinischen Aussagen über die Liebe (ἀγάπη): ZNW 74 (1983) 222–236
- Der höchste Weg. Das 13. Kapitel des 1. Korintherbriefes (StNT 13), Gütersloh 1981
Wißmann, E., Das Verhältnis von ΠΙΣΤΙΣ zur Christusfrömmigkeit bei Paulus (FRLANT 40), Göttingen 1926
Woschitz, K. M., Elpis – Hoffnung. Geschichte, Philosophie, Exegese, Theologie eines Schlüsselbegriffs, Wien u. a. 1979

Stellenregister (in Auswahl)

1. Altes Testament (incl. LXX)

2. Frühjudentum

3. Neues Testament

4. Väterschriften

Sachregister

Autorenregister (in Auswahl)